Inspiración bíblica

Inspiración bíblica

Un acercamiento patrístico

Michael Graves

Inspiración bíblica: Un acercamiento patrístico

Publicado originalmente en ingles bajo el título: *The Inspiration and Interpretation of Scripture: What the early church can teach us*, por Wm. B. Eerdmans Publishing Co.

Traducción al español: Jorge Ostos
Edición y maquetación: Mauricio Jiménez

Salem Oregón, Estados Unidos
http://www.publicacioneskerigma.org

Diseño de Portada: Publicaciones Kerigma

2020 Publicaciones Kerigma
Salem, Oregón

Pedidos: 971 304-1735

www.publicacioneskerigma.org

ISBN: 978-1-948578-63-9

Impreso en los Estados Unidos
Printed in the United States

Para Ben y Nick

Contenido

CAPÍTULO UNO

Introducción

¿Cuál es nuestro tema?

Las Escrituras han ocupado un lugar central en el cristianismo desde los orígenes de la iglesia hace dos mil años hasta el día de hoy. El mensaje original que los apóstoles enseñaron sobre Jesús se basaba en las «Escrituras», que en ese momento consistían sólo en el «Antiguo Testamento». El apóstol Pablo explicó la base escritural de su mensaje de esta manera: «Porque yo os entregué en primer lugar lo mismo que recibí: que Cristo murió por nuestros pecados, conforme a las Escrituras; que fue sepultado y que resucitó al tercer día, conforme a las Escrituras; 5 que se apareció a Cefas y después a los doce» (1 Co. 15:3-5). El Evangelio de Mateo registra numerosos acontecimientos en la vida de Jesús que tuvieron lugar para «cumplir» lo que el Señor había dicho a través de un profeta del Antiguo Testamento (Mt. 1:22; 2:15, 17, 23, etc.). La iglesia primitiva heredó del antiguo judaísmo y de los apóstoles la creencia de que Dios se había comunicado con la humanidad a través de escritos sagrados conocidos como «Escrituras». Con el tiempo, a medida que los documentos del Nuevo Testamento llegaron a leerse en las iglesias junto con el Antiguo Testamento, los cristianos comenzaron a reconocer un canon de escritos sagrados que consistía tanto en los libros sagrados del antiguo Israel (el «Antiguo Testamento») como en los escritos autoritativos de los apóstoles (el «Nuevo Testamento»). Juntos, estos textos formaban la Biblia cristiana, que ha sido leída, predicada y orada desde los primeros siglos de la iglesia.[1]

---

[1] El proceso histórico de creación de la Biblia, que he explicado general y brevemente aquí, fue complejo y dio lugar a algunas variaciones en los libros que se incluyeron dentro de las diferentes comunidades; véase pág. 180, n. 8; Lee M. McDonald, *The Biblical Canon* (Peabody: Hendrickson, 2007).

Lo que hace que la Biblia sea tan especial para los cristianos es la creencia de que está inspirada por Dios. Es cierto que a veces hablamos de otros escritos como si fueran «inspirados». Una novela puede estar inspirada por la vida de una persona, o incluso podemos decir que un autor fue inspirado por un sentido de la belleza o el asombro. Este tipo de inspiración puede ser profundamente profunda, ya que los grandes escritores del pasado han captado una aguda visión del mundo en el que vivimos. Sin embargo, este tipo de inspiración es aún menos de lo que los cristianos típicamente creen que es verdad en la Biblia. Los cristianos creen que los escritos bíblicos se produjeron porque «hombres inspirados por el Espíritu Santo hablaron de parte de Dios» (2 Pe. 1:21). Al hablar de la inspiración de la Biblia, la mayoría de los cristianos se imaginan que la actividad de Dios al inspirar a los escritores fue más directa, más extensa y con un propósito más singular que la inspiración que han experimentado otros escritores. San Jerónimo, a principios del siglo V, expresó sucintamente su creencia en la inspiración divina de la Escritura: «Las Escrituras fueron escritas y producidas por el Espíritu Santo».[2]

El presente libro tiene como objetivo describir lo que los cristianos de los primeros cinco siglos de la iglesia creían acerca de la inspiración de las Escrituras.[3] Lo haré identificando varias ideas que los primeros cristianos consideraban como implicaciones lógicas de la inspiración bíblica. En otras palabras: ¿Qué es cierto de la Escritura como resultado de su inspiración? ¿Qué debería hacernos esperar de la Escritura la inspiración divina? Las respuestas a estas preguntas en la iglesia primitiva se relacionaban no sólo con la naturaleza de las afirmaciones de verdad de la Escritura, sino también con la manera en que la Escritura debía ser interpretada y las posibles normas por las que se podía medir la interpretación de la Escritura. Estas dimensiones de la Escritura estaban estrechamente interrelacionadas de diversas maneras.

Lamentablemente, las opiniones del cristiano promedio durante este período son difíciles de reconstruir. Pero podemos captar la forma básica de las primeras creencias cristianas sobre las Escrituras a través de los escritos de los intelectuales cristianos, incluyendo

---

[2] Jerónimo, *Commentary on Micah 7:5-7* (*Corpus Christianorum, Series Latina* 76, pág. 513).

[3] Para una visión general histórica fiable y concisa de la interpretación bíblica durante este período, véase Manlio Simonetti, *Biblical Interpretation in the Early Church*, trad. John A. Hughes (Edinburgo: Clark, 1994). Para un análisis más profundo de temas y figuras específicas, véase Charles Kannengiesser, ed., *Handbook of Patristic Exegesis: The Bible in Ancient Christianity*, 2 vols. (Leiden: Brill, 2004). Un libro que aborda de manera útil muchos temas relacionados con la inspiración de las Escrituras es Robert M. Grant, *The Letter and the Spirit* (Londres: SPCK, 1957).

muchos obispos, conocidos comúnmente como los «Padres de la Iglesia». Esta frase de orientación masculina refleja el desafortunado hecho de que los hombres, más que las mujeres, generalmente tenían oportunidades de participar en la interpretación bíblica escrita durante este período. Además, los escritos que las mujeres produjeron no sobrevivieron. Por ejemplo, a finales del siglo IV Jerónimo intercambió cartas dedicadas principalmente a temas bíblicos con una mujer llamada Marcela, una líder ascética de Roma. Marcela estudió hebreo y se dice que respondió a las preguntas que le hicieron los sacerdotes sobre cuestiones bíblicas.[4] Sin embargo, aunque las cartas de Jerónimo a ella sobreviven, sus cartas a Jerónimo no se conservaron.[5] Como resultado, las figuras estudiadas en este libro serán por necesidad los «Padres de la Iglesia».

Por supuesto, escribo como alguien que se sitúa en el mundo moderno, y no puedo evitar reflejar mi propia situación en el tiempo. Pero mi objetivo al describir a estos antiguos autores será presentar sus perspectivas en sus propios términos tal como los formularon dentro de sus contextos históricos. Incluso mientras busco identificar las creencias más extendidas, también tomaré nota de la diversidad de puntos de vista donde existió. De hecho, algunas de las principales categorías conceptuales que trataré están en tensión entre sí, revelando diferencias de opinión en cuanto a las implicaciones de la inspiración. Lo que estoy tratando de describir no es una doctrina coherente y sistemática de la inspiración bíblica que fue compartida por todos los primeros cristianos, sino más bien la red de ideas sobre la inspiración reflejada en los primeros escritos cristianos. Esta red tiene puntos de referencia identificables, pero también diversas trayectorias.

En el curso de la descripción de lo que los antiguos cristianos pensaban sobre la inspiración bíblica, trataré de identificar algunas ideas importantes que pueden ser útiles para los cristianos de hoy. Creo que los Padres de la Iglesia tienen mucho que enseñarnos sobre cómo entender las Escrituras. Al mismo tiempo, hay muchas ideas que se encuentran en sus escritos que reflejan su contexto antiguo; estas ideas pueden no parecer creíbles o significativas hoy en día, al menos no como fueron formuladas originalmente. Pero cuando se tiene debidamente en cuenta el entorno intelectual en el que vivieron los Padres de la Iglesia, muchas de sus creencias sobre la Escritura

---

[4] Jerónimo, *Epistle* 127.7.

[5] He escrito un artículo sobre Marcela: Michael Graves, «The Biblical Scholarship of a Fourth-Century Woman: Marcella of Rome», *Ephemerides Theologicae Lovanienses* 87 (2011): 375-91.

resultan no sólo útiles sino incluso esenciales para los cristianos contemporáneos que quieren leer la Escritura y escuchar su mensaje divino. Las primeras ideas cristianas sobre la inspiración iluminan las diversas formas en que la Escritura es significativa para los lectores cristianos. Es el siempre presente significado cristiano de las Escrituras el que toma el centro del escenario con los Padres de la Iglesia. En la conclusión de este libro, sugeriré algunas formas en que los cristianos de hoy pueden aprender de la iglesia primitiva mientras que al mismo tiempo respetan las diferencias entre los contextos antiguos y modernos.

En el resto de la Introducción describiré algunos de los principales desafíos conceptuales y escriturales a los que nos enfrentamos al definir la naturaleza de la inspiración, proporcionaré algún contexto histórico para el pensamiento antiguo sobre los textos sagrados, y presentaré brevemente las principales figuras cristianas que se tratarán en los capítulos siguientes.

Posibles vinculaciones de inspiración

En la lógica, el término «vinculación» se refiere a la relación entre dos afirmaciones, en la que la segunda es necesariamente verdadera como consecuencia lógica de la primera. Consideremos estas dos frases: (1) Marco ha sido contratado como comandante del ejército. (2) Marco tiene un trabajo. Si Marco ha sido contratado para servir como comandante del ejército, entonces se deduce lógicamente que tiene un trabajo. Siempre que usemos estas palabras en sus sentidos más comúnmente aceptados, la segunda declaración es necesariamente verdadera si la primera es verdadera. No sólo se puede utilizar la palabra «vinculación» para describir la relación entre tales declaraciones, sino que la segunda declaración, lógicamente necesaria, se puede llamar «vinculación» de la primera. Por ejemplo, si las afirmaciones anteriores sobre Marco son ciertas, entonces el hecho de que Marco tenga un trabajo es una vinculación del hecho de que ha sido contratado como comandante del ejército. Así pues, una vinculación es una proposición o cualidad que acompaña necesariamente a otra proposición o cualidad.

En este libro, consideraré varias afirmaciones que podrían ser vistas como implicaciones de inspiración bíblica. Todos los cristianos de la iglesia primitiva creían que las Escrituras eran inspiradas por Dios. Parece que creer en la inspiración de la Escritura era una implicación de creer en el cristianismo. La siguiente pregunta que quiero hacer es esta: ¿Cuáles eran las implicaciones de creer en la inspiración? Si se concede que la Escritura es inspirada, ¿qué debe ser cierto de la Escritura como resultado? Algunas de las perspectivas que los Padres de la Iglesia ofrecieron sobre esta pregunta podrían ser sorprendentes para los cristianos modernos. Por lo tanto, es importante señalar que esta pregunta no es fácil de responder.

Si se trabajara dentro del marco del pensamiento bíblico y cristiano primitivo, sería posible obtener muchos atributos que podrían ser potencialmente verdaderos de la Escritura como resultado de la inspiración. Pero esto no significa que estos atributos pertenezcan *necesariamente* a la Escritura. Por ejemplo, hay muchos cristianos que creen que, como consecuencia de la inspiración divina, la Escritura debe ser única en sus enseñanzas éticas. Dado que los caminos y pensamientos de Dios son diferentes de los nuestros (vea Is. 55:8-9), esperan que lo que Dios dice en la Biblia sea totalmente diferente de lo que los seres humanos conciben por su propia ingenuidad.

Estos cristianos se sorprenden a menudo al saber, por ejemplo, que el *Código de Hammurabi*, escrito antes de la época de Moisés, ya permitía que los esclavos de la deuda quedaran libres en el cuarto año, que es anterior al séptimo año indicado por Éxodo 21.[6] De manera similar, los escritores griegos anteriores a Jesús expresaron la idea de que se debe actuar hacia los demás como se quisiera que los demás actuaran hacia uno mismo.[7] Las escrituras y los escritos no bíblicos a veces incluso comparten ideas generales sobre cómo funcionan los dioses en la historia. Un ejemplo es la idea de que una deidad nacional se enfada con su pueblo y lo castiga entregándolo a un opresor extranjero. Esta idea se encuentra tanto en la *Estela de Mesa* del siglo IX a.C. (con Quemos, Dios de Moab) como en el libro

---

[6] Sobre el *Código de Hammurabi*, véase Victor H. Matthews y Don C. Benjamin, *Old Testament Parallels: Laws and Stories from the Ancient Near East*, 3ra ed. (Nueva York: Paulist, 2006), pág. 109. El prólogo del *Código de Hammurabi* llama al rey «Buen Pastor» cuyas responsabilidades incluyen el establecimiento de la justicia y la asignación equitativa de los derechos de pasto y agua (Matthews y Benjamin, *Old Testament Parallels*, pág. 106). En Éxodo 21:2-11, los esclavos varones son libres en el séptimo año, pero las esclavas designadas como esposas no son libres. En Deuteronomio 15:12-18, se establece que tanto los esclavos como las esclavas son libres en el séptimo año.

[7] Por ejemplo, véase Isócrates, *Nicocles* 61; *To Nicocles* 24; *To Demonicus* 14; y *Panegyricus* 81; *Letter of Aristeas* 207; *Tobit* 4:15; Filón (citado en Eusebio, *Preparation for the Gospel* 8.7.6). Véase también el sabio rabínico Hillel: «Lo que es odioso para ti, no lo hagas a tu prójimo: esa es toda la Torá, mientras que el resto es el comentario de la misma; ve y apréndelo» (Talmud babilónico, *Shabbat* 31a; véase *The Babylonian Talmud*, «Shabbath I», trad. H. Freedman, ed. I. Epstein [Londres: Soncino, 1938]), pág. 140). Esta idea básica también se encuentra en las literaturas zoroastriana, confuciana, budista e india antigua; vea John Nolland, *The Gospel of Matthew*, NIGTC (Grand Rapids: Eerdmans, 2005), pág. 329.

bíblico de Jueces (con YHVH, Dios de Israel).[8] Los ejemplos como estos son numerosos.

La respuesta teológica más sencilla a las cuestiones planteadas por estos paralelos es que la singularidad de cada parte de la Biblia no es un corolario *necesario* de su inspiración. De hecho, no es infrecuente que los eruditos cristianos con formación en historia antigua utilicen los paralelismos literarios y arqueológicos del mundo de la Biblia para iluminar los textos bíblicos en el ámbito de la iglesia. Para esos eruditos, la noción de que la singularidad es una implicación de la inspiración es simplemente un malentendido de la doctrina de la inspiración. Sin embargo, creo que vale la pena reflexionar sobre este malentendido particular, no sólo porque es común, sino también porque no hay nada necesariamente ilógico en ello.

Si no tuviéramos ninguna información sobre el mundo antiguo fuera de la Biblia, sería posible asumir que las ideas reveladas a la humanidad pecadora por Dios serían completamente diferentes de las que los seres humanos inventan por sí mismos. Sin embargo, resulta que los escritores no bíblicos han expresado ideas que también se encuentran en la Biblia. Es probable que esto se deba a que incluso las personas caídas llevan la imagen de Dios y son capaces de sentir su camino hacia Dios (véase Gén. 1:27; Hch. 17:26-31) y a que Dios inspiró a los escritores bíblicos a hacer uso de elementos de sus culturas. Los cristianos han considerado tradicionalmente la Biblia como «verdadera» (véase más adelante), pero eso no significa necesariamente que deba ser única. Todo esto sugiere que sería útil que diferenciáramos entre lo que debe ser verdad de la Escritura y lo que podría ser verdad de la Escritura como consecuencia de su inspiración.

Esta observación nos ayuda a entender mejor muchos temas bíblicos complejos, como las diferencias en los detalles entre pasajes paralelos de las Escrituras. Por ejemplo, en el Evangelio de Mateo la higuera maldecida por Jesús se seca inmediatamente (Mt. 21:19), mientras que en el Evangelio de Marcos la higuera se seca al día siguiente (Mc. 11:13-14, 20-25). Del mismo modo, en el Evangelio de Mateo un ángel aparece en la tumba vacía (Mt. 28:2-7), mientras que en el Evangelio de Lucas hay dos ángeles (Lc. 24:4-7). Estas diferencias de detalle no se han tomado tradicionalmente como evidencia de que los relatos del Evangelio son falsos. El mensaje particular de cada Evangelio se expresa a través de su presentación

---

[8] Véase Matthews y Benjamin, *Old Testament Parallels*, págs. 167-69, Jueces 2:11-15, y en general Jueces 3–16.

distintiva de tales detalles (por ejemplo, véase la sección 14 abajo). Se podría haber esperado que los textos de inspiración divina no contuvieran tales diferencias. Tal expectativa no sería irrazonable, pero no es una implicación necesaria de la inspiración divina.

Estos pensamientos sirven para ilustrar la difícil tarea de definir lo que es necesariamente cierto de la Escritura como resultado de la inspiración. De hecho, en lugar de preguntarse qué cualidades *deben* pertenecer a la Escritura en vista de la inspiración divina, una mejor manera de abordar este tema es preguntar simplemente qué *es* verdadero de la Escritura debido a que es inspirada. Hacer la pregunta de esta manera permite una mayor flexibilidad para equilibrar nuestras expectativas teológicas con los textos bíblicos reales que poseemos. Desde el punto de vista actual, podemos apreciar lo que varios Padres de la Iglesia creían que eran implicaciones lógicas de la inspiración sin comprometernos con la idea de que estas creencias son lógicamente *necesarias*. Cada posible implicación puede considerarse abierta a la evaluación y el perfeccionamiento a la luz de la reflexión teológica continua y el estudio de los contenidos de la Escritura.

Testimonios sobre la inspiración dentro de la Escritura

Lo que la Escritura dice sobre su propia inspiración fue obviamente importante para los Padres de la Iglesia. Cada intérprete cristiano discutido en este libro pensaba que seguía la comprensión de la inspiración establecida en la Escritura. Lo que los libros bíblicos dicen y no dicen sobre la inspiración de las Escrituras fue instrumental para determinar las direcciones que la iglesia primitiva tomaría para desarrollar sus propias ideas sobre las Escrituras.

En términos de definir la naturaleza de la revelación textual, el Antiguo Testamento por sí solo no jugó un papel significativo en la formación de las creencias de los Padres de la Iglesia sobre la inspiración de las Escrituras. Sin duda, el Antiguo Testamento retrata a Dios hablando a individuos como Abraham y Jacob, y grandes secciones de Éxodo, Levítico y Números representan palabras que Dios habló a la comunidad (Éx. 20) o a Moisés (por ejemplo, Éx. 21-24). Además, los libros proféticos están llenos de frases como «dice el Señor» o «la palabra del Señor que vino» (al profeta), que dan testimonio del hecho de que Dios habló. Pero dentro del propio Antiguo Testamento, las narraciones generales de la mayoría de los libros no explican cómo las composiciones en su conjunto fueron inspiradas por Dios, y los libros poéticos como Proverbios,

Eclesiastés, Cantar de los Cantares y Salmos —aunque tienen la clara intención de ofrecer instrucción sobre Dios— no hacen la afirmación explícita de ser una revelación. Los primeros intérpretes cristianos no encontraron instrucciones en estos libros del Antiguo Testamento sobre cómo leerlos como inspirados.

Las partes legales del Pentateuco son particularmente complejas como revelación. La «ley de Moisés» fue ciertamente conocida como un texto autorizado durante el período en que se escribió el Antiguo Testamento.[9] Esto proporciona la base más segura dentro del Antiguo Testamento para desarrollar una doctrina de la revelación *escrita*. Sin embargo, a pesar de su gran admiración por Moisés, los Padres de la Iglesia consideraron uniformemente que la ley mosaica ya no era pertinente para ellos, al menos a nivel literal. Muchos de los primeros cristianos creían que las leyes del Antiguo Testamento transmitían significados simbólicos. También había cristianos que consideraban la ley como un castigo para Israel, o como una concesión otorgada a Israel después de que aprendieran el sacrificio de animales en Egipto.[10] Como resultado, el material legal del Pentateuco recibió sólo una modesta atención entre los Padres de la Iglesia, y la revelación en el Sinaí no contribuyó sustancialmente a la comprensión de la inspiración por parte de la Iglesia primitiva.

Es el concepto de «Escritura», tal como se encuentra en el Nuevo Testamento y localizado conceptualmente en el mundo grecorromano, el que se convirtió en el paradigma de los puntos de vista de los Padres de la Iglesia. Aunque los escritores del Nuevo Testamento en general no parecen ser conscientes de que ellos mismos están escribiendo «Escrituras»,[11] no obstante expresan ideas sobre las Escrituras en relación con el Antiguo Testamento que son claramente

---

[9] Por ejemplo, véase Josué 8:31-32; 23:6; 1 Reyes 2:3; 2 Reyes 14:6; Esdras 3:2; 7:6; Nehemías 8:1; y Daniel 9:11-13. El material legal en el Pentateuco se presenta literalmente como una revelación directa de Dios, pero el descubrimiento de códigos de leyes del Oriente Próximo similares al material legal en el Pentateuco confirma la idea de que «una parte sustancial de la ley bíblica se basaba en leyes preexistentes del Oriente Próximo»; véase Samuel Greengus, *Laws in the Bible and in Early Rabbinic Collections* (Eugene: Cascade, 2011), pág. 1. Esto sugiere que la revelación de este material jurídico no fue puramente un discurso divino «directo»; más bien, la presentación final de estas leyes implicó una composición humana impulsada por la divinidad que hizo uso de fuentes anteriores. Esto puede compararse con la inspiración que los cristianos creen que tuvo lugar en la composición del Evangelio de Lucas (véase Lucas 1:1-4).

[10] Por ejemplo, Ireneo describe la ley como el castigo por el pecado del becerro de oro (*Contra las herejías* 4.15.1-2; 4.16.5). Teodoreto dice que Dios permitió los sacrificios de animales en la ley como una concesión a los israelitas, que se habían acostumbrado a los sacrificios de animales en Egipto (*Comentario sobre Jeremías* 7:21-23).

[11] 2 Pedro 3:15-16 ofrece un ejemplo de un libro del Nuevo Testamento que reflexiona sobre otro libro del Nuevo Testamento como las Escrituras.

pertinentes para formular una doctrina de la inspiración. Los textos del Nuevo Testamento, como Lucas 24:44; 2 Pedro 1:20-21; y 2 Timoteo 3:16, muestran que Jesús y los apóstoles consideraban las composiciones del Antiguo Testamento en su conjunto como Escritura. Esta forma de pensar es evidente en todo el Nuevo Testamento.[12] Basándose en textos como Juan 10:35, «la Escritura no se puede violar», está claro por qué la iglesia primitiva tuvo una visión tan elevada de la Escritura.

Los escritores del Nuevo Testamento proporcionan varios puntos de referencia para entender la inspiración del Antiguo Testamento. Dos importantes puntos de referencia son los siguientes: (1) Los textos del Antiguo Testamento hablan de los principales acontecimientos del ministerio de Jesús, incluyendo su muerte y resurrección (1 Co. 15:3-5; Lc. 24:44-47; Hch. 17:2-3); y (2) las Escrituras son «útiles» para «enseñar, para reprender, para corregir, para instruir en justicia» (2 Ti. 3:16). Ambos son componentes clave de la comprensión cristiana tradicional del Antiguo Testamento, tal como se encuentra en el Nuevo Testamento y llevada a cabo por los Padres de la Iglesia. Pero también plantean preguntas, y es justo abordar estas cuestiones con respecto al Nuevo Testamento antes de pasar a discutir los Padres de la Iglesia.

En primer lugar, podemos observar que muchos textos del Antiguo Testamento citados por los escritores del Nuevo Testamento como prueba de algún aspecto del ministerio de Jesús no parecen estar hablando directamente de Jesús en sus contextos originales. Por ejemplo, el Salmo 16:10, «pues tú no abandonarás mi alma en el Seol, ni permitirás a tu Santo ver corrupción», se cita como prueba de la resurrección de Jesús en Hechos 2:22-32 y 13:35. Sin embargo, en su contexto del Antiguo Testamento, este versículo parece ser una expresión de confianza por parte del salmista de que Dios no le dejará morir como resultado de su actual calamidad. Sin embargo, Pedro argumenta en Hechos que no puede tratarse de David porque David murió y no resucitó del sepulcro, mientras que Jesús resucitó de la muerte (Hch. 2:29-32; 13:36-37). Asimismo, Mateo 2:15 afirma que Oseas 11:1, «De Egipto llamé a mi hijo», se «cumplió» cuando Jesús fue sacado de Egipto por José y María después de la muerte de Herodes. Pero en su contexto original en Oseas, se refiere a un evento pasado, la nación de Israel saliendo de Egipto en el éxodo. Y de nuevo: el apóstol Pablo argumenta en Gálatas 3:16 que la palabra

---

[12] Véase I. Howard Marshall, *Biblical Inspiration* (Grand Rapids: Eerdmans, 1982), págs. 22-30.

singular «simiente» (hebreo *zera'*, griego *sperma*) es singular porque apunta a Jesús, mientras que en su contexto del Antiguo Testamento este sustantivo colectivo apunta en su sentido inmediato a múltiples descendientes (vea Gén. 13:15-16).

En segundo lugar, podemos tomar nota de cómo las Escrituras se utilizan realmente como «provechosas» en el Nuevo Testamento. Por ejemplo, Pablo aplica la ley de Deuteronomio 25:4, «No pondrás bozal al buey mientras trilla», a su propia situación como apóstol que trabaja espiritualmente en favor de los corintios (1 Co. 9:8-12). De hecho, Pablo argumenta que la Ley de Moisés hablaba «enteramente» (griego *pantōs*) por el bien del pueblo (v. 10), es decir, no por el bien de los bueyes.[13] En contraste con esto, los estudiosos modernos que estudian las leyes del Antiguo Testamento en su contexto original sostienen en general que esta ley tenía por primera vez la intención, en su sentido más básico, de abordar el tratamiento de los bueyes. Como otro ejemplo, el escritor de Hebreos menciona a Barac, Sansón y Jefté como ejemplos de fe (Heb. 11:32), mientras que los comentaristas de hoy en día generalmente reconocen que el autor de Jueces retrató a estos personajes como líderes defectuosos que representaban la caída de los ideales religiosos de Israel.[14]

Como es evidente, encontrar el significado adecuado de los puntos de referencia que deja el Nuevo Testamento no es un proceso sencillo. La clave para leer correctamente el poste indicador es encontrar el vínculo teológico que conecta la cita del Antiguo Testamento con el punto que el escritor del Nuevo Testamento está tratando de hacer. Por ejemplo, cuando Pablo hace su argumento de la

---

[13] Algunos comentaristas sostienen que Pablo quiso decir que Deuteronomio 25:4 *no sólo* se refiere a los bueyes *sino también* a las personas. Ellos ven a Pablo como derivando un principio de esta ley sobre los bueyes y reaplicándolo a la gente. Es ciertamente justo decir que el punto de Pablo tiene sentido en este sentido, pero no es lo que Pablo dice en realidad. La idea de que Dios originalmente pretendía que esas leyes del Antiguo Testamento en un sentido no literal se aplicaran principalmente a las personas no era en absoluto una creencia absurda en el contexto de Pablo (por ejemplo, véase *Letter of Aristeas* 144; Filón, *Noah's Work as a Planter* 113; *Allegories of the Laws* 3.147; y otros pasajes de Filón citados a continuación; *Epístola de Bernabé* 10:9). Es importante apreciar esto si uno quiere entender cómo los Padres de la Iglesia se apropiaron de Pablo. Sobre 1 Corintios 9:9-10, vea Hans Conzelmann, *1 Corinthians, Hermeneia* (Philadelphia: Fortress, 1975), págs. 154-55; Richard B. Hays, *First Corinthians, Interpretation* (Louisville: John Knox, 1997), pág. 151; y F. F. Bruce, *1 and 2 Corinthians*, NCBC (Grand Rapids: Eerdmans, 1971), págs. 84-85. Como dice Bruce, «Su argumento [de Pablo] puede chocar con el método exegético moderno y el sentimiento occidental, pero se le debe permitir que diga en serio lo que dice».

[14] Véase Daniel I. Block, *Judges, Ruth*, New American Commentary (Nashville: Broadman & Holman, 1999), págs. 57-70; y Trent C. Butler, *Judges*, Word Biblical Commentary (Nashville: Nelson, 2009), págs. li-lxiv, lxxv-lxxxiv. Sobre la tendencia de los lectores grecorromanos de las Escrituras a idealizar los personajes bíblicos, véase por ejemplo Josefo, *Antigüedades judías* 5.230 y 5.317 y sección 4 abajo.

«simiente» en Gálatas 3:16, quiere mostrar que Jesús cumplió las grandes promesas hechas a Abraham, incluida la promesa de que todas las familias de la tierra serían bendecidas en su «simiente» (Gén. 22:18). Existe una auténtica conexión temática; el texto no fue elegido al azar. Como veremos, los Padres de la Iglesia a menudo sirven como guías útiles para ver las conexiones teológicas que hacen que las citas del Nuevo Testamento del Antiguo Testamento funcionen.

Pero incluso si se afirma que el ministerio de Jesús fue «según las Escrituras» y que las Escrituras se benefician de lo que enseñan, hay que reconocer que la mayoría de los que enseñan o predican desde el Antiguo Testamento hoy en día no apelan al Antiguo Testamento precisamente de la misma manera que lo hicieron los escritores del Nuevo Testamento. De hecho, algunos escritores cristianos modernos han declarado explícitamente que *no* debemos interpretar el Antiguo Testamento de la misma manera que los escritores del Nuevo Testamento. Ellos interpretaron las Escrituras de una manera especial e irrepetible —se argumenta— porque ellos mismos fueron inspirados, mientras que nosotros, que no somos inspirados, debemos tratar de interpretar de acuerdo con la intención original de los escritores bíblicos.[15]

Esto nos devuelve a nuestra pregunta inicial: ¿Qué debemos esperar de la Escritura si creemos en la inspiración? Aunque la idea de que *no* debemos interpretar la Escritura exactamente como lo hizo el Nuevo Testamento es un punto de vista cristiano viable, no es ciertamente la única posición posible, o incluso la más evidente. Ciertamente no era evidente para los Padres de la Iglesia. Se podría argumentar que precisamente porque los autores del Nuevo Testamento fueron inspirados debemos interpretar el Antiguo Testamento exactamente como lo hicieron, porque a través de la inspiración nos mostraron la forma correcta de interpretar. Así es generalmente como pensaban los Padres de la Iglesia, y explica mucho de lo que podría parecer inusual a los lectores modernos sobre su interpretación bíblica.

Si uno tuviera que decir una palabra en defensa de la perspectiva moderna, debería decir que seguir el «método» del Nuevo Testamento, por muy atractivo que pueda parecer, también conlleva muchas complicaciones. Por un lado, si los cristianos modernos

---

[15] Véanse los comentarios razonables de Richard N. Longenecker, *Biblical Exegesis in the Apostolic Period*, 2da ed. (Grand Rapids: Eerdmans, 1999), pág. 197. Véase también Moisés Silva, «The New Testament Use of the Old Testament: Text Form and Authority», en *Scripture and Truth*, ed. D. A. Carson y John D. Woodbridge (Grand Rapids: Baker, 1992), págs. 163-64.

adoptaran la misma postura interpretativa hacia las Escrituras que los escritores del Nuevo Testamento hicieron hacia el Antiguo Testamento, los resultados podrían ser más subjetivos de lo que muchos intérpretes desean permitir. Otra preocupación de la erudición bíblica moderna es que los antiguos métodos de lectura no prestan suficiente atención al contexto histórico y al significado literal del texto, con el resultado de que los lectores no pueden apreciar plenamente las cualidades individuales de cada libro bíblico.[16] Como veremos más adelante, algunos de los Padres de la Iglesia intentaron abordar estas preocupaciones.

Lectores antiguos de los textos sagrados

Aunque ciertos usos del Antiguo Testamento por los primeros escritores cristianos pueden parecer inusuales a los lectores modernos de la Biblia, es útil considerar que las prácticas interpretativas de estos primeros cristianos parecen muy cómodas dentro del contexto cultural del mundo grecorromano. Cuando miramos cómo otros lectores en el mismo contexto antiguo interpretaban sus textos sagrados, encontramos sorprendentes similitudes con las interpretaciones del Antiguo Testamento que se encuentran no sólo en los Padres de la Iglesia sino también en el Nuevo Testamento. Esto muestra que, por sorprendente que nos parezca, las apelaciones al Antiguo Testamento hechas por los primeros escritores cristianos habrían sido significativas y potencialmente convincentes para los antiguos lectores a los que estos textos fueron dirigidos originalmente.

Muchos escritores antiguos creían que los textos religiosos sagrados transmitían significados simbólicos a través de lo que en la superficie parecían ser narraciones directas. Por ejemplo, el filósofo neoplatónico Porfirio (fallecido hacia el año 304 d.C.), que abordó las obras de Homero como literatura sagrada, interpretó el olivo cerca de la Cueva de las Ninfas en *Odisea* 13 como una representación simbólica de la sabiduría de Dios en la creación del mundo, siendo la propia cueva la que representa al mundo.[17] De manera similar, el filósofo judío Filón (fallecido hacia el año 45 d.C.) interpretó la historia de Abraham, Sara y Agar como una alegoría que describía el curso ideal de educación comenzando con las artes liberales (Agar)

---

[16] Para una excelente descripción de la importancia del sentido literal en los estudios bíblicos modernos, vea John Barton, *The Nature of Biblical Criticism* (Louisville: Westminster John Knox, 2007).

[17] Porfirio, *On the Cave of the Nymphs* 78.

como preparación para el estudio de la virtud (Sara).[18] Estos ejemplos representan el entorno intelectual en el que Pablo hizo su interpretación alegórica de Sara y Agar como representación de dos pactos (Gál. 4:21-31).

Otro principio de la interpretación antigua es el gran interés de los antiguos lectores por los detalles lingüísticos peculiares de los textos sagrados. Estos detalles podrían ser vistos como marcadores en el texto dejado por la inspiración divina para servir como puntos de salto para las exposiciones. Así, el famoso erudito judío del siglo II, Rabí Akiba, dio una vez una exposición basada en la forma singular de la palabra «rana» (*tsphrd'*) en Éxodo 8:6 en el sentido de que fue de una sola rana de la que surgieron todas las ranas de la segunda plaga.[19] Esto puede compararse con el argumento de Pablo sobre la «semilla» singular en Gálatas 3:16.

Los antiguos intérpretes también vieron significado en las etimologías de los nombres propios. Esto puede ilustrarse con el filósofo estoico Cornuto (siglo I d.C.), que explicó los nombres de Zeus y Hera como «vida» (*zōsa*) y «aire» (*aēr*).[20] Esta perspectiva también está representada por las etimologías de Melquisedec como «rey de la justicia» y de Salem como «paz», que se interpretan en Hebreos 7:2. La sección 10 a continuación está dedicada a esta dimensión de la interpretación antigua.

Como ilustración final del entorno interpretativo del cristianismo primitivo, el *Comentario sobre Habacuc* que se encuentra entre los Pergaminos de Qumrán muestra cómo las declaraciones hechas en los libros proféticos podrían aplicarse a situaciones del presente inmediato del comentarista.[21] «Pues el impío asedia al justo» (Hab. 1:4) se interpreta de manera que «los malvados» se identifica como el «Sacerdote Malvado», una figura contemporánea a la comunidad, y «los justos» se identifica como el «Maestro de Justicia», que fue el fundador de la comunidad de Qumrán. De manera similar, se dice que la frase «Porque he aquí, yo levanto a los caldeos, pueblo feroz e

[18] Filón, *On Mating with Preliminary Studies* 11-19. Véase también Plutarco, *The Education of Children* 7D, que dice que los que se desgastan en la educación preliminar y no alcanzan la filosofía son como los pretendientes de la *Odisea* que no pudieron acercarse a Penélope y por lo tanto se asociaron con sus sirvientas.

[19] Talmud Babilónico, *Sanhedrin* 67b; Midrash *Genesis Rabbah* 47.9.

[20] Cornuto, *Traditions of Greek Theology* 2-3.

[21] Este *Comentario sobre Habacuc* es a menudo conocido como el *Habakkuk Pesher*. «*Pesher*» es una palabra aramea que significa «interpretación». En el comentario «*pesher*» se usa a menudo para introducir una interpretación. Para una traducción al inglés de este comentario, vea Geza Vermes, *The Complete Dead Sea Scrolls in English* (Nueva York: Penguin, 1997), págs. 478-85.

impetuoso» (Hab. 1:6) se refiere a los romanos.[22] Aunque esta sección de Habacuc parece referirse a los acontecimientos de la época de Habacuc, los intérpretes de Qumrán perciben el significado del texto al ver en él referencias a acontecimientos de su propio tiempo. Este enfoque es similar a lo que Jesús dice sobre aquellos que no comprendieron sus parábolas: «Y en ellos se cumple la profecía de Isaías que dice: "Al oír oiréis, y no entenderéis; y viendo veréis, y no percibiréis..."» (Mt. 13:14-15). Jesús cita Isaías 6:9-10, que originalmente hablaba de los contemporáneos de Isaías, pero se dice que se «cumple» en aquellos que de manera similar no escuchan la palabra del Señor hablada por Jesús. Esta fue una forma reconocida de manejar las predicciones del Antiguo Testamento.

Los escritores del Nuevo Testamento interpretaron el Antiguo Testamento de una manera adecuada al contexto cultural en el que vivían. Los Padres de la Iglesia generalmente siguieron estas líneas e incluso trataron de formular ideas concretas sobre la inspiración a partir de lo que percibían en el Nuevo Testamento. ¿Cómo se relaciona la naturaleza contextual de la interpretación de los primeros cristianos con nuestra comprensión de la inspiración? Permítanme sugerir dos conclusiones principales que saco de esta discusión:

Primero, porque los primeros Padres de la Iglesia estuvieron más cerca en tiempo y lugar que nosotros del ambiente cultural grecorromano del Nuevo Testamento, es probable que tengan ideas útiles para nosotros al tratar de entender lo que significó en el mundo antiguo para los escritores del Nuevo Testamento el afirmar que las Escrituras fueron inspiradas por Dios. Exploraremos numerosos ángulos tomados sobre este tema por una variedad de Padres de la Iglesia, y no todos los puntos de vista encajan claramente. Pero este hecho no les resta importancia de ninguna manera. Por el contrario, la variedad de creencias sobre la inspiración bíblica reflejada en los Padres de la Iglesia proporciona una imagen completa de las opciones que estaban disponibles. Por muy diversas o extremas que puedan parecer hoy en día las opiniones de estos Padres de la Iglesia, su proximidad cultural al Nuevo Testamento hace que sus puntos de

[22] Muchos estudiosos han identificado al «Sacerdote Malvado» como Jonatán (m. 143 a.C.) o Simón (m. 134 a.C.), que eran hermanos de Judas Macabeo. Sin embargo, también hay pruebas que sugieren que varias personas históricas conocidas por la comunidad de Qumrán fueron referidas como el «Sacerdote Malvado». Véase Maurya P. Horgan, *Pesharim: Qumran Interpretations of Biblical Books* (Washington: Catholic Biblical Association of America, 1979), pág. 6-8; Timothy H. Lim, *Pesharim* (Londres: Sheffield Academic, 2002), págs. 65-78. El *Habakkuk Pesher* usa la palabra «Kittim» para referirse a los romanos.

vista sobre la inspiración bíblica merezcan una cuidadosa consideración.

En segundo lugar, dado que las ideas sobre la inspiración que se encuentran en los Padres de la Iglesia reflejan conceptos sobre la «Escritura» que prevalecen en el mundo antiguo, nos vemos obligados a preguntarnos si podríamos expresar nuestras creencias sobre la naturaleza de la Escritura de manera diferente hoy en día. Este tipo de pensamiento no es raro para los lectores cristianos modernos, incluso en relación con la propia Escritura. Por ejemplo, muchos cristianos se sienten cómodos aceptando las afirmaciones teológicas y la perspectiva fundamental de la realidad que se encuentra en los primeros capítulos del Génesis, sin sentir la necesidad de adoptar como científicamente exacta la cosmología antigua presentada en esos capítulos. Esta misma línea de razonamiento puede aplicarse a toda la forma en que los Padres de la Iglesia visualizaron las «Escrituras». Uno podría aceptar su visión teológica de la Escritura y su creencia en la completa veracidad de la Escritura, sin necesidad de adoptar todo el conjunto de supuestos que se sostenían en el mundo antiguo sobre la Escritura.

Espero que este libro anime a un pensamiento fresco y fiel sobre la inspiración. Algo de lo que los Padres de la Iglesia dicen sobre las Escrituras es creíble y potencialmente útil para los cristianos de hoy. Los lectores pueden encontrar su propia apreciación de la Biblia mejorada a través de sus percepciones. Al mismo tiempo, como reconocemos la naturaleza históricamente condicionada de algunas de sus ideas, espero que los lectores consideren por sí mismos cómo entender mejor la inspiración bíblica en nuestro contexto.

De particular importancia es la conexión en la iglesia primitiva entre la inspiración y la interpretación. Si el Dios que se reveló en Jesucristo inspiró las Sagradas Escrituras para instruir a la humanidad, entonces las Escrituras deben ser interpretadas de tal manera que la gente que vive «hoy» (cuando sea) pueda encontrarse con Cristo y aprender cómo Dios quiere que vivan. Los primeros cristianos leen las Escrituras con vistas a su significado cristiano contemporáneo. Cada posible implicación de la inspiración discutida en este libro se relaciona de alguna manera con esta preocupación mayor. Una tarea importante para la iglesia de hoy es entender cómo los cristianos del mundo moderno pueden apropiarse de esta visión teológica para la interpretación de las Escrituras.

Los padres de la iglesia y la inspiración de la Escritura

Mi última tarea en este capítulo es presentar a los Padres de la Iglesia cuyos puntos de vista describiré, y explicar brevemente cómo se organizan los siguientes capítulos.

En el siglo II, los escritores cristianos en general no escribieron comentarios o tratados sobre libros bíblicos. Muchos de los primeros escritos cristianos fuera del Nuevo Testamento, como las cartas de Ignacio y el *Martirio de Policarpo* (parte de un corpus denominado «Padres Apostólicos»), son prácticos o devocionales y no se dedican explícitamente a la interpretación textual. Incluso a medida que avanzaba el siglo II, las Escrituras se leían en las iglesias y se citaban en documentos escritos, pero la mayor parte de la literatura producida se centraba en la defensa de la fe contra los extranjeros o en el tratamiento de las controversias teológicas dentro de la iglesia. Entre las obras importantes escritas en defensa de la fe se incluyen tres de Justino Mártir (fallecido hacia 165), una *Primera Apología*, una *Segunda Apología* y el *Diálogo con Trifón*, que se presenta como un diálogo entre Justino y un judío llamado Trifón;[23] una obra de Taciano (siglo II) llamada *Oración a los griegos*; y una *Apología* escrita en 197 por Tertuliano. Tertuliano, primera gran figura cristiana que escribió en latín, también produjo muchas obras destinadas a interpretar y defender lo que él consideraba el verdadero cristianismo. A finales de su vida, Tertuliano se unió a un grupo cristiano escindido llamado los «montanistas», que enfatizaban el rigor moral y las nuevas revelaciones del Espíritu Santo. También en la segunda mitad del siglo II, Ireneo, obispo de Lyon, escribió su importante *Contra los herejes*, que fue compuesta en griego, pero se conserva en una traducción latina. Una última figura importante de este período temprano es Clemente de Alejandría (fallecido en el año 215), un intelectual de habla griega muy erudito que trató de conceptualizar el cristianismo como una forma de vida filosóficamente sólida. Estos son algunos de los más importantes Padres de la Iglesia del segundo siglo.

A partir del siglo III, los cristianos comenzaron a escribir comentarios sobre los libros bíblicos, y comenzamos a tener homilías conservadas que tratan los textos de las Escrituras de manera algo sistemática. Hipólito de Roma (fallecido en el año 236), autor de una obra llamada *Refutación de todas las herejías*, produjo una de las

---

[23] Es imposible saber si Trifón era un individuo real. El diálogo en sí parece ser una creación literaria de Justino.

primeras obras de exégesis bíblica, su *Comentario a Daniel*. El primer gran comentarista de la Biblia de la Iglesia primitiva fue Orígenes (fallecido en 257), quien también fue un filósofo y apologista de la fe. Los comentarios de Orígenes fueron ampliamente leídos en todo el mundo cristiano y fueron profundamente influyentes en la mayoría de los escritores posteriores de las Escrituras. Era conocido por su amplio uso de la alegoría y sus creativas especulaciones teológicas, ambas criticadas posteriormente. En el mundo de habla latina, el siglo III vio a Cipriano (fallecido en 258), obispo de Cartago, que escribió numerosas cartas y tratados teológicos y también compiló una colección de textos de prueba bíblicos, los *Testimonios a Quirino*, destinados a mostrar la verdad de varias facetas del cristianismo. También cabe destacar a dos retóricos paganos del norte de África que se convirtieron al cristianismo, Arnobio (fallecido hacia 327), autor de *El caso contra los paganos*, y Lactancio (fallecido hacia 325), que también escribió una obra apologética, *Los institutos divinos*.

Después de que Constantino legalizó el cristianismo en 313, se encontró la oportunidad de cultivar muchas actividades intelectuales, incluida la interpretación de las Escrituras. Eusebio de Cesarea (fallecido en 339), que escribió una conocida *Historia eclesiástica* y también obras apologéticas llamadas *La preparación para el Evangelio* y *La prueba del Evangelio*, también compuso un *Comentario sobre Isaías* y un estudio de los lugares-nombres en la Escritura (*Onomasticon*), ambos siguiendo los cursos establecidos por Orígenes. Un escritor importante en Palestina en esta época fue Cirilo de Jerusalén (fallecido en 386), conocido por sus *Conferencias catequísticas*. A principios del siglo IV también se vieron los dos primeros grandes escritores en siríaco (un dialecto del arameo), Afraat «el sabio persa», que compuso *Demostraciones* sobre una variedad de temas teológicos, y Efrén (fallecido hacia 373), que escribió hermosos himnos y también comentarios sencillos sobre varios libros bíblicos. También fue importante para este período Atanasio (fallecido hacia 373), obispo de Alejandría, quien escribió extensamente sobre la persona de Cristo contra los «arrianos» (que consideraban a Jesús como un ser creado), y también Basilio el Grande (fallecido hacia 379) y Gregorio Nacianceno (fallecido en 390), quienes fueron fundamentales en el desarrollo de la teología trinitaria en el siglo IV, junto con el hermano menor de Basilio, Gregorio de Nisa (fallecido hacia 395). En términos de interpretación de las escrituras, Basilio ha dejado un importante trabajo exegético en *Los seis días de la creación*, y Gregorio de Nisa escribió su propio trabajo sobre Génesis

1, un comentario sobre el Cantar de los Cantares, un libro sobre los Salmos, y un importante tratado sobre la *Vida de Moisés*. Un último escritor griego que se menciona aquí es Dídimo de Alejandría (fallecido hacia 398), también conocido como «Dídimo el ciego» (fue ciego desde su juventud), que escribió comentarios sobre el Génesis y Zacarías que seguían de cerca el método de Orígenes.

También en el siglo IV, Hilario de Poitiers (fallecido hacia 367) y Ambrosio de Milán (fallecido hacia 397) jugaron un papel importante en la difusión de la teología y la exégesis griegas en el mundo latino. Además de sus importantes tratados teológicos, Hilario también escribió comentarios sobre los Salmos y Mateo. Entre sus muchos trabajos sobre diversos temas, Ambrosio escribió exposiciones de los primeros capítulos de Génesis y sobre las vidas de los patriarcas (Abraham, Isaac, Jacob y José). El erudito lingüístico más capaz de la iglesia primitiva fue el Jerónimo de habla latina (murió en 419), que no sólo aprendió el griego con fluidez, sino que también aprendió a leer el hebreo. Jerónimo escribió obras de referencia bíblica sobre nombres propios, publicó una serie de homilías sobre los Salmos, escribió breves obras exegéticas sobre los Salmos, Daniel y Génesis, y publicó grandes comentarios sobre Isaías, Jeremías, Ezequiel y los Profetas Menores. Jerónimo también compuso numerosas cartas dedicadas a la interpretación de las escrituras, y tradujo al latín el Antiguo Testamento a partir del hebreo original y los Evangelios a partir del griego original. Otra gran figura latina que pertenece a este período es Agustín de Hipona (fallecido en 430). Agustín fue un autor prodigioso, y se pueden encontrar comentarios significativos sobre la Escritura en muchos de sus escritos pastorales y controvertidos. De particular importancia para nuestros propósitos son sus múltiples comentarios sobre los primeros capítulos del Génesis y su detallada exposición de los Salmos, así como su breve tratado sobre la interpretación de las Escrituras, *Sobre la enseñanza cristiana*. Un contemporáneo de Agustín, Juan Casiano (fallecido c. 433), escribió sobre la vida espiritual y, como Agustín, fue importante para el desarrollo de las comunidades monásticas. Las *Conferencias* de Casiano contiene consejos sobre los sentidos espirituales de las Escrituras que fueron influyentes en la Edad Media Latina.

En el siglo IV hubo una reacción contra algunas de las ideas de Orígenes entre un grupo de comentaristas generalmente agrupados como «antioquenos», especialmente Diodoro de Tarso (fallecido c. 390), Teodoro de Mopsuestia (fallecido 428), y Teodoro de Ciro (fallecido c. 460). Estos intérpretes antioquenos, al igual que Orígenes, buscaron en las Escrituras un sentido «superior», que llamaron *theōria* («visión»), pero hicieron hincapié en que el sentido superior debía basarse en el significado literal (*lexis*) y el tema (*historia*) del texto. La mayor parte de la producción literaria de Diodoro se ha perdido, pero para Teodoro se conservan los comentarios sobre los Salmos, los Profetas Menores y el Evangelio de Juan; y se conservan aún más obras de Teodoro. Las ideas antioqueñas llegaron al mundo latino a través de escritores como Juliano de Eclana (fallecido en 455), y también influyeron en el ecléctico Jerónimo. En el siglo V se habían moderado las tendencias espirituales más extremas de Orígenes y las nociones antioquenas más extremas de Teodoro, de manera que los comentarios de Cirilo de Alejandría (fallecido en 444) reflejan ciertas tendencias antioquenas (por ejemplo, la explicación de los escenarios históricos de los profetas), y Teodoreto de Ciro refleja algunas tendencias «alejandrinas» (por ejemplo, la lectura espiritual del Cantar de los Cantares). Uno de los escritores más prolíficos de la Iglesia primitiva fue el intérprete «antioqueno» y obispo de Constantinopla Juan Crisóstomo (fallecido en 407), cuyas numerosas homilías y comentarios sobre textos bíblicos se conservan entre sus numerosas composiciones.

La tarea de recopilar la tradición exegética del período patrístico y de transmitirla a la Edad Media tuvo lugar en el Occidente latino a través de figuras como Casiodoro (fallecido en 583) e Isidoro de Sevilla (fallecido en 636). En el oriente griego, ya en el siglo VI se estaban recopilando compilaciones de literatura exegética de diversos autores por figuras como Procopio de Gaza (fallecido hacia 538). Es a través de tales compilaciones que muchos lectores en los siglos siguientes encontraron citas de obras exegéticas anteriores.

En el curso de sus escritos —defendiendo la fe, identificando la creencia cristiana apropiada y explicando las Escrituras— estos cristianos reflexionaron sobre la inspiración divina de las Escrituras y cómo debemos leer las Escrituras a la luz de su inspiración. Es principalmente a partir de los escritos de estos Padres de la Iglesia que he reunido las perspectivas históricas sobre la inspiración bíblica presentadas en los siguientes capítulos. En algunos puntos, he introducido los puntos de vista de otros escritores antiguos sobre sus propios textos sagrados, escritores judíos sobre las Escrituras de Israel, autores «paganos» sobre la poesía antigua (en su mayoría Homero), y ocasionalmente escritores musulmanes sobre el Corán. No lo hago para sugerir que estos lectores están haciendo precisamente lo mismo, sino para proporcionar un marco de referencia diferente al moderno para entender lo que estos escritores antiguos podrían estar tratando de lograr.

En lugar de describir las perspectivas sobre la inspiración que se encuentran en los diversos autores individuales uno por uno, he intentado identificar las creencias específicas sobre la inspiración que se pueden encontrar en los escritos de algunos o todos los autores antiguos en discusión. Algunas de estas creencias fueron sostenidas por la mayoría de los antiguos lectores de las Escrituras, mientras que otros puntos de vista, aunque notables, son excepcionales. En algunos casos, se pueden encontrar declaraciones explícitas que expresan la creencia dada de manera clara y teórica. En otros casos, la creencia sobre la Escritura no se afirma como un principio como tal, sino que se manifiesta claramente en la forma en que ciertas figuras manejan el texto bíblico. Las creencias que voy a describir pueden pensarse como posibles implicancias de la inspiración bíblica: por ejemplo, «Si la Escritura es inspirada por Dios, debe ser útil para la enseñanza», o «Si la Escritura es inspirada por Dios, no puede ser engañosa». Donde los Padres de la Iglesia desarrollaron sus ideas a partir del Nuevo Testamento, trato de señalarlo.

He identificado veinte posibles implicaciones de la inspiración de la Escritura. Obviamente, hay traslapes entre ellas, y sin duda hay otras formas de organizarlas. He tratado de enumerarlas y describirlas como me pareció más natural a la luz de las fuentes antiguas. También las he agrupado en grupos, que forman los capítulos principales de este libro.

Dado que existían diferentes puntos de vista en la iglesia primitiva con respecto a estas posibles implicancias de la inspiración, está claro que ninguna doctrina única y sistemática de inspiración bíblica surgirá de estas fuentes. Además, al evaluar a estos primeros cristianos es razonable esperar que ciertos aspectos de sus creencias parezcan más útiles que otros para el mundo moderno. Intento en cada sección identificar al menos alguna perspicacia de la iglesia primitiva que sea significativa para hoy, ya sea como un punto de continuidad o discontinuidad. Espero que los lectores de este libro encuentren temas y patrones amplios, así como lecturas y percepciones particulares, que mejoren su propia reflexión teológica sobre las Escrituras.

Capítulo dos

Utilidad

Un lugar lógico para comenzar nuestra discusión sobre la inspiración de la Escritura es con lo que es probablemente el pasaje más conocido del Nuevo Testamento que aborda este tema. Según 2 Timoteo 3:16-17, «Toda Escritura es inspirada por Dios y útil para enseñar, para reprender, para corregir, para instruir en justicia, a fin de que el hombre de Dios sea perfecto, equipado para toda buena obra». El concepto de la Escritura como «inspirada por Dios» era tan importante para los Padres de la Iglesia como lo es para los cristianos de hoy. Sin embargo, es interesante observar que los primeros intérpretes cristianos no invirtieron tanta energía como los cristianos modernos en elaborar una definición precisa del término «inspirado por Dios» (*theopneustos*). Más bien, para los Padres de la Iglesia el término más importante en este pasaje es *ōphelimos*, que significa «provechoso» o «útil».

1. La Escritura es útil para instrucción

En contra de la opinión de aquellos que pensaban que los poemas homéricos estaban pensados simplemente como entretenimiento, el antiguo geógrafo griego y pensador estoico Estrabón (c. 64 a.C.-24 d.C.) insistió en que Homero compuso sus obras no sólo por placer sino también «para enseñar» (*didaskein*) y «para ser útil/beneficioso» (*ōphelein*). Se dice que Homero enseñó muchas materias, entre ellas, moral, ciudadanía, geografía, retórica, los métodos adecuados de cultivo y cómo ser un general. Esta visión didáctica, afirmaba Estrabón, era la posición tradicional, como atestigua la práctica universal y antigua de educar a los jóvenes en los poetas.[1] Más adelante se discutirá si los textos bíblicos poseen las cualidades artísticas necesarias para dar placer (véase la sección 12), pero no hay duda alguna de que los Padres de la Iglesia adoptaron un enfoque decididamente didáctico de la Biblia, creyendo en 2 Timoteo 3:16 que toda la Escritura es «útil (*ōphelimos*) para la enseñar (*didaskalia*)».

La opinión general de los Padres de la Iglesia sobre la utilidad de las Escrituras está bien capturada por esta declaración de Basilio el Grande introduciendo los Salmos:

> Toda la Escritura está inspirada por Dios y es útil, compuesta por el Espíritu por esta razón, a saber, que nosotros los hombres, cada uno de nosotros, como en un hospital general de almas, podamos seleccionar el remedio para su propia condición. Porque, dice, «el remedio hará que cese el mayor de los pecados» (Ec. 10:4). Ahora bien, los profetas enseñan una cosa, los historiadores otra, la ley otra, y la forma de consejo que se encuentra en los proverbios algo diferente todavía. Pero, el Libro de los Salmos se ha apoderado de lo que es provechoso para todos.[2]

En la comprensión de Basilio toda la Escritura fue compuesta por el Espíritu, siendo los Salmos un excelente resumen del conjunto. Basilio enfatiza la autoría divina de la Escritura porque tiene a la vista el propósito divino de la Escritura. Las almas humanas están enfermas con el pecado (vea Marcos 2:17), y necesitan ser sanadas. Dios pretende que las diversas categorías de la Escritura sirvan como agentes de curación para los diversos pecados que afligen a las personas. Sanar el dolor y la enfermedad del pecado humano es central a la fe cristiana, y es significativo que Basilio entienda la utilidad de la Escritura como la de abordar principalmente el problema del pecado. Basilio es especialmente representativo del pensamiento de los primeros cristianos en su afirmación de que Dios inspiró las Escrituras con el objetivo específico de beneficiar a la humanidad.

Esta creencia en la utilidad de las Escrituras tuvo profundas implicaciones en la forma en que los Padres de la Iglesia leen la

---

[1] Estrabón, *Geography* 1.2.3-9. Véase también Horace, *Art of Poetry* 333 y 344: «Los poetas tienen como objetivo beneficiar, o divertir, o pronunciar palabras a la vez agradables y útiles para la vida». «Ha ganado todos los votos que han mezclado el beneficio y el placer, a la vez deleitando e instruyendo al lector» (Loeb Classical Library).

[2] *Saint Basil: Exegetic Homilies*, trad. A. C. Way, *Fathers of the Church* (Washington: Catholic University of America Press, 1963), pág. 151. Véase también Atanasio, *Letter to Marcellinus*, sobre la idea de que los Salmos contienen todo lo que hay en el Antiguo Testamento en forma concentrada.

Biblia. Este punto puede ser ilustrado mirando el tratamiento que Gregorio de Nisa dio al libro del Éxodo en su obra *La vida de Moisés*. Gregorio admite que nadie puede alcanzar la perfección en esta vida, pero insiste en que debemos tomar en serio el mandamiento de Jesús, «Sed perfectos, como vuestro Padre celestial es perfecto» (Mt. 5:48). Por lo tanto, Gregorio promete exponer la vida de Moisés como un ejemplo, para ayudar a sus lectores a crecer en bondad y virtud.[3] Gregorio describe su procedimiento de la siguiente manera:

> Primero haremos un resumen de su vida [es decir, la de Moisés] tal como la hemos aprendido de las Escrituras divinas. Luego buscaremos la comprensión espiritual que corresponde a la historia para obtener sugerencias de virtud. A través de esta comprensión podemos llegar a conocer la vida perfecta de los hombres.[4]

Para poder apreciar el enfoque de Gregorio sobre este texto bíblico, consideremos dos problemas a los que se enfrenta. Primero, el libro del Éxodo, en el que Gregorio basa su trabajo, contiene una descripción narrativa de los eventos que le sucedieron al antiguo pueblo israelita desde el tiempo de su opresión en Egipto hasta su llegada al Monte Sinaí. Uno podría simplemente leer esta narrativa como un registro del pasado, sin ninguna noción de que estaba destinada a «enseñar» algo. Pero debido a que Gregorio cree que las Escrituras están destinadas a la instrucción, no toma este enfoque, sino que insiste en que la historia de Moisés tiene algo significativo que enseñar.

En segundo lugar, la forma más obvia de percibir un elemento de instrucción en el libro del Éxodo sería seguir las leyes que ordena a Israel. Por lo tanto, Gregorio podría exigir a los cristianos que sacrificaran un cordero de Pascua (lo que se llama un estatuto eterno para Israel: Éx. 12:21-28), que cumplieran las leyes de Éxodo 21–23 y que construyeran un Tabernáculo como se describe en Éxodo 25–31. Sin embargo, para Gregorio y sus lectores cristianos, toda la base de su identificación con «Israel» en el libro de Éxodo es la fe en Jesucristo, y, puesto que la vida, la muerte y la resurrección de Jesús han transformado la forma en que se relacionan con las regulaciones de la «Antigua Alianza», Gregorio no sugiere que el significado del libro de Éxodo para los cristianos radique en el sentido literal de las

---

[3] Gregorio de Nisa, *La vida de Moisés*, prólogo 8-10.

[4] Gregorio de Nisa, *La vida de Moisés*, prólogo 15; véase *Gregory of Nyssa: The Life of Moses*, trad. A. J. Malherbe y E. Ferguson, Classics of Western Spirituality (Nueva York: Paulist, 1978), pág. 33.

regulaciones que prescribe. Así pues, Gregorio insiste no sólo en que este texto bíblico es útil para la instrucción, sino también en que tiene una utilidad particular para los cristianos, que se acercan al libro desde un punto de vista distintivamente cristiano y espiritual.

Gregorio cree que los cristianos deben leer y contemplar la historia literal de Moisés de tal manera que obtengan beneficios para la vida virtuosa.[5] Gregorio, por supuesto, sabe que los cristianos no pueden repetir los mismos eventos que Moisés: «Aquellos que emulan sus vidas, sin embargo, no pueden experimentar los mismos eventos literales».[6] ¿Cómo podría alguien hoy en día vivir para ver a Israel multiplicándose en Egipto o esclavizado por un tirano? ¿La utilidad del libro requiere que vivamos exactamente las mismas experiencias? Por supuesto que no, argumenta Gregorio. «Porque, por lo tanto, se ha demostrado que es imposible imitar las maravillas de estos hombres benditos en estos eventos exactos, uno podría sustituir una enseñanza moral por la secuencia literal en aquellas cosas que admiten tal enfoque».[7] Gregorio, por lo tanto, expone la historia de Moisés en el Éxodo para mostrar a los cristianos cómo podrían dejar atrás la maldad y «las pasiones», avanzar hacia la virtud y la pureza del alma, y finalmente ascender hacia el conocimiento inefable de Dios. El tratamiento de Gregorio es digno de ser leído, tanto por su penetrante perspicacia en algunos temas importantes de Éxodo como por su creativa síntesis de imágenes bíblicas con la ética cristiana griega. Al final, su exposición ha viajado mucho más allá del sentido histórico del libro del Éxodo. Pero si Gregorio defendiera su enfoque ante los críticos de hoy en día, probablemente diría que Éxodo es una Escritura cristiana inspirada y por lo tanto «provechosa para la enseñanza», por lo que se requiere una exposición de este tipo.[8]

Para la mayoría de los Padres de la Iglesia, especialmente los que escribían comentarios bíblicos, era axiomático que Dios pretendía que cualquier texto de la Escritura que encontraran les beneficiara a ellos y a sus lectores. Que esta forma de pensar se basaba en ideas concretas sobre la inspiración está bien expresado por Orígenes en un

---

[5] Gregorio de Nisa, *La vida de Moisés* 1.77.

[6] Gregorio de Nisa, *La vida de Moisés* 2.49; véase *Gregory of Nyssa: The Life of Moses*, Malherbe y Ferguson, pág. 65.

[7] Gregorio de Nisa, *La vida de Moisés*, Malherbe y Ferguson, pág. 65.

[8] Véase también Máximo el Confesor: «Aunque la Sagrada Escritura, al estar restringida cronológicamente a los tiempos de los eventos que registra, está limitada en lo que se refiere a la letra, sin embargo en espíritu siempre permanece ilimitada en cuanto a la contemplación de las realidades inteligibles»; *The Philokalia. The Complete Text, compiled by St. Nikodimos of the Holy Mountain and St. Makarios of Corinth*, vol. 2, trad. G. E. H. Palmer, P. Sherrard, y K. Ware (Londres: Faber and Faber, 1981), pág. 207.

pasaje citado por Basilio el Grande y Gregorio Nacianceno en su colección de textos clave de Orígenes sobre la Escritura, la *Filocalia* de Orígenes. Orígenes explica:

> No nos cansemos, pues, de oír las Escrituras que no entendemos, sino que nos sea conforme a nuestra fe, por la cual creemos que toda Escritura inspirada por Dios es provechosa. En cuanto a estas Escrituras, debes admitir una de dos cosas: o bien que no son inspiradas porque no son provechosas, como podría suponer un incrédulo, o bien, como creyente, debes admitir que porque son inspiradas son provechosas. Sin embargo, debemos saber que muchas veces nos aprovechamos sin percibirlo, como sucede frecuentemente cuando nos alimentamos para mejorar nuestra vista; supongo que mientras comemos no percibimos que nuestra vista es mejor, pero después de dos o tres días, cuando se asimila el alimento que beneficia al ojo, estamos convencidos del hecho por la experiencia; y la misma observación se aplica a otros alimentos que benefician a otras partes del cuerpo. Pues bien, ten la misma fe en la divina Escritura; cree que vuestra alma se beneficia de la mera lectura, aunque vuestro entendimiento no reciba el fruto del aprovechamiento de estos pasajes.[9]

Según Orígenes, sólo un incrédulo sugeriría que alguna parte de la Escritura no es rentable. Si creemos en la inspiración de la Escritura, nos incumbe confiar en que *toda* la Escritura (como dice 2 Ti. 3:16) es provechosa para nosotros, aunque no percibamos inmediatamente la ganancia que estamos recibiendo. Orígenes deja claro su punto de vista a través de su comparación con aquellos que toman alimentos especiales para mejorar su vista. Las Escrituras nos ayudan, nos demos cuenta o no, así como una dieta mejorada puede trabajar lentamente durante días para mejorar nuestra vista, aunque no podamos percibir o registrar la mejora. Uno puede imaginar una lista de nombres del Antiguo Testamento (en este caso específico, Josué 15:20-62) siendo leídos en la iglesia de Orígenes y Orígenes insistiendo en que la congregación se está beneficiando, aunque no puedan describir cómo. Como él explica,

> Los amuletos tienen una cierta fuerza natural; y cualquiera que esté bajo la influencia de un amuleto, aunque no lo entienda, obtiene algo de él, de acuerdo con la naturaleza de sus sonidos, ya sea para la lesión o para la curación de su cuerpo o de su alma. Así es,

[9] Filocalia 12.2; véase *The Philocalia of Origen*, trad. G. Lewis (Edinburgh: Clark, 1911), pág. 56.

observad, es con el dar nombres en las Divinas Escrituras, sólo que son más fuertes que cualquier encanto.[10]

En otros escritores cristianos encontramos declaraciones que van en la misma dirección y que explican con más detalle qué beneficio debemos obtener de las Escrituras. Por ejemplo, Agustín nos dice que «cualquier cosa en el discurso divino que no pueda relacionarse ni con la buena moral ni con la verdadera fe debe tomarse como figurativa» de alguna verdad superior.[11] Este pensamiento se basa en la creencia de Agustín en la utilidad de la Escritura, ya que Agustín no puede aceptar que haya ningún pasaje de la Biblia que no sea provechoso para la instrucción en al menos una de las dos áreas mencionadas (buena moral o verdadera fe). Los Padres de la Iglesia generalmente vieron una fuerte conexión entre la inspiración de la Escritura y su utilidad para los propósitos de Dios.

Como Estrabón dejó claro, no todos en el mundo antiguo estaban dispuestos a aceptar que los poemas homéricos estaban destinados a instruir y beneficiar a los lectores. Pero los primeros cristianos leían las Escrituras con la creencia de que Dios pretendía que los textos sagrados fueran espiritualmente beneficiosos para la humanidad. Esta creencia fue alentada por 2 Timoteo 3:16 y también tenía un buen sentido teológico por el hecho de que Dios había elegido comunicarse con la humanidad. ¿Por qué otra razón Dios «hablaría» a través del lenguaje humano a menos que el objetivo final fuera el beneficio de la audiencia humana? Los Padres de la Iglesia pueden ser particularmente útiles para los lectores de hoy cuando reflexionan sobre las formas específicas en que Dios quiere que las Escrituras beneficien a los cristianos (por ejemplo, curando el pecado, enseñando sabiduría o sanando almas). La idea de que la Escritura es «útil» para propósitos específicos podría ayudarnos a enfocar las preguntas que traemos al texto. De alguna forma, al menos, la visión didáctica de la Escritura tal como la expresaron los Padres de la Iglesia es una idea antigua que vale la pena transferir a nuestro propio contexto.

Sin embargo, varios problemas potenciales surgen de este enfoque de las Escrituras. Muchos de estos problemas se discutirán en las secciones siguientes. Mencionaré aquí dos cuestiones importantes: en primer lugar, dado que la Escritura contiene una variedad de géneros (por ejemplo, narrativa, poesía, visiones) y no simplemente literatura

---

[10] Filocalia 12.1; véase *The Philocalia of Origen*, Lewis, pág. 55.

[11] Agustín, *On Christian Teaching* 3.10.14; véase *Saint Augustine: On Christian Teaching*, trad. R. P. H. Green, Oxford World's Classics (Oxford: Oxford University Press, 1999), pág. 75.

expositiva, está claro que se necesitan métodos sofisticados de interpretación para que toda la Escritura produzca una enseñanza cristiana explícita; en segundo lugar, si se insistiera en la igual utilidad de cada pasaje de la Escritura (por ejemplo, genealogías, títulos de salmos), esto podría requerir potencialmente estrategias de lectura complejas e incluso enrevesadas, dependiendo de la fuerza con que se haya presionado la idea. Pero a pesar de esos problemas potenciales, la «utilidad» de las Escrituras para comunicar el beneficio divino a la humanidad es una idea rectora de los Padres de la Iglesia que todavía tiene mucho que enseñar.

2. Cada detalle de la Escritura es significativo

Una idea que tienen en común muchos intérpretes antiguos es que cada detalle de la redacción de las Escrituras es significativo. Debido a que Dios inspiró las Escrituras y no hace nada vago, se deduce que cada característica identificable del texto sagrado fue colocada allí por Dios con el fin de enseñarnos algo. Como fieles lectores de las Escrituras, debemos asumir la responsabilidad de averiguar qué significa cada detalle. Primero ilustraré esta idea con un par de ejemplos del antiguo judaísmo.

Filón (c. 20 a.C.-50 d.C.), el filósofo griego judío, hace la siguiente observación antes de sus comentarios sobre Levítico 8:29 y 9:14: «No dejes que ningún punto sutil escape a tu atención, porque no encontrarás una sola expresión sin sentido».[12] Él procede a señalar que Moisés quita el pecho del animal de sacrificio (Lev. 8:29), pero el «vientre» del animal lava (9:14).[13] Debe haber algún punto en esto, considera Filón, y el punto es el siguiente: renunciando a la ira, el sabio perfecto puede eliminar con éxito de su interior el espíritu de ira, representado por el «pecho», pero incluso el sabio más avanzado no puede extinguir totalmente su necesidad de alimento, representado por el «vientre». Así, Filón muestra que estos detalles de la Ley de Moisés no fueron dados sin una buena razón. Tenían por objeto enseñar principios importantes para vivir una vida moralmente recta.[14]

Nuestro segundo ejemplo proviene del maestro judío del siglo II, Rabí Akiba, cuya interpretación de la «rana» singular en Éxodo 8:6

[12] Filón, *Allegories of the Laws* 3.147 (Loeb Classical Library).

[13] El texto hebreo tiene *qereb*, que significa «partes internas». La antigua traducción griega del Antiguo Testamento (llamada la «Septuaginta»; vea sección 16 abajo) usaba la palabra griega *koilia*, que significa «vientre». Filón está basando sus comentarios en la traducción griega.

[14] Véase también Filón, *Interpretaciones alegóricas* 3.239; *Sobre los sueños* 300-302.

fue discutida anteriormente. Nuestro texto en este caso es Génesis 1:1, «En el principio, Dios creó los cielos y la tierra». En el idioma hebreo, el objeto directo de un verbo a menudo se indica con una partícula, *'et*. Esto es particularmente así cuando el objeto directo tiene el artículo definido, como es el caso de las palabras «cielos» y «tierra» en Génesis 1:1. Así, en hebreo, el versículo dice: «En el principio, Dios creó *'et*-los cielos y *'et*-la tierra», con el *'et* en cada caso introduciendo los objetos directos definidos del verbo «creó». Es la interpretación de esta partícula, *'et*, que es abordada por R. Akiba.

Hay otra palabra hebrea *'et* que significa «junto con», que se escribe igual que la partícula *'et* que introduce un objeto directo. Sobre la base de la similitud entre estas dos palabras (que no fue vista como una coincidencia sino como algo divinamente planeado), se desarrolló una regla interpretativa entre los antiguos rabinos de que dondequiera que aparezca *'et*, el texto tiene la intención de incluir («junto con») algo más dentro de su visión más allá de lo que se declara explícitamente.[15] Esta regla podría potencialmente ser usada con cualquier forma de *'et*, ya sea la partícula o la preposición. Se sabe que R. Akiba hizo uso de esta regla, y en un texto antiguo es desafiado por otro rabino a explicar cómo se aplicaría esta regla a Génesis 1:1.[16]

La respuesta de Akiba es creativa e iluminadora. En primer lugar, dice que, sin las partículas *'et* que marcan los «cielos» y la «tierra» como objetos directos, podríamos haber supuesto (erróneamente) que los cielos y la tierra son deidades que ayudaron a Dios a crear. Pero como los marcadores de objetos están presentes, el texto prueba claramente que sólo Dios es el creador y que «los cielos y la tierra» son lo que fue creado. En otras palabras, Akiba comienza defendiendo estas partículas en su sentido literal, como marcadores de objetos directos.

Luego, Akiba cita Deuteronomio 32:47, «Porque no es una palabra vacía para ti». Aquí es donde muestra su creencia en el significado de cada detalle. Como explica, «No es una palabra vacía para ti, y si está vacía, entonces es tu culpa, porque ¡no sabes cómo interpretarla!». No, las dos ocurrencias de *'et* en Génesis 1:1 no están ahí *simplemente* para hacer notar que sólo Dios es el creador, ya que el verbo singular «creó» podría haber hecho este punto por sí mismo. Pero entonces, ¿por qué las dos ocurrencias de *'et*? Deben estar en el

---

[15] Esta es la primera de las llamadas «Treinta y dos "Reglas" (*Middot*) de R. Eliezer». Véase H. L. Strack y G. Stemberger, *Introduction to the Talmud and Midrash*, trad. y ed. M. Bockmuehl (Minneapolis: Fortress, 1996), pág. 23.

[16] Midrash *Genesis Rabbah* 1.14.

texto por una razón, a saber: la palabra *'et* antes de «cielos» incluye el sol, la luna, las estrellas y los planetas, y la palabra *'et* antes de «tierra» incluye los árboles, la hierba y el Jardín del Edén. De esta manera Akiba demuestra que ni una sola palabra de las Escrituras está «vacía» para nosotros, pero cada detalle tiene un significado para el que sabe cómo interpretar correctamente.

Aunque no todos los Padres de la Iglesia (o rabinos) llevaron esta idea al extremo, en general la interpretación de los detalles era mucho más importante para los intérpretes antiguos que para la mayoría de los modernos. De hecho, además de los ejemplos dados en esta sección, veremos este principio en funcionamiento a lo largo del resto del libro.

En su obra *Caín y Abel*, Ambrosio de Milán comenta en Génesis 4:2, «Abel era pastor de ovejas y Caín trabajador de la tierra». El detalle significativo para Ambrosio es este: si Caín es el hijo mayor, ¿por qué el texto se refiere primero a Abel? Ambrosio explica: «No sin razón, como nos enseñan las Escrituras, se menciona a Abel primero en este pasaje, aunque Caín fue el primogénito». Según Ambrosio, se menciona primero a Abel porque el texto no pretende hablar del orden de la naturaleza, sino de la vocación de la vida: «Cuando se trata de instruir en el arte de vivir, se prefiere al más joven al mayor porque, aunque sea menor en edad, es superior en virtud».[17] La Escritura, afirma Ambrosio, menciona primero a Abel para mostrar que la instrucción en la virtud es mejor que la maldad.

Vemos algo similar en los comentarios de Cirilo de Alejandría sobre Isaías 3:1. El versículo afirma que Dios está tomando de Judá «la fuerza del pan» y «la fuerza del agua». La palabra «fuerza» podría parecer innecesaria si se toma literalmente. ¿Por qué no decir simplemente que Dios ha quitado «pan» y «agua»? Cirilo comenta, «Ahora, estudien atentamente las palabras del profeta: no dijo simplemente que los judíos perdieron el pan y el agua; más bien, «"la fuerza del pan y la fuerza del agua"». Cirilo toma el «pan» y el «agua» espiritualmente, y en la típica moda de los primeros cristianos utiliza el pasaje para criticar al judaísmo. Cirilo argumenta que la eliminación de la «fuerza» del pan indica que, aunque los judíos tengan las Escrituras («pan»), no reciben ningún beneficio («fuerza») de ellas. Esto se debe a que los judíos interpretan las Escrituras literalmente y no espiritualmente. Sólo a través de Cristo se puede obtener un beneficio espiritual de los escritos de Moisés. Los judíos

[17] *Saint Ambrose: Hexaemeron, Paradise, and Cain and Abel*, trad. John J. Savage, Fathers of the Church (Nueva York: Fathers of the Church, 1961), pág. 369.

sin Cristo no pueden entender a Moisés porque un velo se cierne sobre su corazón (vea 2 Co. 3:14). La interpretación espiritual de Cirilo se basa en la presencia de la aparentemente innecesaria palabra «fuerza» en el texto.[18]

Como en los dos casos que acabamos de comentar, los primeros intérpretes cristianos solían utilizar detalles peculiares o aparentemente extraños como puntos de partida para interpretaciones alegóricas. Siguiendo este enfoque, en Génesis 12:11 no se dice que Abram «desciende» a Egipto, sino que «entra» en Egipto, para demostrar que no se rebaja realmente al vicio egipcio, sino que simplemente condesciende a los modos egipcios en beneficio de los egipcios (Dídimo el ciego). O, de nuevo, Génesis 6:16 enumera tres cubiertas para el arca, «inferior, segunda y tercera», para representar los tres niveles del Paraíso: una para el arrepentido, una segunda para el justo y una tercera para el victorioso (Efrén el sirio).[19] Se pueden encontrar ejemplos de este tipo en todos los escritos de los Padres de la Iglesia. Era una suposición común entre los primeros comentaristas cristianos que la inspiración de las Escrituras aseguraba que cada detalle del texto fuera significativo.

Para muchos lectores modernos de la Biblia, el aspecto más extraño del énfasis de los Padres de la Iglesia en los detalles de las escrituras fue la práctica generalizada de alegorizar los números. Esto se encuentra ya en la obra cristiana de principios del siglo II llamada la *Epístola de Bernabé*. En el capítulo nueve de esta epístola, el autor interpreta los hombres de Abraham «18 y 300» en Génesis 14:14 como Jesús y la cruz, ya que la abreviatura griega de «18» es la misma que las dos primeras letras de «Jesús» en griego, y la abreviatura de «300» es la letra *tau*, que tiene forma de cruz. Para Ambrosio, la referencia al «tercer día» en Génesis 22:4 nos anima a recordar a Dios en los tres elementos del tiempo, «pasado, presente y futuro», y también nos enseña a creer en la Trinidad.[20] Según Dídimo el Ciego, el «vigésimo cuarto día» en Zacarías 1:7 muestra el orden y la armonía de las acciones de Dios, ya que las «partes» de veinticuatro (su mitad es 12, su tercio es 8, y así sucesivamente, dando 6, 4, 3, 2, y 1) suman treinta y seis, lo que es un cuadrado perfecto: 6 × 6.[21]

---

[18] Véase *Cyril of Alexandria: Commentary on Isaiah. Vol. 1: Chapters 1–14*, trad. Robert C. Hill (Brookline: Holy Cross Orthodox, 2008), pág. 84. Para la palabra «fuerza», el texto griego de Cirilo tiene *ischys* («fuerza»), mientras que el texto hebreo tiene *mish'an* («apoyo»).

[19] Para Dídimo, vea *Didyme L'aveugle. Sur la Genèse*, vol. 2, ed. y trad. Pierre Nautin, Sources chrétiennes (París: Cerf, 1978), pág. 113. Para Efrén, véase *Hymns on Paradise: St. Ephrem*, trad. Sebastian Brock (Crestwood: St. Vladimir's Seminary Press, 1990), pág. 89.

[20] Ambrosio, *Cain y Abel* 8.29.

[21] Dídimo, *Comentario sobre Zacarías* 1:7

Agustín empleó frecuentemente este estilo de exégesis. Las 6 jarras de agua convertidas en vino en Juan 2:6 representan las 6 edades del mundo.[22] Los 46 años que llevó construir el Templo según Juan 2:20 se derivan de la suma de los números representados por las letras griegas para «Adán»: *a* = 1, *d* = 4, *a* = 1, y *m* = 40.[23] Más adelante en la misma obra, Agustín explica que los 153 peces capturados por Pedro en Juan 21:11 equivalen a la suma total de todos los números del 1 al 17 sumados, ya que diecisiete representa la ley (= 10) más el evangelio (= 7).[24] Y en otro lugar, Agustín dice que hay 11 cortinas en el Tabernáculo (Éx. 26:7) porque 11 representa la «transgresión», es decir, la ley (= 10) más 1.[25] Este tipo de interpretación tenía sentido para la mayoría de los antiguos lectores cristianos de la Escritura, pero justificadamente parece forzada y arbitraria para la mayoría de los lectores modernos.

Por otro lado, hay veces en que los primeros intérpretes cristianos se centran en los mismos detalles textuales que los comentaristas modernos discuten. Por ejemplo, Agustín aconseja con razón al lector que examine de cerca el orden de los verbos «anda», «detiene» y «sienta» en el Salmo 1:1.[26] De manera similar, Juan Crisóstomo, que insiste en que «la boca de los profetas es la boca de Dios; una boca así no diría nada sin hacer nada»,[27] insiste en la fuerza de la palabra «más/pero» en Génesis 2:20: «mas para Adán no se encontró una ayuda que fuera idónea para él». Crisóstomo busca destacar el contraste entre la promesa en Génesis 2:18 de una ayuda «idónea para él» y la descripción de los animales en 2:20 como «no ... idónea para él». Como él explica,

> actuemos de manera que interpretemos todo con precisión y le instruyamos a no pasar ni siquiera una breve frase o una sola sílaba contenida en las Sagradas Escrituras. Después de todo, no son simples palabras, sino palabras del Espíritu Santo, y por lo tanto el tesoro que se encuentra en una sola sílaba es grande.[28]

Orígenes ofrece quizás la explicación teológica más profunda de la antigua perspectiva sobre el significado de los detalles de las

---

[22] Agustín, *Tratados sobre el Evangelio de Juan* 9.6.
[23] Agustín, *Tratados sobre el Evangelio de Juan* 10.12.
[24] Agustín, *Tratados sobre el Evangelio de Juan* 122.8.
[25] Agustín, *Armonía de los Evangelios* 2.4.13.
[26] Agustín, *Exposiciones de los Salmos* 1.1.
[27] *Jean Chrysostome. Homélies sur Ozias*, ed. y trad. Jean Dumortier, Sources chrétiennes (París: Cerf, 1981), p. 92.
[28] *Saint John Chrysostom. Homilies on Genesis 1–17*, trad. Robert C. Hill, Fathers of the Church (Washington: Catholic University of America Press, 1986), pág. 195.

escrituras. Según Orígenes, Dios demostró su habilidad en la creación al elaborar cuidadosamente no sólo las grandes cosas de este mundo —como el sol, la luna y las estrellas— sino también las criaturas más pequeñas y los objetos más comunes. De la misma manera, el Espíritu Santo ha inspirado tan cuidadosamente los escritos sagrados que llevan la verdad salvadora y la sabiduría de Dios no sólo en la grandiosa narración de la Escritura, sino también en los detalles de la Escritura, a veces incluso al pie de la letra.[29] Uno sólo puede imaginar cuán enfáticamente Orígenes habría insistido en este punto si hubiera sido consciente de los descubrimientos de la biología molecular.

Los lectores modernos de la Escritura están de acuerdo en que hay detalles significativos en los textos bíblicos. Los eruditos bíblicos de hoy en día a menudo discuten estos detalles a través de métodos derivados de la crítica literaria secular. Leen la Biblia como «literatura» y por lo tanto interpretan detalles textuales significativos en la Biblia de manera similar a como Homero y Shakespeare son interpretados en los cursos de literatura de la universidad.[30] En contraste con esto, la mayoría de los Padres de la Iglesia interpretaron los detalles de la Escritura principalmente desde la perspectiva de que el Espíritu Santo había colocado a propósito e incluso misteriosamente estos detalles en el texto para comunicar verdades más elevadas. A veces las observaciones de los comentaristas bíblicos antiguos siguen la misma línea que las lecturas modernas; en esos casos los antiguos suelen añadir reflexiones teológicas perspicaces. Pero en otros casos el enfoque en los detalles alejó a los antiguos lectores cristianos del discurso del sentido literal, que es probablemente la mayor debilidad de este enfoque.

3. La Escritura resuelve cada problema que podríamos ponerle

En la sección anterior hemos visto la utilidad de la Escritura desde la perspectiva de la Escritura como punto de partida. Preguntamos: ¿Es útil *todo* lo que encontramos en las Escrituras? En la presente sección,

---

[29] Orígenes, *Filocalia* 2.4. Véase también Hipólito, *Comentario sobre Daniel* 1.7: «Las sagradas escrituras nos proclaman que no hay nada ocioso»; véase *Hippolyte: Commentaire sur Daniel*, ed. y trad. Maurice Lefèvre, Sources chrétiennes (París: Cerf, 1947), p. 80.

[30] Un libro importante en los estudios modernos de la Biblia como «literatura» es Robert Alter, *The Art of Biblical Literature* (Nueva York: Basic, 1981). Para un enfoque cristiano de la lectura de la Biblia como «literatura» que ve la intención divina detrás de la elaboración literaria de los autores humanos de la Biblia, vea Leland Ryken, *How to Read the Bible as Literature* (Grand Rapids: Zondervan, 1985).

veremos la utilidad de la Escritura desde la perspectiva del lector como punto de partida. Nos preguntaremos: ¿Se encuentra en la Escritura *todo* lo que necesitamos saber? ¿Responde la Escritura a *cada* pregunta que sentimos que debemos hacer?

En este caso, la posición maximalista no era la más común en la antigüedad. Había, sin duda, corrientes de pensamiento entre los intérpretes antiguos que sugerían que la Escritura contiene las respuestas a todas nuestras preguntas. Esto puede ser visto como una implicación potencialmente razonable de la inspiración bíblica. Después de todo, si Dios lo sabe todo y la Escritura es la voz de Dios, entonces quizás la Escritura nos dice todo lo que hay que saber. En realidad, sin embargo, la mayoría de los antiguos lectores de la Biblia no tomaban este punto de vista extremo. La gente en la antigüedad escribía libros de cocina, manuales médicos e instrucciones sobre cómo ensamblar edificios. En general, los cristianos no dejaron de usar libros como estos y trataron de aprender esta información estrictamente de la Biblia. Pero sí creían que las Escrituras podían usarse para responder a cualquier pregunta importante sobre religión, moralidad o cualquier cosa relacionada con las cuestiones fundamentales de la vida.

Una famosa cita de un rabino del siglo primero parece darnos un ejemplo de alguien que creía que todo se encuentra en las Escrituras. Ben Bag-Bag, hablando sobre la Torá, dijo: «Gírala y gírala de nuevo, porque todo está en ella; y contemple y envejezca sobre ella y no se mueva de ella, porque no puede tener mejor regla que ella».[31] A primera vista, esto puede ser tomado como una declaración de que todo lo que vale la pena saber se encuentra en las Escrituras.

Es cierto que este tipo de pensamiento se encontraba entre algunos de los primeros sabios rabínicos. Esto puede ser ilustrado por un dicho de R. Ishmael. Cuando su sobrino le preguntó si podía estudiar la sabiduría griega, Ismael respondió: «"Este libro de la ley no se apartará de tu boca, sino que meditarás en él día y noche". Ve entonces y encuentra un tiempo que no sea ni de día ni de noche, y aprende entonces la sabiduría griega"».[32] En otras palabras, toda la sabiduría que una persona requiere está en la Torá, y no es necesario

---

[31] Mishnah, *Avot* 5.22; véase *The Mishnah*, trad. H. Danby (Oxford: Oxford University Press, 1933), pág. 458 (traducción actualizada). Sobre Ben Bag-Bag, véase también el Talmud Babilónico, *Eruvin* 27b. Ben Bag-Bag se refiere a la «Torá», que para él probablemente significaba los primeros cinco libros de la Biblia hebrea («Antiguo Testamento»). Pero «Torá» también podría referirse a la Biblia hebrea en su conjunto, o tal vez incluso a la Biblia hebrea como la explican los sabios judíos (incluyendo lo que se conoció más tarde como «Torá oral»).

[32] Talmud Babilónico, *Menahoth* 99b; véase *The Babylonian Talmud*, «Menahoth», trad. Eli Cashdan, ed. I. Epstein (Londres: Soncino, 1948), págs. 609-10.

complementar la Torá con pensamientos externos. El enfoque de «todo está en ella» también puede verse en el antiguo Midrash judío (comentarios bíblicos) y en el Talmud (código de leyes filosóficas), donde los sabios individuales a veces intentan fundamentar sus respuestas a todas las preguntas imaginables en textos de prueba de las escrituras.[33]

Por otra parte, los sabios judíos de la antigüedad a menudo se mostraban conscientes de que las Escrituras no respondían directamente a todas las preguntas importantes. Un ejemplo importante es el Shabat. Aunque la observancia del Shabat es uno de los mandamientos más importantes de las Escrituras hebreas, aparte de unos pocos ejemplos (e.g., Núm. 15:32-36 y Jer. 17:19-23), en las Escrituras se dan muy pocos detalles sobre lo que constituye la «obra» (Éx. 20:10) de la que hay que abstenerse en el Shabat. Debido a que la mayoría de los cristianos no observan literalmente el Shabat (ningún trabajo en el séptimo día, el sábado), generalmente no aprecian la fuerza de este problema. Pero para los judíos que querían guardar el Shabat, era importante hacer las reglas para la observancia del Shabat lo suficientemente claras para que la gente las siguiera. Esto es en parte por lo que los primeros rabinos judíos desarrollaron la «Torá oral», una reafirmación y explicación de las leyes de la Torá escrita que ayudaba a los judíos a seguir la Torá escrita. La primera colección escrita de estas tradiciones orales se llama la *Mishná*, que tiene todo un tratado dedicado a explicar la observancia práctica del Shabat.

Los primeros cristianos también intentaron encontrar las respuestas a preguntas religiosas clave en y a través de las palabras de las Escrituras. Para los primeros cristianos, las Escrituras eran una guía para vivir correctamente, un modelo para los rituales cristianos, y sobre todo una fuente de doctrina.

Para aquellos que buscaban en las Escrituras una guía moral, las leyes sobre animales limpios e inmundos para comer en Levítico 11–15 no parecían muy útiles. Ya en la temprana obra judía la *Carta de Aristeas* (siglo II a.C.), las leyes sobre alimentos en Levítico se leían como una instrucción moral. El escritor explica: «No aceptes la despreciable idea de que fue por consideración a los "ratones" y a la "comadreja" y otras criaturas similares que Moisés ordenó estas leyes con tan escrupuloso cuidado; no es así, todas estas leyes han sido solemnemente redactadas en aras de la justicia, para promover la

[33] En algunos casos, el sabio judío cuya opinión es reportada en el Midrash o el Talmud parece pensar que el texto de las escrituras que cita realmente «prueba» su punto. Pero en otros casos, el texto de prueba es visto simplemente como un «apoyo» (*asmakhta*) para una opinión que ha sido derivada a través de otros medios; por ejemplo, el Talmud Babilónico, *Chullin* 17b.

santa contemplación y el perfeccionamiento del carácter».[34] Como ejemplos, el escritor dice que las aves «limpias» (que se pueden comer) son civilizadas y vegetarianas, mientras que las aves «inmundas» (que no se pueden comer) son carnívoras que se alimentan por la fuerza y la injusticia (véase Lev. 11:13-19). Además, la permisividad de comer animales con la pezuña partida (vea Lev. 11:3) se explica como un símbolo del hecho de que debemos apartar nuestras acciones para el bien.[35]

El hecho de que los cristianos siguieran este patrón fue establecido por las enseñanzas de Jesús, quien adoptó un enfoque moral de las leyes de la alimentación en el Antiguo Testamento (Mc. 7:14-23). A principios del siglo II, la *Epístola de Bernabé* cristiana explica moralmente las leyes alimentarias del Antiguo Testamento. Según *Bernabé*, no debemos comer animales cuyo comportamiento sea reprobable, como los cerdos, que se olvidan de Dios cuando tienen en abundancia; o las águilas, que obtienen su alimento saqueando a otros; o los conejos, que corrompen a sus crías; o las hienas, que (se nos dice) cambian de sexo y así promueven el adulterio, y así sucesivamente.[36] Los cristianos buscaron en el Antiguo Testamento una guía moral, no leyes rituales, y encontraron lo que buscaban. En cuanto a los mandamientos sobre comida y ropa en Éxodo 12, Gregorio de Nisa afirma con confianza:

> De todo esto es evidente que la carta busca una comprensión superior, ya que la ley no nos instruye sobre cómo comer. (La naturaleza que nos implanta el deseo de comer es un legislador suficiente con respecto a estas cosas). El relato significa más bien algo diferente. Porque, ¿qué importa a la virtud o al vicio comer de esta manera o de aquella, tener el cinturón suelto o apretado, tener los pies desnudos o cubiertos de zapatos, tener el bastón en la mano o apartado? Está claro lo que el equipo del viajero representa en sentido figurado: Nos ordena reconocer que nuestra vida actual es transitoria... Para que las espinas de esta vida (las espinas serían pecados) no lastimen nuestros pies desnudos y desprotegidos, cubrámoslos con zapatos... La túnica, por consiguiente, sería vista como el pleno disfrute de las actividades de esta vida, que la razón

[34] *Carta de Aristeas* 144; véase Moses Hadas, ed. y trans., *Aristeas to Philocrates (Letter of Aristeas)* (Nueva York: Harper, 1951), pág. 159.
[35] *Carta de Aristeas* 146-51.
[36] *Epístola de Bernabé* 10. Ireneo continúa esta lectura simbólica de las leyes dietéticas, pero añade una dimensión «antiherética» al simbolismo (*Contra las herejías* 5.8.3).

prudente, como el cinturón de un viajero, atrae lo más fuerte posible...[37]

El enfoque de Gregorio es típico de los primeros intérpretes cristianos del Antiguo Testamento. Antes de dar su propia interpretación moral de Levítico 13–14, Jerónimo pregunta: «Si tomáramos todo esto literalmente, ¿qué beneficios obtendríamos de tal lectura?»[38] La lectura moral del Antiguo Testamento se basaba en parte en el hecho de que los cristianos esperaban que toda la Escritura fuera útil, incluso los detalles de las leyes (véase la sección 2 arriba). Pero el hecho de que los cristianos extrajeran la orientación moral del Antiguo Testamento, utilizando sus propias categorías de «virtudes» y «vicios», también refleja su creencia de que las Escrituras deben hablar de estas cuestiones. Si los filósofos tenían obras «canónicas» (los escritos de Platón, Aristóteles, Crisipo el estoico, etc.) que les mostraban la forma más noble de vivir, entonces las divinas Escrituras también deben enseñar principios como estos, sólo que mejor. Si uno busca lo suficiente, puede encontrar estos principios más elevados en los escritos del más grande filósofo de todos los tiempos, Moisés (vea sección 15 abajo).

El ritual religioso era otro tema sobre el que los primeros cristianos pensaban que la Biblia debía hablar. Los primeros cristianos practicaban varios ritos religiosos, los más importantes de los cuales eran el bautismo en agua y la Eucaristía. Los orígenes de estos ritos se encuentran en el propio Nuevo Testamento (e.g., Mt. 28:19 y 1 Pe. 3:21 para el bautismo y Lc. 22:14-23 y 1 Co. 11:17-34 para la Cena del Señor). Pero los primeros cristianos también miraron a partes menos obvias de las Escrituras para completar su comprensión de cómo se debían llevar a cabo estos ritos. Como ejemplo, podemos citar la explicación de Tertuliano de por qué el bautismo en agua precede a la unción (unción con aceite). Según Tertuliano, así como Juan el Bautista bautizaba a las personas *en preparación* para la venida del Señor Jesús, también en el bautismo cristiano las aguas se *preparan* para la venida del Espíritu (asociado con la unción). Para Tertuliano, la narración bíblica sirve como «tipo» (o «modelo») para el rito cristiano.[39]

---

[37] Gregorio de Nisa, *Vida de Moisés* 2.105-8; véase *Gregory of Nyssa: The Life of Moses*, trad. Malherbe and Ferguson, págs. 78-79.
[38] Jerónimo, *Homilías sobre los Salmos* 17; véase *The Homilies of Saint Jerome*, vol. 1, trad. M. L. Ewald, Fathers of the Church (Washington: Catholic University of America Press, 1964), pág. 131.
[39] Tertuliano, *Sobre el bautismo* 6-7.

Como otro ejemplo, podemos considerar el consejo de Cipriano a la iglesia de Assurae (en el norte de África) con respecto a su antiguo obispo, Fortunaziano.[40] Este antiguo obispo había dejado de creer durante la persecución, escapando de la muerte al ofrecer un sacrificio al emperador, y ahora quería volver y servir como obispo. Cipriano insta a la iglesia a no permitir que Fortunaziano retome su posición, citando textos del Antiguo y Nuevo Testamento contra la idolatría (Is. 57:6; Éx. 22:20; Is. 2:8-9; y Ap. 14:9-11). Cipriano también argumenta que Fortunaziano no puede supervisar la Eucaristía, porque Levítico 21:17 prohíbe a los sacerdotes manchados hacer ofrendas a Dios. Como en el caso de las instrucciones de Tertuliano sobre el bautismo, la creencia de Cipriano de que las Escrituras debían responder a las preguntas de la Iglesia sobre asuntos rituales permitió que los paradigmas bíblicos influyeran en la forma en que se promulgaban estos rituales.

Las preguntas más importantes para las que los cristianos buscaban respuestas en la Biblia eran cuestiones de doctrina. Por encima de todo, los primeros cristianos creían que las Escrituras hablaban definitivamente de cuestiones de «ortodoxia» o «creencia correcta». De acuerdo con la importancia de la «fe» y la «creencia» en el cristianismo, los escritores cristianos recurrieron a las Escrituras para definir el contenido de «la fe», es decir, el contenido de lo que se suponía que los cristianos debían creer. Durante la época de oro de los Padres de la Iglesia (c. 150-600 d.C.), las principales cuestiones de dogma que surgieron se centraron en la doctrina de Dios: la divinidad de Jesús, la Trinidad, y la relación entre las «naturalezas» humana y divina de Cristo.

No es de extrañar que el Nuevo Testamento desempeñara un papel fundamental en el tratamiento de las cuestiones relativas a Cristo y al Espíritu Santo. Sin embargo, incluso aquí, los textos del Nuevo Testamento a veces tuvieron que ser puestos en servicio para responder a preguntas que tal vez no estaban en la mente de los escritores originales. Se piensa en el papel de Juan 1:14 («el Verbo se hizo carne») y Colosenses 2:9 («toda la plenitud de la Deidad reside corporalmente en Él») en los debates sobre la humanidad y la divinidad de Jesús en el siglo quinto. Algunos grupos citaron Juan 1:14 para demostrar que la divinidad y la humanidad de Jesús estaban unidas en una *hypostasis* (algo así como «esencia»), mientras que otros citaron Colosenses 2:9 para demostrar que la divinidad de Jesús habitaba en la persona de Jesús para formar una sola *prosōpon* (algo

---

[40] Cipriano, *Epístola* 63.

así como «persona»).[41] También es difícil saber qué habrían pensado los escritores del Nuevo Testamento sobre estas cuestiones posteriores a las que sus escritos sirvieron para responder.

Si bien el uso del Nuevo Testamento para abordar las cuestiones de la cristología no es una sorpresa, cabe destacar que los textos del Antiguo Testamento también desempeñaron un papel crucial en los debates sobre Cristo y la Trinidad. Un texto extremadamente importante en los debates sobre la deidad de Jesús fue Proverbios 8. En este pasaje, se introduce la «sabiduría» como orador, y el texto dice que el mundo fue creado a través de la «sabiduría» (Prov. 8:22-31). Dado que Jesús es la «sabiduría de Dios» (1 Co. 1:24), y el mundo fue creado por medio de Jesús (Col. 1:16), los primeros cristianos leen Proverbios 8 como si Jesús fuera el orador. Fue utilizado como texto cristológico por numerosos pensadores cristianos primitivos, incluyendo a Justino Mártir, Tertuliano, Atenágoras, Teófilo de Antioquía, Orígenes, Hilario de Poitiers, Atanasio y muchos otros.[42]

Para la mayoría de los cristianos, este texto mostraba que Jesús estaba «antes de la eternidad» (Prov. 8:23 en griego) y con Dios en el principio (como en Juan 1:1), y por lo tanto era divino. Alrededor del siglo IV, sin embargo, un presbítero cristiano en Alejandría llamado Arrio usó Proverbios 8:22 («El Señor me creó...» en griego) para argumentar que Jesús era un ser creado. Esto dio lugar a la controversia «arriana» del siglo IV, durante la cual la divinidad de Jesús fue debatida furiosamente. Proverbios 8 fue el texto bíblico más importante en esta controversia.[43] La interpretación de Proverbios 8:22-31 fue central para el argumento de ambos lados. Es interesante desde una perspectiva moderna notar que nadie en ninguno de los dos lados intentó argumentar que Proverbios 8 no hablaba de Jesús. La lectura cristológica de Proverbios 8 se había arraigado en el pensamiento cristiano.

---

[41] Sobre este tema, véase J. N. D. Kelly, *Early Christian Doctrines*, ed. rev. (Nueva York: HarperCollins, 1978), págs. 301-43.

[42] Por ejemplo, véase Justino Mártir, *Diálogo con Trifón* 129.4; Tertuliano, *Against Praxeas* 11.3;
Atenágoras, *Plegaria para los cristianos* 10.2; Teófilo de Antioquia, *A Autolico* 2.10; Orígenes, *Sobre los principios* 4.4.1; Hiliario de Poitiers, *Sobre la Trinidad* 12.35-37; y Atanasio, *Contra los arrianos* 2.16.18–2.22.82; *Sobre la opinión de Dionisio* 10-11. Sobre el uso de Proverbios 8 en las primeras discusiones de la cristología, vea Jaroslav Pelikan, T*he Christian Tradition: A History of the Development of Doctrine*, vol. 1: *The Emergence of the Catholic Tradition (100-600)* (Chicago: University of Chicago Press, 1971), págs. 186-97.

[43] Como afirma Pelikan, *Christian Tradition*, pág. 193: «Aunque la transmisión de los documentos del arrianismo es aún más confusa que la de otra literatura herética, parece claro que la controversia arriana estalló por la exégesis de Proverbios 8:22-31».

En resumen, la mayoría de los antiguos lectores de las Escrituras buscaban en el texto sagrado no la respuesta a todo, sino las respuestas a lo que consideraban más importante. Para la mayoría de los primeros lectores judíos, la Torá era leída como una fuente de verdad ética y religiosa, centrada particularmente en la ley divina. Los primeros cristianos recurrían a la Biblia para instruirse en la virtud, en la práctica de los rituales y, sobre todo, en la teología. Estas mismas preocupaciones pueden verse entre los lectores modernos de la Biblia. Si acaso, las expectativas puestas en la Biblia en vista de su inspiración no han hecho más que aumentar en los tiempos modernos. Entre los cristianos americanos de hoy en día, por ejemplo, es fácil encontrar libros escritos para explicar lo que la Biblia tiene que decir sobre las citas, la pérdida de peso y la planificación financiera. Esto refleja una fuerte creencia en la utilidad de la Biblia y también muestra lo que muchos cristianos americanos consideran más importante.

Era sabio por parte de los primeros intérpretes cristianos que no creían que la respuesta a cada pregunta imaginable pudiera ser encontrada directamente en las Escrituras. Aún hoy en día es un importante desafío para la iglesia identificar qué tipo de información debemos pedirle a las Escrituras. Por ejemplo, se debate entre los cristianos modernos hasta qué punto la Escritura fue concebida por Dios para abordar las cuestiones que abordamos hoy en día a través de las ciencias naturales. Además, se reconoce cada vez más que las cuestiones importantes relativas incluso a la ética y la teología no se abordan necesariamente «directamente» en las Escrituras, ya sea porque han surgido nuevas cuestiones (por ejemplo, la clonación humana) o porque los viejos temas deben abordarse en nuevos contextos (por ejemplo, las cuestiones relativas al género en las sociedades modernas). Este reconocimiento está fomentando un debate útil en la iglesia de hoy en día sobre la forma de emplear fielmente la Escritura para abordar las cuestiones que planteamos y que están más allá del horizonte de lo que los textos bíblicos realmente hablan en su sentido literal.[44]

4. Los personajes bíblicos son ejemplos a seguir

Los Padres de la Iglesia creían que la dimensión más importante del Antiguo Testamento era el hecho de que predijo o prefiguró la venida

---

[44] Para un ejemplo de este debate, véase Gary T. Meadors, ed., *Four Views on Moving beyond the Bible to Theology* (Grand Rapids: Zondervan, 2009).

de Jesús (vea sección 8 abajo). Además de este enfoque cristológico, quizás el método más común utilizado por los Padres de la Iglesia para explicar el significado de las narraciones del Antiguo Testamento era establecer los personajes bíblicos como modelos a imitar por los cristianos. Al menos tres factores contribuyeron a esta práctica. En primer lugar, las narraciones del Antiguo Testamento se centran a menudo en personajes clave, y con frecuencia la narración destaca la grandeza de un individuo; así, Abraham obtuvo la bendición para sus descendientes obedeciendo a Dios (Gén. 22), Moisés se identifica como el pueblo más humilde y el más grande (Núm. 12:3; Dt. 34:10-12), y se dice que el rey David administró justicia y equidad a Israel (2 Sam. 8:15).

Segundo, la cultura clásica griega y romana dominante en la época de la iglesia primitiva ya poseía un catálogo de figuras nobles del pasado, como Odiseo y Sócrates. Su nobleza ilustraba la grandeza de la cultura grecorromana. Era común que los oradores de esta cultura animaran a la gente a imitar las virtudes de estos individuos o a alabar a aquellos que los habían imitado. Debido a que los cristianos querían establecer su propia cultura y valores distintivos, tenía sentido que reemplazaran el catálogo de héroes grecorromanos por un catálogo de sus propios héroes, es decir, héroes bíblicos. Eusebio de Cesarea, en su obra *Preparación para el Evangelio*, comienza con una larga crítica de la cultura griega temprana y luego presenta a Abraham y Moisés como antepasados verdaderamente dignos de alabanza: «Observen entonces más allá hasta qué grado de virtud divina se dice que estos hombres han avanzado... Tales son los ejemplos de la excelencia de los hebreos contenidos en los muy celebrados y verdaderamente divinos oráculos, que hemos preferido a las fábulas y las locuras de los griegos».[45] Los cristianos podrían aprender a identificarse con los valores de las escrituras siguiendo los modelos de las mismas. Ambrosio habla de sus oyentes convirtiéndose en «hebreos» a medida que se convierten en compañeros de Jacob y lo imitan.[46] Al introducir su narración sobre José, Ambrosio explica: «Las vidas de los santos son para el resto de los hombres un patrón de cómo vivir... al conocer a Abraham, Isaac y Jacob y a los otros hombres justos por nuestra lectura, podemos, por

[45] Eusebio, *Preparación para el Evangelio* 7.5; véase Eusebio: *Preparation for the Gospel*, vol. 1, trad. E. H. Gifford (Oxford: Clarendon, 1903), págs. 326-27.
[46] Ambrosio, *Sobre Isaac* 8.79.

así decirlo, seguir sus brillantes pasos a lo largo de una especie de camino de intachabilidad abierto a nosotros por su virtud».[47]

Tercero, los primeros cristianos creían que Dios había inspirado la Biblia para que fuera provechosa para ellos. Interpretar los personajes del Antiguo Testamento como ejemplos positivos era una forma directa de actualizar esta dimensión de la Escritura. Además, el Nuevo Testamento parecía mostrar la validez de este enfoque.[48] El apóstol Pablo había dicho que los acontecimientos descritos en Números 14 «les sucedieron como ejemplo, pero fueron anotados para nuestra instrucción» (1 Co. 10:11). Abraham es un modelo de fe en Gálatas 3:1-9, Job es un modelo de paciencia y perseverancia en Santiago 5:10-11, y Hebreos 11 da una larga lista de personajes cuyas vidas demostraron el poder de la fe. La primera epístola cristiana de *1 Clemente*, escrita a finales del siglo primero, continúa esta trayectoria utilizando personajes bíblicos para ilustrar el arrepentimiento (caps. 7-8), la obediencia (caps. 9-10), la hospitalidad (caps. 11- 12), y muchos otros atributos positivos.[49] Este tipo de exposición no fue simplemente una respuesta a la cultura grecorromana. La iglesia primitiva tenía razones teológicas para pensar que las Escrituras presentaban personajes cuyas cualidades positivas podían ser imitadas.

La homilía de Juan Crisóstomo sobre el Génesis 22 ilustra el enfoque de «ejemplo ético» para exponer las Escrituras. Según Crisóstomo, incluso el hecho de que Dios «prueba» a Abraham (Gén. 22:1) muestra que «la Sagrada Escritura pretende ya en este punto revelarnos la virtud del hombre bueno».[50] Crisóstomo se refiere constantemente a Abraham como el «hombre bueno» a lo largo de la homilía, y periódicamente alaba a Abraham con frases tales como: «Me parece notable cómo el buen hombre fue incluso capaz de

---

[47] Ambrosio, *Sobre José* 1.1; véase *Saint Ambrose: Seven Exegetical Works*, trad. Michael P. McHugh, Fathers of the Church (Washington: Catholic University of America Press, 1972), pág. 189.

[48] Los antiguos autores judíos que escribieron en griego también mostraron una tendencia a ensalzar las virtudes de los personajes bíblicos, como lo ilustran los cuadros idealizados que Josefo pinta de Gedeón («un hombre de moderación y un modelo de toda virtud») y Sansón (aparte de su debilidad por las mujeres, que es meramente «naturaleza humana», «se le debe el testimonio por su excelencia superior en todo lo demás»); véase *Antigüedades judías* 5.230, 317 (Loeb Classical Library).

[49] Véase también *1 Clemente* 17: «Seamos también imitadores de los que, con pieles de cabras y ovejas, anduvieron proclamando la venida de Cristo; me refiero a Elías, Eliseo y Ezequiel entre los profetas, con aquellos otros de los que se da un testimonio semejante [en las Escrituras]. Abraham... Job...»

[50] Juan Crisóstomo, *Homilías sobre Génesis* 47.2; véase *Saint John Chrysostom: Homilies on Genesis 46–67*, trad. Robert C. Hill, Fathers of the Church (Washington: Catholic University of America Press, 1992), págs. 14-24.

soportar el oírlo».[51] Abraham demostró la fuerza de hierro de su resolución al no indagar en las razones del mandamiento de Dios, sino simplemente obedeciendo sin cuestionarlas.[52] Crisóstomo hace la escena vívida para sus oyentes con numerosos comentarios, tales como «¿Cómo pudo su mano sostener el fuego y la espada?»[53] y «Considera, te pregunto, la tortura que esto supone para el buen hombre».[54] Pero a pesar de tales dificultades, al final la obediencia de Abraham revela su virtud.[55] Crisóstomo concluye la sección de «ejemplo ético» de su exposición preguntando por qué Dios necesitaría «probar» a Abraham en primer lugar. ¿Acaso Dios no conocía ya la fe de Abraham? Por supuesto, concluye Crisóstomo, Dios conocía la virtud del hombre bueno antes de la prueba, pero Dios probó a Abraham con el fin de instruir a otras personas, incluyendo a los que viven en generaciones posteriores.[56]

El tratamiento de Abraham como modelo ético ocupa casi tres cuartas partes de la homilía de Crisóstomo sobre este texto. En la última parte, se centra en una lectura cristológica de la narración: «Todo esto, sin embargo, ocurrió como un tipo de cruz».[57] Más adelante hablaré del elemento directamente cristológico de la interpretación bíblica patrística. Pero cabe señalar aquí que la mayor parte de la exposición de Crisóstomo sigue líneas éticas, y la sección cristológica viene sólo al final.

Ambrosio de Milán ofrece otra ilustración de este tipo de exposición en su *Jacob y la vida feliz*.[58] Jacobo se presenta como un ejemplo de alguien que alcanza la verdadera felicidad a través de la virtud. Como Ambrosio cuenta la narración, Jacob recibió la ropa de su hermano porque excedió a su hermano en sabiduría. Además, los padres de Jacob, Rebeca e Isaac, no favorecieron a un hijo sobre el otro; simplemente reconocieron que Jacob debía gobernar porque era un hombre de moderación.[59] Isaac olió las vestiduras de Jacob y lo bendijo (Gén. 27:27) porque Jacob usaba las viejas vestiduras de Esaú (= el Antiguo Testamento) imbuidas de la agradable fragancia de la iglesia.[60] Cuando Esaú trató de matarlo, Jacob huyó a su tío Labán.

---

[51] Juan Crisóstomo, *Homilías sobre Génesis* 47.5.
[52] Juan Crisóstomo, *Homilías sobre Génesis* 47.6.
[53] Juan Crisóstomo, *Homilías sobre Génesis* 47.8.
[54] Juan Crisóstomo, *Homilías sobre Génesis* 47.9.
[55] Juan Crisóstomo, *Homilías sobre Génesis* 47.11.
[56] Juan Crisóstomo, *Homilías sobre Génesis* 47.12.
[57] Juan Crisóstomo, *Homilías sobre Génesis* 47.14.
[58] *Saint Ambrose: Seven Exegetical Works*, trad. McHugh, 119-84.
[59] Ambrosio, *Jacob y la vida feliz* 2.2.6-9.
[60] Ambrosio, *Jacob y la vida feliz* 2.2.9.

Pero Jacob aceptó de buen grado las dificultades de este exilio, porque quería ayudar a Esaú; Jacob sabía que sólo huyendo podía evitar que Esaú cometiera un fratricidio.[61] Jacob durmió cuando llegó a Betel (Gén. 28) porque tenía tranquilidad de espíritu.[62] Cuando Jacob llegó finalmente a la casa de Labán se convirtió en el pastor del rebaño de su tío, porque «la sabiduría no abandona su tarea de gobierno».[63] Como pastor, Jacob predicó el evangelio y reunió para sí un rebaño moteado de muchas virtudes (véase Gén. 30:32).[64] Durante su estancia con Labán, Jacob adquirió dos esposas, mostrándose como hombre de ley y de gracia.[65]

Como continúa Ambrosio: Jacob aceptó voluntariamente regresar a la tierra de sus padres, porque sabía que mientras Dios estuviera con él (Gén. 31:3) nada le faltaría, ya que «nada le falta al hombre que tiene la plenitud de todas las cosas».[66] Labán persiguió a Jacob y registró su tienda, pero no encontró nada propio en posesión de Jacob. Esto se debe a que Jacob no necesitaba las cosas de Labán para ser feliz. «El sabio nunca está vacío, sino que siempre tiene el traje de la prudencia».[67] Ambrosio lleva este punto a casa para sus lectores: «No teman a los que pueden saquear tesoros de oro y plata; esos hombres no les quitan nada». No importaba lo que perdiera, Jacob estaba lleno del fruto de la justicia.[68]

El clímax de la historia, como Ambrosio la cuenta, se desarrolla de la siguiente manera: De acuerdo con su perfección en la virtud, Jacob buscó la reconciliación con su hermano.[69] Pero antes de que se produjera esta reconciliación, Jacob volvió a dormir, mostrando una vez más su virtuosa tranquilidad.[70] Esa noche Jacob despidió todas sus posesiones (Gén. 32:23) —abandonando todas las cosas mundanas— y emprendió la lucha por la virtud.[71] Como resultado de la fe y la devoción de Jacob, el Señor le reveló sus misterios ocultos tocándole las entrañas. Esta acción simbolizaba que Jesús descendería de él («lomos» significa descendencia), y el entumecimiento que Jacob sintió en su muslo (Gén. 32:31) simbolizaba la cruz de Cristo.[72]

---

[61] Ambrosio, *Jacob y la vida feliz* 2.1.1.
[62] Ambrosio, *Jacob y la vida feliz* 2.4.16.
[63] Ambrosio, *Jacob y la vida feliz* 2.4.17.
[64] Ambrosio, *Jacob y la vida feliz* 2.5.20.
[65] Ambrosio, *Jacob y la vida feliz* 2.5.25.
[66] Ambrosio, *Jacob y la vida feliz* 2.5.20.
[67] Ambrosio, *Jacob y la vida feliz* 2.5.21-22.
[68] Ambrosio, *Jacob y la vida feliz* 2.5.23.
[69] Ambrosio, *Jacob y la vida feliz* 2.6.26.
[70] Ambrosio, *Jacob y la vida feliz* 2.6.28.
[71] Ambrosio, *Jacob y la vida feliz* 2.7.30.
[72] Ambrosio, *Jacob y la vida feliz* 2.7.30.

Ambrosio concluye su relato de Jacob haciendo hincapié en la felicidad de Jacob a pesar de todas las dificultades. Incluso cuando era muy viejo y casi ciego, Jacob era feliz, como lo demuestran las bendiciones que concedió a sus hijos (véase Gén. 49).[73]

A diferencia de Crisóstomo, Ambrosio no deja las observaciones cristológicas para el final. Más bien, Ambrosio entreteje el simbolismo cristológico en la narración a lo largo de su exposición. Esto refleja el lugar que ocupa Ambrosio en la corriente de pensamiento «alejandrino».[74] Pero aunque Ambrosio y Crisóstomo llegan al sentido cristológico de maneras ligeramente diferentes, comparten el mismo objetivo de presentar a su héroe bíblico como un modelo a seguir por los cristianos. Este fue un enfoque común entre muchos de los Padres de la Iglesia.

¿Qué puede hacer un lector moderno con la exposición de Ambrosio? La mayoría de los lectores de hoy en día observarían que Ambrosio parece tener más y menos en su exposición que lo que está presente en el texto. Primero, Ambrosio ve un sistema de virtudes comunicadas a través de la historia de Jacob que no siempre parece estar bien fundamentado en la narración. Parte del contenido se toma prestado de la filosofía griega. Por ejemplo, la paradoja estoica de que «sólo el sabio es libre/feliz» parece subyacer al argumento de Ambrosio de que Jacobo es feliz independientemente de las circunstancias de su vida.[75] La mayoría de los lectores modernos ven a Jacob, al menos desde el principio, como un embaucador. Asimismo, la mayoría de los lectores de hoy perciben en el texto pruebas claras de que Isaac y Rebeca favorecieron a un niño sobre el otro por motivos que no eran morales (véase Gén. 25:28). A lo largo de la narración, Ambrosio elige racionalizar o pasar por alto los elementos de la historia que no se reflejan favorablemente en Jacob. Pocos lectores informados de las Escrituras hoy en día encontrarían convincente la interpretación de Ambrosio de la historia de Jacob.

A veces, la dimensión cristológica de las exposiciones de los Padres de la Iglesia permitía que la figura de Jesús funcionara como un control teológico sobre lo que en la narración debía ser imitado. Uno piensa en este sentido en la afirmación de Pablo, «Sed imitadores de mí, como también yo lo soy de Cristo» (1 Co. 11:1). En el prefacio de su *Comentario sobre Jonás*, Cirilo de Alejandría hace algunas observaciones astutas sobre cómo sólo ciertas dimensiones de los

[73] Ambrosio, *Jacob y la vida feliz* 2.9.37-40.

[74] En particular, Ambrosio se inspiró mucho en Filón y Orígenes.

[75] Por ejemplo, véase Filón, *Every Good Man Is Free*; Cicerón, *Tusculan Disputations* 5; Epicteto, *Discourses* 4.1; Séneca, *Epistle* 92; Plutarco, *Stoic Self-Contradictions* 1046.

personajes bíblicos prefiguran a Cristo. Cirilo cita a Aarón como ejemplo: Aarón es un tipo de Cristo en el sentido de que sirvió fielmente como sumo sacerdote (Lev. 16), pero no era como Cristo cuando hizo el becerro de oro (Éx. 32:4). Especialmente con aquellos intérpretes que tejieron interpretaciones cristológicas en el tejido de sus exposiciones, la búsqueda de paralelismos con Jesús les dio al menos un estándar teológico para usar en la determinación de qué destacar en las acciones de los personajes.

Agustín ofreció otra calificación significativa a la regla general de leer los personajes bíblicos como ejemplos éticos. En ciertos casos, como en el de la poligamia de Abraham y Jacob, Agustín dice que su comportamiento no es aceptable hoy en día, a pesar de que era aceptable en su tiempo.[76] De hecho, aunque la Escritura alabe las acciones de alguien, si estas acciones no están de acuerdo con las prácticas de las buenas personas que han vivido desde la venida del Señor, se debe buscar un significado figurativo para el pasaje, y las acciones no deben ser emuladas.[77] Agustín plantea la cuestión de si la diversidad de prácticas sociales en diferentes tiempos y lugares hace que la enseñanza de toda la Escritura sea culturalmente relativa. Responde que el dictado «No hagas a otro lo que no quisieras que te hicieran a ti mismo» (Tobías 4:15) es una norma absoluta que rige el comportamiento de todos.[78]

Sin embargo, esas calificaciones eran excepciones a la regla general. En la práctica, los Padres de la Iglesia regularmente interpretaban los personajes bíblicos como modelos positivos. Generalmente se sentían obligados a defender a estos personajes de las acusaciones de mala conducta;[79] y cuando los «buenos» personajes de la Biblia se comportaban mal, a menudo se consideraba una prueba de que el sentido literal era insostenible y debía tenerse en cuenta una interpretación alegórica.[80] Había ocasiones selectas, para estar

---

[76] Agustín, *On Christian Teaching* 3.12.18-20; 3.18.26.

[77] Agustín, *On Christian Teaching* 3.22.32.

[78] Agustín, *On Christian Teaching* 3.14.22–3.15.23.

[79] Así, Teodoreto de Ciro, *The Questions on the Octateuch*, defiende a Abraham de las acusaciones de falta de fe (Gén. Qu. 66), lujuria (Gén. Qu. 68) y dureza (Gén. Qu. 73). Incluso defiende a Jacob de la mentira en Gén. 27:27-29 (Gén. Qu. 82) y a Gedeón de la introducción de la adoración de ídolos (Jue. Qu. 17) y explica que Sansón no cumplió con las reglas dietéticas nazaríes porque se habían vuelto obsoletas (Jue. Qu. 22).

[80] Por ejemplo, véase *The Homilies of Saint Jerome*, vol. 2, trad. M. L. Ewald, Fathers of the Church (Washington: Catholic University of America Press, 1965), págs. 165, 239; *Filocalia* 1.29 compilado por Gregorio Nacianceno y Basilio el Grande; y Agustín, *On Christian Teaching* 3.11.17: «Cualquier palabra o acción dura o incluso cruel atribuida a Dios o a sus santos que se encuentre en las sagradas escrituras se aplica a la destrucción del reino de la lujuria» (*On Christian Teaching*, Green, pág. 77).

seguros, cuando los Padres de la Iglesia permitían a los «buenos» personajes cometer errores.[81] Pero de una manera que no es verdad para la mayoría de los lectores de la Biblia hoy en día, los Padres de la Iglesia esperaban que hubiera «buenos» personajes en las Escrituras cuyas acciones nos enseñaran cómo vivir.

Los enfoques literarios modernos de la Biblia destacan que la mayoría de las narraciones del Antiguo Testamento presentan personajes complejos, no héroes de la virtud o villanos del vicio.[82] Los lectores probablemente deben hacer evaluaciones de estos personajes, pero pocos personajes bien desarrollados son todos buenos o todos malos. Desde una perspectiva literaria moderna, el enfoque moralizador común entre los Padres de la Iglesia echa de menos la elaboración literaria de las narraciones. Sin embargo, desde la perspectiva de los Padres de la Iglesia, el enfoque literario probablemente no parecería suficientemente «útil». Toda la Escritura es inspirada por Dios para ser útil para enseñar, reprender, corregir y entrenar en la justicia (2 Ti. 3:16). Aunque una lectura literaria del Génesis puede invitar a la reflexión moral por parte del lector, no es probable que emita ningún mandato claro para que el lector lo siga. Dado que los Padres de la Iglesia buscaban tales mandamientos y tenían en mente el precedente del Nuevo Testamento, es fácil ver por qué eligieron tan a menudo exponer el texto bíblico señalando las virtudes percibidas de sus vívidos personajes.

Aunque es imposible saber con certeza lo que pensaban los autores bíblicos, es probable que algún deseo de establecer modelos de emulación haya motivado las representaciones idealizadas e incluso heroicas de personajes que se encuentran en ciertas narraciones del Antiguo Testamento. Entre los ejemplos de esas narraciones figuran las historias de José y Potifar (Gén. 39), David y Goliat (1 Sam. 17) y Daniel (Dan. 1-6). Cada una de estas historias hace declaraciones sobre la grandeza de Dios, pero cada una de ellas lo hace a través de las acciones de personajes humanos, y parece obvio, por ejemplo, que los judíos que viven bajo la dominación extranjera y tratan de vivir correctamente ante Dios verían en Daniel un modelo de cómo mantenerse fieles a Dios mientras intentan prosperar (compárese esto con Jer. 29:4-7). Sin embargo, es evidente que se necesitan algunos controles para descubrir el significado de estas narraciones. Teológicamente, la persona de Jesús —y la

---

[81] Por ejemplo, véase la admisión de Cirilo de Alejandría del pecado de orgullo de Ezequías en su *Comentario sobre Isaías* 39.

[82] Véase Shimon Bar-Efrat, *Narrative Art in the Bible* (Sheffield: Sheffield Academic, 1992), págs. 47-92.

comprensión cristiana de Dios en general— sirve como un importante paradigma hermenéutico. Pero en términos de mantenerse en contacto con el texto mismo, el moderno enfoque literario de la Biblia hace una valiosa contribución a la interpretación cristiana contemporánea. Por supuesto, el enfoque literario todavía no aborda la cuestión de cómo tomar el contenido real de las narraciones con toda su elaboración literaria (trama, caracterización, diálogo, etc.) y descubrir el «mensaje» del texto para los lectores modernos. Al final, lo que se supone que debemos aprender de las narraciones bíblicas a menudo no será totalmente claro basado en una sola lectura literaria. El razonamiento teológico necesitará complementar la lectura literaria para encontrar un mensaje cristiano.

5. La Escritura es la suprema autoridad en la creencia y práctica cristiana

Concluiré este capítulo sobre la «utilidad» de la Escritura con un concepto que toca la forma en que la Escritura debe ser utilizada en relación con otras fuentes de conocimiento. La idea aquí es que la Escritura es la más alta autoridad entre todas las formas de la revelación de Dios a la humanidad. Ya sea la revelación divina en la naturaleza, en la razón, en las tradiciones eclesiásticas o en la experiencia interior de una persona, todas ellas deben ser evaluadas por la norma establecida por la Escritura. En teoría, se podría argumentar que los cristianos no deben hacer nada en la esfera religiosa excepto lo que ordenan las Escrituras. Pero ninguno de los Padres de la Iglesia hizo tal argumento, y sería difícil ponerlo en práctica.[83] Un argumento más realista sería decir que las enseñanzas de la Escritura sirven de guía para interpretar otras fuentes de conocimiento, y que la Escritura prevalece sobre otras fuentes siempre que haya desacuerdo. Es este tipo de pensamiento el que consideraremos en esta sección.

Hay pasajes en los escritos de muchos Padres de la Iglesia donde se invoca la Escritura como la más alta autoridad en la enseñanza cristiana. Un ejemplo son las *Conferencias catequísticas* de Cirilo de Jerusalén, donde Cirilo acaba de explicar el Espíritu Santo. Él dice:

[83] Para una defensa de la naturaleza autoritativa de las prácticas de la iglesia no apoyadas por la Escritura (pero no contradichas por ella), vea Basilio el Grande, *Sobre el Espíritu Santo* 27.66-67.

> Siempre mantenga la idea de este sellado en su mente, de acuerdo con lo que se le ha dicho ahora, de una manera resumida sólo rozando la superficie. Pero si el Señor lo permite, lo expondré, según mis poderes, con la demostración de las Escrituras. Porque cuando se trata de los divinos y santos misterios de la fe, no debemos entregar nada en absoluto, sin las Sagradas Escrituras, ni dejarnos engañar por la mera probabilidad, o por los argumentos de la ordenación. Y no me des crédito cuando te diga estas cosas, a menos que tengas pruebas de las Sagradas Escrituras de las cosas que he expuesto. Porque nuestra salvación por la fe no es un uso sofisticado de las palabras, sino una prueba de las Sagradas Escrituras.[84]

Gregorio de Nisa nos da otra declaración de esta idea en su tratado *Sobre el alma y la resurrección*. En este pasaje Gregorio contrasta su forma de discutir el alma con el enfoque de los filósofos paganos:

> Aunque algunos podrían teorizar libremente sobre el alma como consecuencia de sus razonamientos, no tenemos parte en esta libertad (me refiero a la libertad de decir lo que queramos), ya que siempre utilizamos la Sagrada Escritura como canon y regla de toda nuestra doctrina. Por lo tanto, debemos necesariamente mirar hacia esta norma y aceptar sólo lo que es congruente con el sentido de los escritos.[85]

Citaré un ejemplo más, esta vez de Basilio el Grande. Esta es una carta a un amigo en la que Basilio se defiende de las acusaciones de falsa enseñanza. Estas acusaciones fueron hechas por personas cuya costumbre de describir la Trinidad no incluía el lenguaje de «tres *hypostases*», como lo hacía la costumbre de Basilio:

> No creemos que sea correcto hacer de la costumbre que prevalece entre ellos la ley y la norma de la doctrina del derecho. Porque, si la costumbre es el punto fuerte de una prueba de corrección, seguramente también es posible que propongamos en su lugar la costumbre que prevalece entre nosotros. Y, si ellos rechazan esto, claramente no necesitamos seguirlos. Por lo tanto, dejemos que la Escritura inspirada por Dios sea el juez para nosotros, y a aquellos

---

[84] Cirilo de Jerusalén, *Conferencias catequísticas* 4.17; véase *Cyril of Jerusalem and Nemesius of Emesa*, trad. William Telfer, Library of Christian Classics (Philadelphia: Westminster, 1955), págs. 108-9.

[85] Gregorio de Nisa, *Sobre el alma y la resurrección*; véase S*t. Gregory of Nyssa: The Soul and the Resurrection*, trad. Catharine P. Roth (Crestwood: St. Vladimir's Seminary Press, 1993), pág. 50.

> cuyas enseñanzas se encuentren en armonía con las palabras divinas les pertenecerá por todos los medios el veredicto de la verdad.[86]

Se podrían citar muchos más ejemplos.[87] Pero mi interés aquí es decir algo sobre el significado de esta posible implicación de la inspiración divina.

La noción de la «autoridad suprema» de las Escrituras ha sido central para las iglesias protestantes desde el comienzo de la Reforma. Los protestantes querían usar las Escrituras para desafiar las creencias y prácticas de la Iglesia católica romana, por lo que era importante argumentar que las Escrituras eran una autoridad sobre todo lo demás. En el pensamiento protestante, la doctrina de la *sola scriptura* enseña que la Escritura por sí sola contiene todo lo necesario para la salvación humana y es la autoridad suprema y final en materia de fe y práctica.[88] Cuando se trata de disputas con la Iglesia católica romana, los protestantes han destacado a veces dos corolarios de la doctrina de la *sola scriptura,* (1) que la Escritura tiene prioridad sobre las tradiciones eclesiásticas, y (2) que las Escrituras son suficientemente claras en cuestiones esenciales, de modo que no se necesita un intérprete «oficial».[89] Más adelante tendré algo específico que decir sobre la claridad y la oscuridad de la Escritura (sección 9). También trataré la idea entre los Padres de la Iglesia de que la enseñanza de la Escritura debe estar de acuerdo con una norma externa reconocida (sección 19). Pero por ahora permítanme decir algo breve sobre la autoridad de la Escritura a la luz de (1) la tradición y (2) la interpretación.

En primer lugar, hay una corriente de pensamiento en el cristianismo temprano que favorecía un papel central de la comunidad y la tradición en la interpretación de la Escritura. Una cita de Tertuliano proporcionará un ejemplo. Según Tertuliano, los grupos herejes han estado citando pasajes de las Escrituras para probar sus puntos, y han logrado engañar a algunos de los fieles. Tertuliano cree que están pervirtiendo las Escrituras, pero ha decidido no discutir las Escrituras con ellos en absoluto. Él explica:

---

[86] Basilio, *Carta* 189.3; véase *Saint Basil: Letters*, vol. 2 (186-368), trad. A. C. Way, Fathers of the Church (Nueva York: Fathers of the Church, 1955), pág. 27.

[87] Véase, por ejemplo, Clemente de Alejandría, *Misceláneas* 4.1 (Ante-Nicene Fathers 2, 409); Hipólito, *Contra Noeto* 9; Atanasio, *Contra los paganos* 1.1.3; *Vida de Antonio* 16; *Sobre los concilios de Rímini y Seleucia* 1.6; Ambrosio, *Exposición de la fe cristiana* 4.1.1; Juan Crisóstomo, *Homilías sobre Génesis* 13.8, 13.

[88] Véase uan Calvino, *Institución de la religión cristiana* (1559) 1.6-7; 4.8.

[89] Véase Charles Hodge, *Systematic Theology*, vol. 1 (Nueva York: Scribner, 1873), págs. 182-88; véase también *Confesión de Fe de Westminster* 1.4-7.

> Por lo tanto, no se debe apelar a las Escrituras, ni tampoco se debe continuar la contienda en relación con los puntos en los que la victoria es imposible o incierta o demasiado poco segura. Porque, aunque la discusión a partir de las Escrituras no debe resultar en una posición igual para cada parte, el orden de las cosas exigiría que este punto se decidiera primero, el único punto que ahora llama a la discusión, a saber: ¿Quién tiene la fe a la que pertenecen las Escrituras? ¿De quién y a través de quién, y cuándo, y a quién se entregó la enseñanza doctrinal por la cual los hombres se hacen cristianos? Porque dondequiera que parezca que existe la verdadera religión y fe cristiana, se encontrarán las verdaderas Escrituras e interpretaciones y todas las tradiciones cristianas.[90]

Tertuliano argumenta en este pasaje que la verdadera interpretación de la Escritura se encontrará en la comunidad que posee la «regla de fe» de la iglesia. En los días de Tertuliano, esta regla consistía en un breve resumen de la creencia cristiana similar a lo que hoy se conoce como el «Credo de los Apóstoles». Prácticamente todos los cristianos de hoy (protestantes, católicos romanos, ortodoxos y ortodoxos orientales) se sentirían cómodos con esta corta regla como una norma mínima para el verdadero cristianismo.[91] Pero por el momento, notemos el significado del argumento de Tertuliano para la doctrina de la «autoridad suprema» de las Escrituras. Tertuliano probablemente habría estado de acuerdo con la afirmación de que la Escritura es la autoridad suprema en la fe y en la práctica.[92] Pero para Tertuliano, esto no impidió que la regla de la fe sirviera como norma para evaluar las interpretaciones concurrentes de la Escritura.

En segundo lugar, el tema de la interpretación es crucial para pensar en la autoridad de las Escrituras en el cristianismo temprano. La mayoría de los Padres de la Iglesia operaban con el sentido de que la Escritura era la autoridad suprema de la fe cristiana. Pero también empleaban métodos interpretativos que permitían que una cantidad considerable de su propio mundo de pensamiento entrara en el proceso. Así, muchos Padres de la Iglesia vieron las virtudes de la antigua filosofía griega enseñadas en las Escrituras. Muchos buscaron símbolos de Jesús en numerosos y a veces inusuales lugares a lo largo de la Escritura (por ejemplo, ver sección 9). Algunos Padres de la

---

[90] Tertuliano, *Prescripción contra los herejes* 19; véase *Tertullian: On the Testimony of the Soul, and "Prescription" of Heretics*, trad. T. Herbert Bindley (Londres: SPCK, 1914), págs. 59- 60. Véase también *Early Latin Theology*, trad. S. L. Greenslade, Library of Christian Classics (Philadelphia: Westminster, 1956), págs. 42-43.

[91] Tertuliano se mantuvo cómodo con esta regla incluso después de que se asoció con un grupo llamado los «montanistas» y se separó de la iglesia principal.

[92] Por ejemplo, véaes Tertuliano, *Contra Hermógenes* 22; *Contra Práxeas* 11.

Iglesia consideraban la Biblia como absolutamente autoritativa, pero insistían en que la Escritura no puede enseñar nada contrario a las doctrinas actuales de la Iglesia (vea a Agustín en la sección 19) o contrario a nuestras mejores nociones de lo que es digno de Dios (vea la sección 20). Posturas interpretativas como estas complican sus ideas sobre la autoridad suprema de la Escritura.

A la luz de esto, ¿cuál es la mejor manera para los cristianos modernos de apropiarse de los puntos de vista de la iglesia primitiva sobre la autoridad de la Escritura? Un enfoque podría ser identificar un método moderno de interpretación que podría servir como una base común para apelar a la Escritura como autoridad suprema. Otro enfoque podría ser atribuir la autoridad suprema en la interpretación de las Escrituras a una comunidad en particular. Otro enfoque podría consistir en adoptar una medida de subjetividad en la interpretación bíblica y asignar la responsabilidad interpretativa final al cristiano individual. Retomaremos este tema en la Conclusión.

Toda la Escritura es «inspirada por Dios» y «útil» (*ōfelimos*), como aclara 2 Timoteo 3:16-17. Los Padres de la Iglesia, como muchos otros antiguos intérpretes de textos sagrados, pusieron gran confianza en la utilidad de la Escritura. Creían que toda la Escritura —y tal vez cada detalle de la misma— es útil para los propósitos establecidos por Dios, «para enseñar, para reprender, para corregir, para instruir en justicia, a fin de que el hombre de Dios sea perfecto, equipado para toda buena obra». El hecho de que Dios haya querido que las Escrituras trabajen para el beneficio espiritual de la humanidad sustenta todo lo demás que los Padres de la Iglesia tenían que decir sobre la inspiración de las Escrituras.

Capítulo tres

La dimensión espiritual y sobrenatural

En este capítulo he agrupado tres temas que se relacionan con la naturaleza sobrenatural de la Escritura. El argumento básico es el siguiente: Si la Escritura es el producto de la inspiración sobrenatural por el Espíritu de Dios (2 Pe. 1:21), entonces debe haber una naturaleza espiritual y sobrenatural en la Escritura como resultado. La primera sección trata de la idea de que la ayuda divina es necesaria para comprender el verdadero significado de la Escritura. La segunda sección describe la creencia general de que la Escritura tiene un sentido espiritual que va más allá del simple tema literal. Finalmente, la tercera sección de este capítulo trata la creencia de que el Antiguo Testamento predijo sobrenaturalmente los principales eventos de la historia, especialmente la venida de Jesús.

Un pasaje clave para los Padres de la Iglesia sobre la dimensión espiritual de las Escrituras fue 2 Corintios 3:1-18. En este pasaje, Pablo argumenta que la «carta de recomendación» espiritual escrita por Cristo en la «tabla» espiritual de los corazones de los cristianos de Corinto es superior a las cartas de recomendación físicas que los oponentes de Pablo trajeron a Corinto para verificar su propia autoridad. Esto lleva a Pablo a decir, «Porque la letra mata, pero el Espíritu vivifica». A partir de aquí, Pablo explica que el ministerio del Espíritu a través de Jesús tiene una mayor gloria que el ministerio de la muerte a través de Moisés. Pablo también hace la siguiente crítica a los judíos de su época:

> Pero el entendimiento de ellos se endureció; porque hasta el día de hoy, en la lectura del antiguo pacto el mismo velo permanece sin alzarse, pues solo en Cristo es quitado. Y hasta el día de hoy, cada

> vez que se lee a Moisés, un velo está puesto sobre sus corazones; pero cuando alguno se vuelve al Señor, el velo es quitado. Ahora bien, el Señor es el Espíritu; y donde está el Espíritu del Señor, hay libertad. Pero nosotros todos, con el rostro descubierto, contemplando como en un espejo la gloria del Señor, estamos siendo transformados en la misma imagen de gloria en gloria, como por el Señor, el Espíritu. (2 Co. 3:14-18)

De este texto se extrajeron comúnmente al menos dos conclusiones importantes. Primero, para entender correctamente la lectura de «Moisés» (= el «Antiguo Testamento»), se necesita la obra del Espíritu a través de Cristo. Segundo, el objetivo de la interpretación de los textos sagrados es la transformación a la imagen de Cristo. Este pasaje de Pablo, y especialmente el dicho «La letra mata, pero el Espíritu vivifica», fue citado frecuentemente por los primeros escritores cristianos para explicar el sentido sobrenatural y espiritual de la Escritura.

6. Se requiere la iluminación divina para la interpretación bíblica

La posible implicación de la inspiración discutida en esta sección es que la gente no puede entender apropiadamente la Escritura a menos que Dios los ayude sobrenaturalmente. Pablo sugiere en 2 Corintios 3 que sólo el Espíritu de Dios a través de Cristo puede permitir a alguien entender el Antiguo Testamento correctamente. Una aplicación directa de esta perspectiva se puede encontrar en los escritos de Justino Mártir en el segundo siglo. En su *Diálogo con Trifón*, Justino cita numerosos textos del Antiguo Testamento para demostrar que el Dios de Abraham siempre había planeado llevar la salvación a las naciones a través de Jesús el Mesías. En varios puntos de esta obra, Justino expresa su creencia de que sólo a través de la ayuda divina puede una persona reconocer la verdadera interpretación de los pasajes del Antiguo Testamento citados. Por ejemplo, cerca del comienzo de la obra, Justino describe a un anciano que le amonesta: «Sobre todo, ruega a Dios que te abra las puertas de la luz, porque nadie puede percibir o entender estas verdades a menos que haya sido iluminado por Dios y su Cristo».[1] Más adelante, Justino dice: «Si, por lo tanto, uno no estuviera dotado de la gran gracia de Dios para

[1] Justino Mártir, *Diálogo con Trifón* 7; véase *St. Justin Martyr*, trad. Thomas B. Falls y rev. por Thomas P. Halton (Washington: Catholic University of America Press, 2003), pág. 14.

entender las palabras y las acciones de los Profetas, sería bastante inútil para él relatar sus palabras y acciones, cuando no puede dar ninguna explicación de ellas».[2] Y siguiendo una serie de textos de prueba del Antiguo Testamento para Jesús (incluyendo Is. 53:8; 2 Sam. 7:14; y Ez. 44:3), Justino pregunta: «"¿Suponen ustedes, caballeros", continué, "que podríamos haber captado estas cosas en las Escrituras sin una gracia especial de Aquel que las quiso?"».[3] Justino cree que las Escrituras del Antiguo Testamento prueban su caso sobre Jesús el Mesías, pero también cree que la gente no puede entender el significado adecuado de estas Escrituras sin que Dios les conceda una gracia especial de sabiduría.

Orígenes de Alejandría fue otro de los primeros cristianos que creía firmemente en la necesidad de la gracia divina para interpretar las Escrituras. Como Orígenes explica, «Así como aquel a quien se le ordenaron estas cosas [en este caso, el profeta Ezequiel] tenía necesidad del Espíritu Santo, también hay necesidad del mismo Espíritu en aquel que desea explicar las cosas que están siendo significadas de manera oculta».[4]

Orígenes buscó especialmente la ayuda de Dios cuando intentaba captar el significado «alegórico» o «espiritual» del texto (véase el apartado 7 abajo). Podemos citar como ejemplo su primera homilía sobre el Éxodo. Comienza explicando su creencia en la profundidad de toda la Escritura: «Pienso que cada palabra de la Escritura divina es como una semilla cuya naturaleza es multiplicarse difusamente... Su aumento es proporcional al trabajo diligente del hábil agricultor o a la fertilidad de la tierra».[5] Como el grano de mostaza de la parábola de Jesús (Mt. 13:31-32), un pasaje de la Escritura puede parecer al principio pequeño e insignificante, pero con el cultivo espiritual adecuado «crece en un árbol y echa ramas y follaje». Orígenes anuncia entonces que busca este tipo de cultivo espiritual en su exposición del Éxodo 1:1-5, que es una lista de los hijos de Jacob que bajaron a Egipto. Orígenes habla directamente a su congregación:

> ¿Qué haremos entonces con estas cosas que nos han sido leídas? Si el Señor se dignara concederme la disciplina de la agricultura espiritual, si me concediera la habilidad de cultivar un campo, una

---

[2] Justino Mártir, *Diálogo con Trifón* 92; véase *St. Justin Martyr*, Falls y Halton, pág. 142.

[3] Justino Mártir, *Diálogo con Trifón* 119; véase *St. Justin Martyr*, Falls y Halton, pág. 178.

[4] Orígenes, *Homilías sobre Ezequiel* 2.2; véase *Origen: Homilies 1-14 on Ezekiel*, trad. Thomas P. Scheck, Ancient Christian Writers (Nueva York: Paulist, 2010), pág. 47.

[5] Orígenes, *Homilías sobre Ezequiel* 1.1; véase *Origen: Homilies on Genesis and Exodus*, trad. Ronald E. Heine, Fathers of the Church (Washington: Catholic University of America Press, 1982), pág. 227.

> palabra de estas que se han leído podría esparcirse por todas partes hasta tal punto que —si su capacidad de escuchar lo permitiera— apenas nos bastaría un día para tratarla... Que nos ayuden con sus oraciones, para que la palabra de Dios esté presente con nosotros y se digne ser el líder de nuestro discurso.[6]

En la exposición de Orígenes, los hijos de Jacob son almas,[7] José representa a Jesús, y es la muerte de Jesús la que permite que los hijos se multipliquen, tanto en la construcción de la iglesia como en la vida del creyente individual. Hay dos puntos importantes que deben ser hechos con respecto al contenido de la exposición de Orígenes. En primer lugar, Orígenes cree que una de las formas clave en que el Espíritu Santo revela el significado más profundo del texto es permitiendo al intérprete percibir iluminando pasajes paralelos de otras partes de la Escritura (vea también las secciones 11 y 17 más adelante). Así pues, Orígenes introduce Isaías 52:4 para iluminar el sentido espiritual de la palabra «Egipto», explicando: «Creo que lo que dice el profeta es similar a este misterio, si alguien es capaz de percibirlo».[8] Orígenes también identifica el sentido espiritual de «Israel» apelando a Romanos 9:1-5, insistiendo en que podemos descubrir el sentido adecuado «comparando las cosas espirituales con las espirituales [véase 1 Co. 2:13] y poniendo las cosas viejas con las nuevas y las nuevas con las viejas».[9] En segundo lugar, Orígenes es animado a buscar significados espirituales en esta lista de nombres por su creencia en el significado de cada detalle de la Escritura (vea sección 2 arriba): «Yo, creyendo en las palabras de mi Señor Jesucristo, no creo que una "pizca o un punto" en la Ley y los profetas esté libre de misterios, ni pienso que "cualquiera de estas cosas puede pasar hasta que todas las cosas sucedan"» (véase Mt. 5:18).[10] Es evidente que Orígenes no cree que esté simplemente leyendo estos significados en el texto; más bien, se ve a sí mismo descubriendo lo que Dios ha ocultado dentro de los detalles de este pasaje, tal como lo

---

[6] *Origen: Homilies on Genesis and Exodus*, Heine, pág. 227.

[7] La palabra hebrea *nephesh* (griego: *psychē*) en el v. 5 puede significar «alma» o «persona».

[8] Orígenes, *Homilías sobre Éxodo* 1.2.

[9] Orígenes, *Homilías sobre Éxodo* 1.2. Véase también de Orígenes, *Homilías sobre Levítico* 5.2: «¿Pero, dónde encontraré un acercamiento a la divina Escritura que me enseñe lo que es "un horno"? Debo invocar a Jesús, mi Señor, para que me haga como el buscador encuentra y puede abrir al que llama, para que pueda encontrar en las Escrituras "el horno" donde pueda hornear mi sacrificio que Dios acepte. De hecho, creo que lo he encontrado en el profeta Oseas donde dice...» (citando Oseas 7:4); vea *Origen: Homilies on Leviticus 1–16*, trad. Gary Wayne Barkley, Fathers of the Church (Washington: Catholic University of America Press, 1990), pág. 99.

[10] Orígenes, *Homilías sobre Éxodo* 1.4.

iluminan otros pasajes de la Escritura. Aun así, Orígenes no cree que pueda encontrar esta interpretación a través de su propio ingenio, sino que debe pedir a Dios que le dé la habilidad de cultivar este campo escritural.

Orígenes buscaba regularmente el sentido espiritual de la Escritura, y rezaba regularmente para que la guía divina lo descubriera.[11] Para apreciar el enfoque de Orígenes, debemos considerar su modelo, el apóstol Pablo. Un texto que sirvió como paradigma para la interpretación alegórica fue Gálatas 4:21-26, donde Pablo dice:

> Decidme, los que deseáis estar bajo la ley, ¿no oís a la ley? Porque está escrito que Abraham tuvo dos hijos, uno de la sierva y otro de la libre. Pero el hijo de la sierva nació según la carne, y el hijo de la libre por medio de la promesa. Esto contiene una alegoría (*hatina estin allegoroumena*), pues estas mujeres son dos pactos; uno procede del monte Sinaí que engendra hijos para ser esclavos; este es Agar. Ahora bien, Agar es el monte Sinaí en Arabia, y corresponde a la Jerusalén actual, porque ella está en esclavitud con sus hijos. Pero la Jerusalén de arriba es libre; esta es nuestra madre.[12]

Pablo interpreta la historia de Sara y Agar en Génesis como una descripción alegórica de dos pactos: Agar la esclava representa el Antiguo Pacto de la Ley, mientras que Sara la mujer libre representa el Nuevo Pacto en Jesús. Basándose en el lenguaje de Pablo, especialmente en la frase «esto contiene una alegoría», parece que Pablo piensa que o bien la historia de Sara y Agar fue escrita originalmente como una alegoría o que el texto de la Escritura, «hablando» en tiempo presente en los días de Pablo, pretende esto como una alegoría. El verbo «alegorizar» fue utilizado de esta manera por otros antiguos intérpretes griegos, como Filón el Judío[13] y Porfirio el filósofo neoplatonista.[14] El verbo siguió siendo utilizado

---

[11] Véanse, por ejemplo, las *Homilías sobre el Éxodo* 2.4; *Homilías sobre Josué* 8.1; *Comentario al Cantar de los Cantares*, prólogo (cerca del final); y Orígenes, *Homilías sobre Jeremías, Homilía sobre 1 Reyes 28*, trad. John Clark Smith, Fathers of the Church (Washington: Catholic University of America Press, 1998), págs. 94, 207, 209, y 216.

[12] La importancia de este pasaje para Orígenes se puede ver en *Sobre los principios* 4.2.6.

[13] Por ejemplo, véase Filón, *Interpretación alegórica* 2.5, 10; *Sobre la vida contemplativa* 29; *Sobre los querubines* 25.

[14] Por ejemplo, véase Porfirio, *Sobre la cueva de las ninfas* 1; *Vida de Pitágoras* 12. Para un uso anterior, véase Estrabón, *Geografía* 1.2.7.

positivamente por autores cristianos después de Pablo, como Clemente de Alejandría y Metodio del Olimpo.[15]

Al igual que Pablo, Filón alegorizó la historia de Sara y Agar.[16] Para Filón, Agar la esclava representa la educación, y Sara la mujer libre representa la virtud; primero hay que aparearse con la educación, antes de pasar a tomar la virtud como esposa.[17] Aunque el significado de Pablo es diferente del de Filón, no cabe duda de que Pablo no es menos creativo que Filón. Orígenes creía que Dios quería que encontrara los significados teológicos cristianos en el Antiguo Testamento de forma similar al apóstol Pablo. Por lo tanto, es fácil entender por qué Orígenes pensó que necesitaba ayuda sobrenatural para llegar a la interpretación adecuada.

Los autores cristianos después de Orígenes continuaron buscando los significados espirituales de los textos de las Escrituras, y continuaron pidiendo la ayuda de Dios. Gregorio de Nisa hablaba a menudo de su necesidad de ayuda divina para encontrar el significado más profundo del texto, como en el prólogo de su *Vida de Moisés*: «Debemos asumir la tarea que tenemos por delante, tomando a Dios como guía en nuestro tratado».[18] En su novena homilía sobre el Cantar de los Cantares, Gregorio revela su sentido de insuficiencia y dependencia de la ayuda de Dios para encontrar la interpretación espiritual del Cantar de los Cantares 4:13-15:

> Pero como dije antes, son aquellos que son capaces de buscar la profundidad de las riquezas y de la sabiduría y el conocimiento de Dios los que sabrían el verdadero relato de estos asuntos. En cuanto a nosotros, para que no nos quedemos sin sabor ni disfrute de las cosas buenas que se nos presentan en este texto, lo trataremos brevemente, habiendo tomado la propia Palabra divina como guía de nuestro serio esfuerzo.[19]

---

[15] Por ejemplo, Clemente de Alejandría, *Misceláneas* 6.15; 6.124.5 (Ante-Nicene Fathers 2, pág. 509; Griechischen Christlichen Schriftsteller 15, pág. 494); y Metodio del Olimpo, *Banquete de las diez vírgenes* 3.1.

[16] Dídimo el Ciego dibuja explícitamente la conexión entre Filón y Pablo en la interpretación alegórica de Sara y Agar; vea *Didyme L'aveugle. Sur la Genèse*, vol. 2, ed. y trans. Pierre Nautin, Sources chrétiennes (París: Cerf, 1978), pág. 202.

[17] Filón, *Acerca de la unión con los estudios preliminares* 23.

[18] Véase *Gregory of Nyssa: The Life of Moses*, trad. A. J. Malherbe y E. Ferguson, Classics of Western Spirituality (Nueva York: Paulist, 1978), pág. 30.

[19] *Gregory of Nyssa: Homilies on the Song of Songs*, trad. Richard A. Norris, Jr., Writings from the Greco-Roman World (Atlanta: Society of Biblical Literature, 2009), pág. 293.

Teodoro de Ciro expresa de manera similar la humildad y la necesidad de ayuda divina en el prefacio de su *Comentario sobre Jeremías*:

> Yo había sido de la opinión de que no había necesidad de un comentario sobre la composición inspirada del divino Jeremías. Sin embargo, como muchos estudiosos me presionaron para que hiciera un comentario sobre el libro también afirmando que la mayoría de la gente no capta el sentido de la obra, intentaré, después de rezar para que la gracia divina coopere, satisfacer la demanda.[20]

La exposición de Teodoreto consiste en su mayoría en una simple paráfrasis, con comentarios ocasionales sobre temas cristológicos y teológicos. Pero como Gregorio y Orígenes, pide ayuda divina en su tarea. Pocos autores cristianos después de la época de Orígenes tenían un sentido tan fuerte como él de la naturaleza reveladora de la interpretación bíblica. Pero esto se debe probablemente a que los intérpretes posteriores no tenían tanto que descubrir (o inventar), ya que podían encontrar en sus escritos un sistema interpretativo cristológico completo que unía toda la Biblia.

Según Juan Casiano, la ayuda divina que necesitamos para comprender los significados más elevados de la Escritura no puede recibirse a menos que primero nos convirtamos en practicantes de la vida cristiana. En el capítulo sobre el «conocimiento espiritual» de su obra monástica *Las conferencias*, Casiano dice: «Quien, por lo tanto, desee alcanzar lo *theōrētikē* («teórico») debe primero perseguir el conocimiento práctico con toda su fuerza y poder. Porque lo *praktikē* («práctico») puede ser poseído sin lo teórico, pero lo teórico no puede ser nunca poseído sin lo práctico».[21] Para Casiano, la *praktikē* consiste en conocer y remediar los vicios, y al mismo tiempo obedecer y deleitarse en las virtudes.[22] Una vez que esta *praktikē* ha sido captada, el cristiano puede pasar a tomar posesión de lo *theōrētikē*, que consiste en los significados históricos y espirituales de la Escritura.[23] El «conocimiento espiritual» equivale a la comprensión adecuada de la Escritura. Para poseer esta comprensión, los cristianos deben dedicarse a renunciar al vicio y a abrazar la virtud. Según Casiano, el

[20] *Theodoret of Cyrus: Commentaries on the Prophets*, vol. 1, trad. Robert C. Hill (Brookline: Holy Cross Orthodox, 2006), pág. 21.

[21] Juan Casiano, *Conferencias* 14.2.1; véase *John Cassian: The Conferences*, trad. Boniface Ramsey, Ancient Christian Writers (Nueva York: Newman, 1997), pág. 505.

[22] Juan Casiano, *Conferencias* 14.3.1.

[23] Juan Casiano, *Conferencias* 14.8.1.

intérprete de las Escrituras se vuelve receptivo a la ayuda de Dios al practicar la ética cristiana.

Casiano no fue el único de los primeros cristianos que pensó en estos términos. Atanasio dice lo mismo, aunque más brevemente, al final de su tratado *Sobre la encarnación*:

> Pero además del estudio y el verdadero conocimiento de las Escrituras se necesita una buena vida y un alma pura y virtud en Cristo, de modo que la mente, viajando por este camino, pueda obtener y aprehender lo que desea, en la medida en que la naturaleza humana es capaz de aprender acerca de Dios la Palabra. Porque sin una mente pura y una vida modelada en los santos, nadie puede aprehender las palabras de los santos.[24]

¿Cómo le ha ido a la idea de la iluminación divina en la interpretación bíblica en el mundo moderno? En el contexto académico, los eruditos bíblicos de hoy no buscan incorporar ninguna noción de iluminación divina en su trabajo. Esto se debe a que buscan entender el sentido histórico y literal del texto tal como fue escrito por los autores humanos, y desean basar su investigación en la evidencia que está disponible para todos los lectores, y no en la evidencia sobrenatural que es especialmente revelada. Los lectores cristianos que valoran el sentido literal de la Escritura pueden beneficiarse enormemente de este tipo de investigación y a veces pueden contribuir a ella. La identificación cuidadosa de lo que los textos bíblicos dicen y no dicen en sus contextos originales puede ayudar a los cristianos modernos a mantenerse en estrecho contacto con el contenido de la Escritura, incluso cuando tratan de ir más allá del sentido histórico para encontrar un significado contemporáneo. Si hay una lección de esta sección que es pertinente para todos los que estudian los textos bíblicos en sus contextos originales, sería que virtudes como la humildad, la paciencia y la caridad en la erudición son importantes para comprender incluso el sentido literal de la Escritura (o de cualquier texto, para el caso).

En el contexto de la iglesia, es común que los libros de teología mencionen el papel del Espíritu Santo y la iluminación divina para comprender o entender la verdad de las Escrituras.[25] Cuando los

---

[24] Atanasio, *Sobre la encarnation* 57; véase *Athanasius: Contra Gentes and De Incarnatione*, ed. y trad. Robert W. Thomson (Oxford: Clarendon, 1971), pág. 275.

[25] Por ejemplo, véase Donald Bloesch, *Holy Scripture: Revelation, Inspiration and Interpretation* (Downers Grove: InterVarsity, 1994), págs. 127, 159-60, 202; Stanley J. Grenz, *Theology of the Community of God* (Nashville: Broadman & Holman, 1994), págs. 499-500; Peter C. Hodgson, *Christian Faith: A Brief Introduction* (Louisville: Westminster John Knox,

lectores cristianos tratan de comprender el significado de la Biblia en su contexto original, las explicaciones de los comentarios bíblicos bien investigados a menudo parecen más pertinentes que la ayuda sobrenatural (por supuesto, la humildad, la paciencia y la caridad son pertinentes en este caso). Pero cuando se trata de percibir qué lecciones Dios puede querer que un individuo aprenda de un pasaje de la Escritura, el sentido de insuficiencia y necesidad de ayuda divina probablemente no es menor para los cristianos modernos que para los antiguos. Una cosa es estudiar un pasaje de la Escritura para entender lo que significaba en el contexto antiguo en el que fue escrito. Otra cosa es percibir la aplicación de la verdad religiosa del texto para la vida de una persona específica. Esto requiere, entre otras cosas, el conocimiento de otros pasajes de la Escritura, la tradición cristiana, la reflexión teológica, y los sabios consejos de otros cristianos. No es de extrañar que muchos cristianos modernos crean que necesitan ayuda sobrenatural para llegar a la comprensión adecuada de lo que la Escritura tiene que enseñarles. Por eso los cristianos a menudo oran antes, durante y después de leer la Biblia. Siempre que las ideas que recibimos se manejen con el grado apropiado de humildad, la oración por la ayuda divina en la interpretación de las Escrituras es tan importante hoy en día como lo fue para Orígenes.

7. La Escritura tiene múltiples sentidos

De acuerdo con los textos del Nuevo Testamento como 1 Corintios 10:1-11; Gálatas 4:21-31; Efesios 5:31-32; Hebreos 9:6-10; y 1 Pedro 3:18-22, prácticamente todos los cristianos antiguos creían que el Antiguo Testamento tenía un significado espiritual más allá del sentido literal. A veces el Nuevo Testamento también se leía con un significado espiritual. En su informe de la regla de fe de la iglesia — una breve declaración que resume la enseñanza central de la iglesia (véase la sección 19 a continuación)— Orígenes menciona la creencia de que «las escrituras fueron compuestas por medio del Espíritu de Dios y que tienen no sólo ese significado que es obvio, sino también otro que está oculto para la mayoría de los lectores. Porque el contenido de las escrituras son las formas exteriores de ciertos misterios y las imágenes de las cosas divinas».[26] Orígenes es el único

2001), págs. 33; y Kevin J. Vanhoozer, *The Drama of Doctrine: A Canonical Linguistic Approach to Christian Theology* (Louisville: Westminster John Knox, 2005), pág. 230.

[26] Orígenes, Sobre los principios, prefacio, 8; véase *Origen: On First Principles*, trad. G. W. Butterworth (Nueva York: Harper & Row, 1966), pág. 5.

entre los Padres de la Iglesia que identifica el sentido oculto de las Escrituras como una parte explícita de la regla de fe. Probablemente lo hizo debido al importante papel que el sentido superior de la Escritura jugó en la defensa de la fe cristiana en el contexto alejandrino. Pero el espíritu de la declaración de Orígenes es exacto. Los cristianos de Alejandría a Asia Menor y de Jerusalén a Roma no sólo practicaban la interpretación espiritual, sino que también la consideraban una parte esencial de la fe.

Agustín dio este consejo general al principio de su tratamiento del «sentido superior» en *Sobre la enseñanza cristiana*:

> Hay que tener cuidado de no interpretar una expresión figurativa literalmente. Lo que dice el apóstol es relevante aquí: «La letra mata, pero el espíritu vivifica» [2 Co. 3:6].... Es, pues, una miserable forma de esclavitud espiritual interpretar las señales como cosas, y ser incapaz de elevar el ojo de la mente por encima de la creación física para absorber la luz eterna.[27]

Para Agustín, el lenguaje de la Escritura es un sistema de «signos» (*signa*) que apuntan a «cosas» (*res*), y con frecuencia las «cosas» que se indican son realidades espirituales que se han indicado en el texto mediante expresiones ambiguas con significados figurativos (*signa ambigua translata*). Como se explica en el resto del libro tres de *Sobre la enseñanza cristiana*, esta es la forma de Agustín de describir el sentido espiritual. Al principio de su comentario titulado *El sentido literal el Génesis*, hace el siguiente comentario revelador: «Ningún cristiano se atreverá a decir que la narración no debe tomarse en sentido figurado».[28] En otras palabras, todo el mundo está de acuerdo en que la narración tiene un sentido figurado; la única cuestión que se discute es si tiene un sentido literal.

Para estar seguros, no todos los cristianos de la iglesia primitiva describían el sentido espiritual de la misma manera. Pero es prácticamente imposible encontrar algún lector cristiano de las Escrituras que no crea en algún tipo de sentido espiritual. Incluso Diodoro de Tarso, que criticó lo que él veía como excesos de alegoría practicados por Orígenes y otros, creía en un sentido más elevado de la Escritura. Diodoro llamó a este sentido superior *theōria* («visión»). Como Diodoro explicó:

---

[27] Agustín, *On Christian Teaching* 3.5.9; véase *Saint Augustine: On Christian Teaching*, trad. R. P. H. Green, Oxford World's Classics (Oxford: Oxford University Press, 1999), pág. 72.

[28] Agustín, *Literal Commentary on Genesis* 1.1.1; véase *St. Augustine: The Literal Meaning of Genesis*, vol. 1, trad. John Hammond Taylor, S.J., Ancient Christian Writers (Nueva York: Paulist, 1982), pág. 19.

> Aunque repudiamos esta [«alegoría»] de una vez por todas, no se nos impide «teorizar» responsablemente y elevar el contenido a una anagogía más elevada.[29] Podemos comparar, por ejemplo, a Caín y Abel con la sinagoga judía y la iglesia.... Este método no deja de lado la historia ni repudia *theōria*. Más bien, como un enfoque realista y de medio camino que tiene en cuenta tanto la historia como *theōria*, nos libera, por un lado, de un helenismo que dice una cosa por otra e introduce una materia extranjera; por otro lado, no cede ante el judaísmo y nos ahoga al obligarnos a tratar la lectura literal del texto como la única digna de atención y honor, mientras que no permite la exploración de un sentido superior más allá de la letra también.[30]

Obviamente Diodoro no consideró que comparar a Caín y Abel con la sinagoga y la iglesia introdujera «materia extraña». Simplemente vio esto como evitar el error judío (en su mente) de no permitir el sentido superior en lo que se refiere a Cristo y la iglesia. Otros intérpretes, como Gregorio Nacianceno, también se veían a sí mismos como «a medio camino» entre las interpretaciones excesivamente «contemplativas» por un lado y las interpretaciones «completamente densas» por el otro.[31] Pero Gregorio Nacianceno era también un admirador de Orígenes y uno de los compiladores de la *Filocalia* de Orígenes, y aprobaba claramente los pasajes extraídos para esa obra. Incluso los cristianos que se consideraban moderados en este tema creían en alguna forma de exégesis más allá de lo literal.

La creencia en un sentido más elevado para el Antiguo Testamento tenía un significado práctico para los Padres de la Iglesia. Significaba que los cristianos no estaban obligados a observar las leyes del Antiguo Testamento literalmente. No es lógicamente necesario que se llegue a esta conclusión. Filón, por ejemplo, aunque creía en el significado alegórico de la ley, también creía que la ley debía ser observada físicamente. Así, Filón enseñó que las fiestas del Antiguo Testamento simbolizaban la alegría del alma y que la circuncisión simbolizaba el corte de las pasiones; pero condenó a quienes consideraban que esto significaba que no debían observar literalmente las fiestas o practicar la circuncisión.[32]

---

[29] La palabra griega *anagōgē* («anagogía») significa «elevación», y era un término común en la iglesia primitiva para el sentido más elevado o espiritual de la Escritura.

[30] Diodoro de Tarso, *Comentario sobre los Salmos*, prólogo; véase Karlfried Froehlich, ed. y trad., *Biblical Interpretation in the Early Church* (Philadelphia: Fortress, 1984), pág. 86.

[31] Gregorio Nacianceno, *Oraciones* 45.12.

[32] Filón, *Sobre la vida de Abraham* 89-93.

Para los cristianos, sin embargo, el significado superior de la ley tomó el lugar de la observancia literal. Ya he hablado de la lectura alegórica de las leyes alimentarias del Antiguo Testamento en la *Epístola de Bernabé* (sección 3 arriba). Lo que se puede observar aquí es que *Bernabé* sostiene firmemente que estas leyes fueron concebidas por Moisés para ser interpretadas alegóricamente y que es simplemente un error por parte de los judíos seguirlas literalmente. Así pues, *Bernabé* 10:9 afirma: «En cuanto a las carnes, Moisés recibió tres decretos a tal efecto y los pronunció en sentido espiritual; pero ellos los aceptaron según los deseos de la carne, como si se refirieran a la comida».[33] Orígenes, el primer cristiano que escribió un estudio sistemático de las leyes del Antiguo Testamento, comienza su primera homilía sobre Levítico justificando su enfoque espiritual con el siguiente argumento: «Porque si yo también siguiera el simple entendimiento... yo, que soy un hombre de la Iglesia, viviendo bajo la fe de Cristo y colocado en medio de la Iglesia, estoy obligado por la autoridad del precepto divino a sacrificar terneros y corderos y a ofrecer harina de trigo fino con incienso y aceite».[34] Jerónimo argumenta de manera similar que aquellos que rechazan la interpretación espiritual de lo que Jeremías 17:21-27 dice sobre la observancia del sábado rechazan las enseñanzas de Jesús (cita Juan 5:18) y deben someterse literalmente no sólo al sábado sino también a la circuncisión.[35] Prácticamente todos los cristianos de la antigüedad creían que las leyes del Antiguo Testamento debían entenderse como la enseñanza de verdades espirituales en lugar de prácticas literales que debían observarse.

Dos puntos finales pueden ser introducidos aquí con respecto al sentido espiritual de las Escrituras en la iglesia primitiva. Primero, el sentido espiritual podría ser invocado para resolver problemas a nivel literal. Segundo, el sentido espiritual podría ser usado para demostrar que las Escrituras enseñan verdades importantes.

Sobre el primer punto, Orígenes explicó en su trabajo *Sobre los principios* que Dios intencionalmente puso dificultades en el sentido

---

[33] Una analogía podría ser útil aquí. En 1946, George Orwell escribió una alegoría política llamada *Rebelión en la granja*. Sería perder el sentido del libro tratar de operar una granja real basada en los principios aprendidos de la *Rebelión en la granja*. El punto del libro no es enseñar técnicas de granja sino hacer una declaración sobre la política humana. Esto es similar al punto de vista de la *Epístola de Bernabé* con respecto a la intención alegórica de Moisés al escribir las leyes del Antiguo Testamento.

[34] Orígenes, *Homilías sobre Levítico* 1.2; véase *Origen: Homilies on Leviticus 1–16*, Barkley, pág. 29-30.

[35] Jerónimo, *Comentario sobre Jeremías* 17:21-27.

literal de la Escritura para que los lectores supieran buscar un sentido más elevado:

> Pero si la utilidad de la ley y la secuencia y facilidad de la narración eran a primera vista claramente discernibles en todo, no deberíamos ser conscientes de que había algo más allá del significado obvio para nosotros de entender en las Escrituras. En consecuencia, la Palabra de Dios ha dispuesto ciertos escollos, por así decir, y obstáculos e imposibilidades para insertarse en medio de la ley y la historia, a fin de que no nos dejemos arrastrar completamente por el puro atractivo del lenguaje, y así o bien rechazamos absolutamente las verdaderas doctrinas, con el argumento de que no aprendemos nada de las Escrituras digno de Dios, o bien, al no alejarnos nunca de la letra, no aprendemos nada del elemento más divino.[36]

Algunas de las dificultades que Orígenes tenía en mente se relacionan con lo que los lectores modernos simplemente identificarían como expresiones figurativas; por ejemplo, observó que cuando Génesis 4:16 dice que Caín se apartó «del *rostro* del Señor», esto no significa necesariamente que Dios tenga un rostro humano.[37] Pero para Orígenes todo esto es parte de un programa más amplio de las Escrituras para llamar la atención del lector hacia el significado más elevado a través de las imposibilidades. Así, Orígenes observa que el Antiguo Testamento contiene leyes que pertenecen al «hircocervo», que es una criatura mitológica que ni siquiera existe (el «hircocervo» aparece en algunas copias del Antiguo Testamento griego en Dt. 14:5).[38] Según Orígenes, Dios colocó imposibilidades como esta en el texto para alertar al lector a buscar un significado más elevado. Orígenes no fue el único que interpretó las dificultades del texto bíblico de esta manera.[39] Agustín atestigua que el Antiguo Testamento era la muerte para él cuando se tomaba al pie de la letra, pero se volvió convincente cuando se interpretó según los principios figurativos de Ambrosio. Esto fue instrumental en la conversión de Agustín del maniqueísmo a la fe católica.[40]

---

[36] Orígenes, *Sobre los principios* 4.2.9; véase *Origen: On First Principles*, Butterworth, pág. 285.

[37] Orígenes, *Sobre los principios* 4.3.1. Jerónimo insistió igualmente en que el Salmo 98:8, «Que los ríos aplaudan», no debe ser tomado literalmente (*Homilías sobre los Salmos* 25; vea *The Homilies of Saint Jerome*, vol. 1, trad. M. L. Ewald, Fathers of the Church [Washington: Catholic University of America Press, 1964], pág. 201). Los lectores modernos estarían de acuerdo, viendo esto simplemente como una figura literaria.

[38] Orígenes, *Sobre los principios* 4.3.2.

[39] Por ejemplo, véase Ireneo, *Contra las herejías* 5.33.3. Véanse también las secciones 13, 14 y 17 abajo.

[40] Agustín, *Confesiones* 5.14.24; 6.4.6.

En el segundo punto, el sentido espiritual de la Escritura funcionó en la iglesia primitiva para demostrar cómo las Escrituras abordaban temas significativos. Tanto Filón como Clemente de Alejandría interpretaron el Tabernáculo y las vestiduras sacerdotales como símbolos del universo, que es el verdadero Templo de Dios. Para Clemente, los colores de las cortinas del Tabernáculo significan los cuatro elementos: tierra, agua, aire y fuego, y el manto del sumo sacerdote representa los siete planetas.[41] Esto no se debió a ningún problema en la narración literal, sino que simplemente muestra que la cosmología era un tema filosófico importante para los primeros cristianos del mundo griego, y necesitaban explicar cómo las Escrituras trataban este tema (vea la sección 3 arriba). Justino Mártir vio el cordón escarlata de Rahab en Josué 2:18 como la prefiguración de la sangre de Cristo, no por ninguna dificultad en el sentido literal, sino porque esperaba encontrar referencia a Jesús en una historia sobre la liberación de la muerte.[42] Cirilo de Alejandría interpretó a Zaqueo subiendo al sicómoro en Lucas 19:4 como el buscador de Jesús que debía elevarse por encima de las tonterías del mundo (fornicación, etc.), no porque Cirilo necesitara resolver una dificultad en el texto sino para promover la buena moral en su congregación.[43] Para resumir este segundo punto: el sentido espiritual de la Escritura no era simplemente un mecanismo para tratar las dificultades del texto; era también un principio interpretativo positivo utilizado para ver las interconexiones dentro del texto y entre el texto y otros temas.

Los Padres de la iglesia usaron diferentes términos para describir el sentido espiritual de la Escritura, incluyendo «alegoría» («hablar de otra cosa»), «tropología» («expresión figurativa»), «anagogía» («elevación»), y los adjetivos «místico», «sacramental» y «espiritual». En el período de los primeros Padres de la iglesia (hasta el siglo VI) estos términos se usaban generalmente sin diferenciación. Cualquiera de ellos podía ser empleado para indicar el sentido «superior» del texto, es decir, el sentido por encima del nivel literal. Orígenes citó Proverbios 22:20 («Registren estas cosas para vosotros tres veces», según la antigua traducción griega) para sugerir que la Escritura tenía tres elementos: un «cuerpo» (el sentido básico), un «alma» (el sentido más avanzado), y un «espíritu» (el sentido perfecto, que prefigura las cosas que vendrán). A menudo operaba

[41] Clemente de Alejandría, *Misceláneas* 5.6.32.1–40.4 (Ante-Nicene Fathers 2, págs. 452- 54); véase también Filón, *Sobre las leyes especiales* 1.66-75; *Vida de Moisés* 88-93.

[42] Justino Mártir, *Diálogo con Trifón* 111. Sobre el cordón escarlata de Rahab como símbolo de la muerte de Jesús, vea también Orígenes, *Homilías sobre Josué* 6.4.

[43] Cirilo de Alejandría, *Sermones sobre Lucas* 127.

con sólo dos niveles de significado, uno literal y otro espiritual, pero a veces identificaba tres niveles— por ejemplo, literal, «místico» (cristológico) y «moral».[44] Desarrollando el pensamiento de Orígenes, Juan Casiano utilizó Proverbios 22:20 para identificar tres sentidos más allá del sentido literal, llevando el número total de sentidos a cuatro: el sentido «literal» (historia: cosas pasadas y visibles), «tropología» (explicación moral), «alegoría» (prefigurando otro misterio), y «anagogía» (señalando las realidades celestiales).[45] El sistema de Casiano se transmitió a la Edad Media y finalmente se convirtió en los conocidos «cuatro sentidos de la Escritura» medievales, que se resumen muy bien en el siguiente epigrama citado por Nicolás de Lira (m. 1349): «La carta enseña los eventos, la alegoría lo que debes creer, la moralidad lo que debes hacer, la anagogía lo que debes buscar».[46]

La creencia de los Padres de la iglesia de que la Escritura tiene más de un sentido convergió con muchas otras creencias que ellos sostenían, como que la Escritura es útil para la instrucción, y que toda la Escritura enseña un mensaje unificado. El concepto de un sentido superior proporcionó algunas herramientas teológicas útiles para la iglesia primitiva, pero también generó problemas.

En cuanto a la utilidad, mientras que el lenguaje de los múltiples sentidos refleja el distintivo contexto cultural grecorromano, el marco proporcionado por el pensamiento de los múltiples sentidos trazó un mapa constructivo de dos cualidades genuinas de las Escrituras. En primer lugar, los textos bíblicos comparten una trayectoria histórica común en la que los textos posteriores se remiten con frecuencia a textos anteriores. Esto crea un gran número de temas comunes y conexiones intertextuales dentro de la Escritura. El pensamiento cristiano primitivo sobre los sentidos superiores sirvió como una forma teológica de identificar y organizar estas interconexiones. En segundo lugar, gran parte de la escritura, especialmente en el Antiguo Testamento, opera con un modo de expresión que va más allá de lo literal. Por ejemplo, la burla contra el rey de Babilonia en Isaías 14:4-21 trata su tema de manera figurativa cuando dice, «Cómo has caído del cielo, oh Estrella de día, hijo de la aurora.... Dijiste en tu corazón: "Subiré al cielo; sobre las estrellas de Dios pondré mi trono en alto"».

---

[44] Véase Orígenes, *Homilías sobre Éxodo* 1.4. Sobre este tema, véase Elizabeth Ann Dively Lauro, *The Soul and Spirit of Scripture within Origen's Exegesis* (Leiden: Brill, 2004).

[45] Juan Casiano, *Conferencias* 14.8.

[46] Véase Henri de Lubac, *Medieval Exegesis: The Four Senses of Scripture*, vol. 1, trad. Mark Sebanc (Grand Rapids: Eerdmans, 1998), pág. 1. El latín dice así: «*Littera gesta docet, quid credas allegoria, moralis quid agas, quo tendas anagogía*».

Este texto bíblico ya ha tipificado al rey histórico de Babilonia como símbolo del mal, por lo que no es sorprendente que los cristianos posteriores aplicaran este texto al símbolo último del mal, el diablo.[47] La creencia de los Padres de la Iglesia en un sentido más elevado les dio un marco en el que percibir esas superposiciones teológicas. Por razones como éstas, las interpretaciones que los Padres de la Iglesia identificaron como el sentido espiritual a veces se correlacionan con las ideas que se encuentran genuinamente en los textos bíblicos.

Desde un punto de vista cristiano, la creencia en un sentido superior o espiritual también fue útil ya que permitió a la iglesia primitiva apropiarse de las Escrituras a través de la lente de Cristo. El sentido superior de las Escrituras a menudo equivalía a la estructura de pensamiento del pasaje refundido utilizando las realidades cristianas específicas que hacían que el texto fuera significativo para la audiencia cristiana contemporánea. El sentido era «superior» en el sentido de que se centraba en la comunión con Dios y la vida virtuosa, y el hecho de que se considerara un «sentido» de la Escritura animaba a los mejores lectores a seguir de cerca los paradigmas establecidos en los textos. De esta manera, la creencia en múltiples sentidos contribuyó significativamente al significado cristiano de la Escritura.

Al mismo tiempo, la antigua creencia cristiana de que la Escritura tiene múltiples sentidos estuvo acompañada de grandes problemas. Por un lado, sin suficiente atención al sentido literal (o discurso humano) del texto, los lectores pueden perder el contacto con el contenido y el mensaje real de los textos bíblicos. El lector puede aportar tanto al texto que no se le permite hacer sus propios puntos, por lo que pierde su capacidad de desafiar al lector. El énfasis en el sentido espiritual en la iglesia primitiva a veces socavaba la atención al sentido literal, y esto a su vez ponía distancia entre la Escritura y los lectores cristianos. Otro problema es que imaginar la propia apropiación de la Escritura como un «sentido» del texto puede fomentar un sentimiento ilegítimo de propiedad sobre el significado del texto. Incluso si el lector se mantiene cerca de los paradigmas e ideas principales expuestas en el texto, la percepción del significado aplicado de un pasaje de la Escritura sigue siendo muy dependiente de la experiencia espiritual del lector. Este encuentro religioso con el texto bíblico puede ser real, pero esto no le da al individuo en cuestión la autoridad exclusiva de etiquetar su percepción personal como el «sentido» del texto. La lectura espiritual hoy en día requiere

---

[47] Este punto es hecho por Robert Alter, *The Art of Biblical Poetry* (Nueva York: Basic, 1985), págs. 148-49.

una mayor autoconciencia y humildad de lo que a veces se practicaba en la iglesia primitiva. Debemos tener cuidado de evitar afirmaciones arrogantes sobre el significado de la Escritura en nuestro trato tanto con los que están fuera de la iglesia como con otros cristianos que leen la Escritura de manera diferente a la nuestra.

8. La Escritura predijo con precisión el futuro, especialmente sobre Jesús

El tema de esta sección es la estrecha relación entre la inspiración de la Escritura y el hecho de que la Escritura predijo con precisión los principales acontecimientos de la historia, sobre todo la venida de Jesús. Tertuliano afirmó que las Escrituras predijeron muchos eventos que tuvieron lugar en su propio día y que estos eventos constituían una prueba de que las Escrituras son divinas.[48] Orígenes argumentó que la naturaleza divina de Jesús demostraba que los escritos que habían predicho su venida debían ser divinamente inspirados.[49] Eusebio, trabajando desde la otra dirección, partió de la veracidad de los escritos del Antiguo Testamento y utilizó las predicciones sobre Jesús contenidas en ellos para argumentar que Jesús y el Evangelio son verdaderos.[50] Teófilo de Antioquía testificó que llegó a creer en el cristianismo por primera vez debido a la verdad y la exactitud de lo que la Escritura predecía:

> No descreas, entonces, sino cree. Yo tampoco creía que la resurrección tuviera lugar, pero ahora que he considerado estos asuntos, creo. En ese momento encontré los escritos sagrados de los santos profetas, que a través del Espíritu de Dios predijeron los eventos pasados de la manera en que ocurrieron, los eventos presentes de la manera en que están ocurriendo, y los eventos futuros en el orden en que se llevarán a cabo. Porque obtuve pruebas de los eventos que tuvieron lugar después de ser predichos, no descreo, sino que creo, en obediencia a Dios.[51]

El éxito de las Escrituras en la predicción del futuro ofreció pruebas tanto de la naturaleza divina de las Escrituras como de la afirmación de que Jesús es el Hijo de Dios. Las Escrituras y Jesús fueron

---

[48] Tertuliano, *Apología* 20.
[49] Orígenes, *Sobre los principios* 4.1.6.
[50] Eusebio, *Prueba del Evangelio* 1.1, etc.
[51] Teófilo, *A Autólico* 1.14; véase *Theophilus of Antioch: Ad Autolycum*, trad. Robert M. Grant (Oxford: Clarendon, 1970), pág. 19.

apoyados por el desarrollo de eventos que cumplieron con las predicciones de las Escrituras.

Numerosos textos del Antiguo Testamento fueron citados como predicciones del advenimiento e identidad de Jesús. Cipriano escribió tres libros de *Testimonios a Quirino*, que enumeran citas del Antiguo Testamento (en su mayoría) en una secuencia tópica destinada a probar que las Escrituras predecían varios aspectos de la vida y el ministerio de Jesús. El primer libro contiene veinticuatro títulos de actualidad y se centra en la polémica antijudía, con temas como «Que los judíos no podían entender nada de las Escrituras a menos que primero creyeran en Cristo».[52] El segundo libro contiene treinta temas, muchas de las secciones son bastante largas, y se centra en las predicciones del nacimiento, muerte y resurrección de Jesús, y también en su naturaleza y misión divinas. Los temas incluyen «Que Cristo es el Primogénito, y que es la Sabiduría de Dios, por quien todas las cosas fueron hechas», «Que Cristo es Dios», «Que los judíos atarían a Cristo a la cruz», y «Que después de haber resucitado de nuevo recibiría de su Padre todo el poder, y su poder sería eterno». El nacimiento de Jesús en Belén de acuerdo con Miqueas 5:2 (vea Mt. 2:6) fue una de las predicciones más citadas del Antiguo Testamento sobre Jesús, y recibe su propia sección en el Libro dos de los *Testimonios* de Cipriano. El libro tres contiene 120 secciones más cortas que presentan las implicaciones éticas y teológicas de la resurrección de Jesús, como «Que la caridad y el afecto fraternal deben practicarse religiosamente y con constancia» y «Que la gracia de Dios debe ser sin precio». Las citas del Nuevo Testamento son más frecuentes en el Libro tres. La colección de textos de prueba de las escrituras de Cipriano fue la lista más extensa de la iglesia primitiva, pero muchas otras obras dedicaron considerable atención a los testimonios del Antiguo Testamento; la *Demostración de la predicación apostólica* de Ireneo y la *Prueba del Evangelio* de Eusebio son ejemplos primarios. La mayoría de los pasajes del Antiguo Testamento utilizados en estas obras se pueden encontrar citados en el Nuevo Testamento como prueba de Jesús. Los Padres de la iglesia pueden ser vistos como una sistematización del enfoque básico ya tomado por los escritores del Nuevo Testamento.

El Nuevo Testamento en su conjunto muestra una profunda preocupación por demostrar que lo que Jesús logró ya estaba

[52] Los textos de esta sección incluyen Isaías 7:9; Juan 8:24; Habacuc 2:4; Génesis 15:6; y Gálatas 3:6-9. Para *Testimonios a Quirino* de Cipriano, vea Ante-Nicene Fathers 5, págs. 507-57.

prometido en las Escrituras de Israel. El Nuevo Testamento contiene más de 250 citas del Antiguo Testamento.[53] El Evangelio de Mateo afirma explícitamente trece veces que algo ocurrió en la vida de Jesús para que se «cumpliera» lo dicho por los profetas.[54] Un ejemplo muestra lo preocupado que estaba su autor por mostrar la exactitud de las predicciones del Antiguo Testamento. Zacarías 9:9 anunció la llegada del rey de Israel con las siguientes palabras:

> Regocíjate sobremanera, hija de Sión.
> Da voces de júbilo, hija de Jerusalén.
> He aquí, tu rey viene a ti,
> justo y dotado de salvación,
> humilde, montado en un asno,
> en un pollino, hijo de asna.

Cuando Jesús entró en Jerusalén en lo que se conoció como «Domingo de Ramos» (el domingo anterior a su resurrección), entró en la ciudad montado en un potro, presumiblemente con la intención de invocar la imagen de Zacarías 9:9, proclamándose así a sí mismo como el rey justo que trae la salvación. Marcos, que probablemente fue el primer evangelio que se escribió, describe cómo Jesús instruyó a sus discípulos para que se aseguraran de usar el potro y cómo Jesús montó el potro (Marcos 11:1-7), pero Marcos no se refiere a Zacarías 9:9.[55] Lo mismo puede decirse del evangelio de Lucas, que da la historia esencialmente como lo hace Marcos (Lucas 19:28-35). La falta de referencia al pasaje de Zacarías en Marcos y Lucas puede explicarse mediante la declaración de Juan (el último Evangelio canónico escrito, que sí cita a Zc. 9:9), de que «Sus discípulos no entendieron estas cosas al principio, pero cuando Jesús fue glorificado, entonces se acordaron de que estas cosas se habían escrito sobre él y se habían hecho con él» (Juan 12:16). En otras palabras, los discípulos de Jesús no reconocieron inmediatamente la alusión a Zacarías 9:9 implícita en la acción de Jesús. Sólo más tarde esta alusión se hizo clara, pero aún no fue señalada ni por Marcos ni por Lucas.

---

[53] Véase Roger Nicole, «New Testament Use of the Old Testament», en *Revelation and the Bible*, ed. Carl F. H. Henry (Grand Rapids: Baker, 1958), pág. 137.

[54] Mateo 1:22; 2:15, 17, 23; 4:14; 8:17; 12:17; 13:14, 35; 21:4; 26:54, 56; 27:9.

[55] En la teoría de que Marcos fue el primer Evangelio escrito, vea David A. deSilva, *An Introduction to the New Testament* (Downers Grove: InterVarsity, 2004), págs. 158-71; y Raymond E. Brown, An *Introduction to the New Testament* (Nueva York: Doubleday, 1997), págs. 111- 16.

Mateo, por otro lado, cita el texto de prueba del Antiguo Testamento y se preocupa por mostrar que se cumplió con precisión. El final de Zacarías 9:9 dice literalmente, «humilde y montado en un asno, *y* en un pollino, el "hijo" de una asna». La cita que di arriba correctamente deja fuera el segundo «y» porque sólo un animal está a la vista. A la poesía hebrea le gusta dar dos líneas paralelas seguidas, conectadas por «y», que se refieren a una misma cosa. Como ejemplo, el Salmo 20:2 dice, «Que desde el santuario te envíe ayuda, *y* desde Sión te sostenga». Desde una perspectiva poética, las dos palabras «santuario» y «Sión» contribuyen cada una con su propio significado al sentido general de la línea; pero ambas palabras se refieren a un mismo objeto, el Templo de Jerusalén. De manera similar, en el sentido original de Zacarías 9:9 sólo hay un animal, a saber, «un asno, («y» = «eso es») un pollino, el "hijo" de una asna». Sin embargo, la cita de Mateo conserva la «y» literalmente, con el resultado de que dos animales parecen estar a la vista: «montado en un asno, y en un pollino, el potro de una bestia de carga».[56] Mateo reconoce que Jesús cabalgó a Jerusalén para cumplir con Zacarías 9:9, y dado que el texto de Zacarías 9:9 podría ser leído creativamente como refiriéndose a dos animales, el Evangelio de Mateo hace que Jesús obtenga y (aparentemente) monte dos animales.

Sólo Mateo hace que Jesús le diga a sus discípulos que encuentren «un asna atada y un pollino con ella» (Mt. 21:2). Los animales son consistentemente referidos en plural. Una frase importante es el v. 7: «y trajeron el asna y el pollino; pusieron sobre ellos sus mantos, y Jesús se sentó encima». Es cierto que es difícil ver cómo Jesús pudo haberse sentado sobre dos animales diferentes a la vez. Por esta razón, algunos comentaristas han argumentado que el «ellos» sobre los que Jesús se sentó se refiere a las «vestiduras». Pero esto no explica la referencia de Mateo a dos animales donde los otros escritores de los Evangelios sólo tienen uno. Incluso el Evangelio de Juan, que cita Zacarías 9:9, se refiere a un solo animal y simplemente abrevia la cita de Zacarías para evitar la dificultad («sentado en el pollino de un asna»). Además, el Evangelio de Marcos tiene a Jesús sentado en «él», es decir, en «pollino», no en las «vestiduras». Así que cuando Mateo introduce dos animales y luego hace que Jesús se siente en «ellos», es natural asumir que se refiere a los animales, no a las

---

[56] Una nota en la Biblia ESV sugiere «incluso» como una representación alternativa. Esto captura mejor el sentido poético del hebreo original, pero la ESV mantiene correctamente «y» en el texto porque muestra el uso interpretativo de la cita por parte de Mateo.

vestimentas. Entonces, ¿Mateo realmente creyó que Jesús entró a Jerusalén montado en dos animales?

No creo que podamos saber con seguridad todo lo que Mateo estaba pensando sobre este texto, pero es posible que apreciemos el uso que hace Mateo de Zacarías 9:9 a la luz de las antiguas creencias sobre las Escrituras. He señalado anteriormente cómo Pablo utilizó una peculiaridad lingüística de una palabra hebrea específica (el sustantivo colectivo «semilla») con el fin de conectar a Jesús con las promesas que Dios hizo a Abraham. También tenemos un ejemplo, conservado en el primer Midrash judío del libro de Génesis, en el que un sabio llamado Rabino Judá extrae un punto homilético de las formas singulares de las palabras «buey» y «asna» en Génesis 32:5.[57] Sobre la base de la discusión que sigue, es evidente que los sabios entienden perfectamente el significado directo del texto («Tengo bueyes, asnos...»).[58] Sin embargo, siguen presionando el lenguaje del texto para ver si contiene alguna pista sobre el significado continuo del texto para su comunidad. Los sabios creían que los detalles de la Escritura podían ser significativos más allá del sentido básico (véase la sección 2 arriba).

De manera similar, pero con diferentes objetivos en mente, el Evangelio de Mateo cree en la importancia de los detalles. La creencia central del Evangelio es que Jesús cumplió las promesas del Antiguo Testamento, que Jesús cumplió tan a fondo los objetivos del Antiguo Testamento que cumplió los dichos de los profetas con absoluta exactitud. Mateo sabe que Jesús entró en Jerusalén en un burro, y sabe que Jesús cumplió Zacarías 9:9. Cuando el escritor del Evangelio mira el pasaje de Zacarías y ve la posibilidad de encontrar dos animales a través de una lectura hiperliteralista del texto, aprovecha la oportunidad para retratar a Jesús entrando en dos animales —en contra de la corriente de la historia simple— pero precisamente en consonancia con las palabras mismas del texto sagrado.[59] La cita de Mateo de Zacarías 9:9 es una excelente

---

[57] Midrash *Genesis Rabbah* 75.6.

[58] R. Judá dijo: «De un buey salieron muchos bueyes, y de un asno muchos asnos». Directamente después del comentario de R. Judá, R. Nehemías señala que las palabras son singulares simplemente porque este es el idioma normal, es decir, estos son sustantivos colectivos. Pero R. Judá también lo sabe; sería imposible leer el hebreo y no entender este punto de la gramática. La diferencia de opinión entre R. Judá y R. Nehemías tiene que ver simplemente con la perspicacia de esta particular interpretación homilética.

[59] Los dos animales de Mateo 21:1-7 fueron a menudo interpretados alegóricamente por los Padres de la Iglesia. Justino Mártir tomó el asno para representar a los cristianos judíos y el pollino para representar a los cristianos gentiles (*Diálogo con Trifón* 53), mientras que Hilario de Poitiers interpretó a los dos animales como cristianos de entre los samaritanos y los gentiles

ilustración de la confianza con la que los primeros cristianos creían que Jesús había cumplido las promesas hechas en las Escrituras del Antiguo Testamento.

Los Padres de la iglesia tenían claro que Jesús y los eventos que inauguró eran el cumplimiento de las predicciones hechas por el Antiguo Testamento. Como Hilario declaró, «Cada obra contenida en los libros sagrados anuncia con palabras, transmite a través de hechos y demuestra con ejemplos la venida de nuestro Señor Jesucristo, que nació del Padre de una virgen por medio del Espíritu».[60] Pero no hubo uniformidad de pensamiento sobre si estas predicciones fueron enunciadas o no con suficiente claridad como para haber sido entendidas originalmente antes de la venida de Jesús. Una línea de pensamiento subrayaba que el Antiguo Testamento había predicho a Cristo mediante «tipos y parábolas» que no podían explicarse correctamente hasta después de la venida de Jesús al mundo.[61] Otra línea de pensamiento insistía en que el Antiguo Testamento predijo a Jesús no sólo mediante alegorías sino también mediante profecías tomadas en su sentido literal más directo.[62] Orígenes, en su defensa de la profecía contra el crítico pagano Celso, resumió la posición cristiana de la siguiente manera: «Muchos profetas predijeron de todas las maneras posibles las cosas relativas a Cristo, algunos en acertijos y otros mediante alegorías o de otra manera, mientras que otros incluso utilizan expresiones literales».[63] Esta declaración no sólo capta bien lo que los primeros cristianos creían sobre la calidad predictiva de las Escrituras, sino que también prepara el terreno para el siguiente capítulo, que trata del modo de expresión de las Escrituras.

En este capítulo he considerado tres dimensiones de la naturaleza espiritual y sobrenatural de la Biblia tal como la veía la iglesia

---

(*Comentario a Mateo* 21.1; véase Sources chrétiennes 258, págs. 120-22). Véase también Orígenes, *Comentario sobre Juan* 10.18.

[60] Hilario de Poitiers, *Tratado sobre los misterios* 1.1; véase *Hilary de Poitiers: Traité de mystères*, ed. y tra. Jean-Paul Brisson, Sources chrétiennes (París: Cerf, 2005), pág. 72.

[61] Ireneo, *Contra las herejías* 4.26.1; Orígenes, *Sobre los principios* 4.1.6. Véase también Ireneo, *Contra las herejías* 4.9.3; 4.14.3; 4.25-28; Hipólito, «Fragmentos sobre Daniel» 2.5 (Ante-Nicene Fathers 5, pág. 179); Teodoreto, Comentario sobre Daniel 7:23; y Gregorio el Grande, «Fragmento II sobre Gén. 24» en *The Homilies of Saint Gregory the Great on the Book of the Prophet Ezekiel*, trad. Theodosia Gray, ed. P. J. Cownie (Etna: Center for Traditionalist Orthodox Studies, 1990), pág. 292.

[62] Eusebio, *Comentario sobre Isaías* 1. Para un ejemplo de profecía que se dice que apunta directamente a Cristo en el sentido literal, ver los comentarios de Eusebio sobre Isaías 11:1-13. Vea también Tertuliano, *Sobre la resurrección de la carne* 20.

[63] Orígenes, *Contra Celso* 1.50; véase *Origen: Contra Celsum*, trad. Henry Chadwick (Cambridge: Cambridge University Press, 1965), pág. 47.

primitiva. Cada una de estas dimensiones fluyó del compromiso de la iglesia primitiva con la inspiración de las Escrituras. Debido a que las Escrituras fueron producidas por la actividad sobrenatural del Espíritu, se deduce que tendrán un sentido espiritual y que será necesaria la iluminación del Espíritu para interpretarlas correctamente. Además, la Iglesia podría ofrecer como prueba del origen divino de las Escrituras el hecho de que los profetas del Antiguo Testamento predijeron con precisión los principales acontecimientos que rodearon la venida de Jesús mucho antes de que estos acontecimientos tuvieran lugar.

Como explicaré con más detalle en la conclusión, creo que las nociones de un sentido espiritual de las Escrituras y la necesidad de iluminación divina siguen siendo importantes hoy en día, aunque requieren una mayor reflexión y perfeccionamiento. No creo que la idea de «prueba de la profecía» deba jugar un papel en la iglesia hoy en día análogo al papel que jugó para los Padres de la iglesia. Aunque los cristianos pueden y deben esforzarse por presentar casos convincentes para la creencia cristiana sobre la base del Antiguo Testamento, es imprudente y poco sincero argumentar que los textos del Antiguo Testamento «prueban» el cristianismo. Incluso si se pueden presentar argumentos teológicos convincentes a favor de la fe cristiana en Jesús utilizando textos del Antiguo Testamento, estos argumentos no se centrarán en la dimensión puramente predictiva de la Escritura, y constituirán testimonio o testigo más que prueba. La lectura del Antiguo Testamento con vistas a Jesús sigue siendo fundamental para la interpretación bíblica cristiana, pero creo que los cristianos modernos harían bien en dejar en el pasado la antigua idea cristiana de que las predicciones de las Escrituras «prueban» ya sea la inspiración de las Escrituras o la autenticidad de Jesús.

CAPÍTULO CUATRO

Modo de expresión

Lo que tienen en común las secciones de este capítulo es que cada una trata específicamente del lenguaje de la Escritura. ¿Qué impacto tuvo la inspiración divina en el carácter lingüístico de la Escritura? ¿Se expresa la Escritura de alguna manera especial porque está inspirada por Dios? En las dos primeras secciones de este capítulo (9 y 10) la posible implicación de la inspiración que describo representa el punto de vista básico de la mayoría de los primeros pensadores cristianos. En las dos secciones siguientes (11 y 12), los Padres de la Iglesia reflejan diferencias significativas en el punto de vista de la naturaleza del impacto divino y el alcance del elemento humano en el lenguaje de las Escrituras. Aun así, incluso para estas dos últimas secciones identifico una creencia específica que al menos algunos de los primeros cristianos afirmaron, aunque otros cristianos calificaron o desafiaron esa creencia.

9. La Escritura habla en acertijos y enigmas

Los antiguos griegos creían que los oráculos de los dioses se hablaban típicamente en acertijos y enigmas.[1] En su *Introducción a las tradiciones de la teología griega*, Cornuto el Estoico (siglo I d.C.) aplicó interpretaciones alegóricas a los mitos griegos (historias de Zeus, Hércules, etc.), explicando «que los hombres de la antigüedad no eran hombres comunes, sino que eran competentes para comprender la naturaleza del cosmos y se inclinaban a hacer

[1] Véase Sófocles, *Edipo rey* 1524-27; Eurípides, *Las mujeres fenicias* 1688; Plutarco, *Sobre los Oráculos de Pitia* 24-25, 30.

afirmaciones filosóficas al respecto mediante símbolos y enigmas».[2] Heráclito, intelectual griego de finales del siglo I d.C. y autor del tratado alegórico *Problemas homéricos*, habló de Homero como «oscureciendo su filosofía con estos nombres simbólicos» y defendió a Homero por haber filosofado de esta manera argumentando que incluso los filósofos autoproclamados hablaban de manera oscura y a través de símbolos.[3] En el contexto intelectual griego, era razonable esperar que la comunicación divina con la humanidad tuviera lugar a través de dichos oscuros y enigmáticos que tenían un significado simbólico.[4]

De manera similar, muchos intérpretes de las Escrituras en el mundo griego esperaban encontrar significados simbólicos en el enigmático lenguaje de los textos bíblicos. Filón afirma que los significados figurativos se ocultan bajo las enigmáticas expresiones de las leyes de sacrificio en Levítico.[5] Clemente de Alejandría introduce su interpretación simbólica del Tabernáculo con esta explicación:

> En una palabra, todos los que han hablado de las cosas divinas, tanto bárbaros como griegos, velaron los primeros principios de las cosas y entregaron la verdad en enigmas, símbolos y alegorías, y tropos como estos. De este tipo también son los oráculos entre los griegos.... Y el espíritu dice por el profeta Isaías, «Te daré tesoros, ocultos y oscuros» [Is. 45:3 en griego]. Ahora bien, la sabiduría, que es difícil de descubrir, es el tesoro y la riqueza indefectible de Dios. Pero los que son enseñados en teología por estos profetas, los poetas, exponen mucha filosofía por medio de un sentido oculto.[6]

---

[2] Cornuto, *Tradiciones de la teología griega* 35.3; véase *Lucius Annaeus Cornutus' Epidrome* (*Introduction to the Traditions of Greek Theology*), trad. Robert Stephen Hays (tesis doctoral, University of Texas at Austin, 1983), pág. 121. Véase también 17.3: «No hay que mezclar los mitos ni transferir los nombres de uno a otro. Hay situaciones en las que se han añadido acreciones ficticias a las genealogías que fueron transmitidas según estos mitos por personas que no entienden el mensaje que contienen crípticamente, sino que las utilizan como si fueran meras ficciones. En estas situaciones, no hay que darle un lugar contrario a la razón» (págs. 78-79).

[3] Heráclito, *Problemas homéricos* 24.1-3; véase *Heraclitus: Homeric Problems*, ed. y trad. D. A. Russell y David Konstan, Writings from the Greco-Roman World (Atlanta: Society of Biblical Literature, 2005), pág. 47.

[4] El filósofo griego del siglo II y crítico del cristianismo, Celso, contra quien Orígenes escribió su defensa del cristianismo, *Contra Celso*, también interpretó los mitos griegos alegóricamente señalando los enigmas (véase *Contra Celso* 6.42). El retórico Quintiliano, sin embargo, usó la palabra «enigma» para describir una declaración alegórica que era demasiado oscura para su propio bien (*Institutos de oratoria* 8.6.52).

[5] Filón, *Sobre las leyes especiales* 1.200; véase también *Alegorías de las leyes* 3.226.

[6] Clemente de Alejandría, *Misceláneas* 5.4.21.4–23.2 (Ante-Nicene Fathers 2, pág. 449, traducción actualizada).

Justino Mártir dice que Daniel habló enigmáticamente sobre el nacimiento de Dios como hombre cuando dijo que el que recibió el reino eterno era «como un Hijo de Hombre» (Dan. 7:13).[7] Justino encontró muchos otros símbolos de Jesús ocultos en el Antiguo Testamento. Así, el árbol de la vida en Génesis, el bastón de Moisés, el bastón que Moisés arrojó a las aguas amargas (Éx. 15:25), los palos que Jacob puso delante del abrevadero de las cabras, el bastón de Jacob y la escalera que Jacob vio en su sueño —todos estos trozos de madera son símbolos de la cruz. Además, en el Antiguo Testamento se pudieron recopilar listas similares de figuras que señalaban a Jesús como «piedras» y ejemplos de «unción».[8] Los Padres de la Iglesia esperaban encontrar «enigmas» y «figuras» en las Escrituras que apuntaran a realidades más profundas, y encontraron estos enigmas tanto en visiones proféticas como la de Daniel como en detalles aparentemente mundanos como el bastón de Jacob.

Los primeros pensadores cristianos ofrecieron varias explicaciones de por qué Dios había elegido comunicarse en las Escrituras a través de enigmas y acertijos. Estas explicaciones incluyen lo siguiente:

1. Dios quería ocultar las verdades más profundas de las Escrituras a aquellos que no son dignos. Sólo aquellos que se esfuerzan por comprender las Escrituras pueden captar su sentido más verdadero.[9] Revelar a todos la plena magnificencia de la Escritura sería arrojar perlas a los cerdos.[10] El objetivo de la Escritura es tanto revelar como ocultar.[11] Sólo aquellos que están dispuestos a esforzarse por la virtud lograrán desentrañar las oscuridades de la Escritura.[12] En la mayoría de las fuentes cristianas primitivas, cualquiera que se esfuerce por encontrar la verdad la encontrará.

2. El hecho de que la Escritura tenga significados ocultos permite que los diferentes niveles de enseñanza lleguen a personas con

---

[7] Justino Mártir, *Diálogo con Trifón* 76. Justino usa el verbo *ainissetai*, que se relaciona con el sustantivo «enigma».

[8] Justino Mártir, *Diálogo con Trifón* 86. En el bastón de Moisés o Aarón y el bastón de Éxodo 15:25 como la cruz, vea también Efrén, *Comentario sobre Éxodo* 7.4; 14.3; 16.1; 17.2.

[9] Justino Mártir, *Diálogo con Trifón* 90; Agustín, *Sobre la enseñanza cristiana* 2.6.7.

[10] Clemente de Alejandría, *Misceláneas* 1.12.55.1–56.3 (*Clement of Alexandria: Stromateis, Books One to Three*, trad. John Ferguson, Fathers of the Church [Washington: Catholic University of America Press, 1991], págs. 63-64); *Misceláneas* 6.15.126.1–131.5 (Ante-Nicene Fathers 2, págs. 509-10); *¿Quién es el hombre rico?* 5.2; véase Mateo 7:6.

[11] Orígenes, *Sobre los principios* 4.1.6-7; 4.2.7-8.

[12] Orígenes, *Filocalia* 2.2; *Contra Celso* 7.10. Véase también Hipólito, *Fragmento sobre Proverbios*: «"Para entender las dificultades de las palabras"; porque las cosas habladas en un lenguaje extraño por el Espíritu Santo se vuelven inteligibles para aquellos que tienen sus corazones bien con Dios» (Ante-Nicene Fathers 5, pág. 172).

diferentes niveles de receptividad espiritual. El sentido directo y obvio beneficia a la multitud, mientras que el sentido interior oculto beneficia a los interesados en el bienestar de sus almas.[13] Las historias de curaciones de Jesús son beneficiosas para las masas que viven principalmente de sus sentidos físicos; pero los lectores más espirituales aprenden del significado más elevado, que se refiere a la curación del alma.[14] De hecho, puede ser perjudicial para las personas recibir enseñanzas que están más allá de su capacidad de recibir. Por lo tanto, fue prudente que Dios ocultara estas realidades más profundas a los que aún no están preparados para ellas.[15]

3. Los profetas de Dios hablaron oscuramente para protegerse de la persecución. Si la audiencia original hubiera entendido el significado de todo lo que se decía, habrían matado a los portadores del mensaje divino.[16] La práctica de hablar crípticamente para protegerse fue seguida no sólo por los profetas del Antiguo Testamento sino también por Pablo, quien emitió una condena oculta del Imperio Romano en 2 Tesalonicenses 2:5-8.[17]

4. Trabajar duro para desentrañar los significados de las expresiones oscuras da más satisfacción y placer que simplemente captar el significado a primera vista. Las verdades espirituales enseñadas en Cantar de los Cantares pueden aprenderse más directamente en otras partes de las Escrituras, pero es más agradable aprender estas lecciones a través de las imágenes, y es más gratificante poseer la verdad que ha sido ganada con dificultad.[18] La búsqueda de realidades ocultas en los primeros capítulos de Génesis invoca un sentimiento de reverencia dentro de nosotros.[19] La presencia de significados ocultos en las Escrituras nos anima a ser inquisitivos y ansiosos de descubrimiento.[20]

5. El lenguaje oscuro y enigmático es un medio eficaz para comunicar ideas profundas. Los textos sagrados hablan de manera

---

[13] Filón, *Sobre la vida de Abraham* 147.

[14] Dídimo el Ciego, *Sobre Génesis* 168; véase *Didyme L'aveugle. Sur la Genèse*, vol. 2, ed. y trad. Pierre Nautin, *Sources chrétiennes* (París: Cerf, 1978), págs. 62-64.

[15] Clemente de Alejandría, *Misceláneas* 6.15.126.1-2, 127.3-4 (Ante-Nicene Fathers 2, págs. 509-10); Orígenes, *Sobre los principios* 4.2.8.

[16] Clemente de Alejandría, *Misceláneas* 6.15.127.5–128.1 (Ante-Nicene Fathers 2, pág. 510); Juan Crisóstomo, *Sobre la oscuridad del Antiguo Testamento* 1; véase *St. John Chrysostom: Old Testament Homilies*, vol. 3, trad. Robert C. Hill (Brookline: Holy Cross Orthodox, 2003), págs. 8-25.

[17] Jerónimo, *Comentario sobre Jeremías* 25:26c.

[18] Agustín, *Sobre la enseñanza cristiana* 2.6.7-8; véase también 4.7.15.

[19] Efrén, *Himnos sobre el paraíso* 1.2; véase *Hymns on Paradise: St. Ephrem*, trad. Sebastian Brock (Crestwood: St. Vladimir's Seminary Press, 1990), pág. 78.

[20] Clemente de Alejandría, *Misceláneas* 6.15.126.1 (Ante-Nicene Fathers 2, pág. 509).

oscura y precisa para que puedan ser explicados de múltiples maneras.[21] El discurso de los profetas es siempre oscuro, y por lo tanto lleno de pensamientos ocultos y misterios divinos.[22] En el uso de Agustín, los términos «oscuridad» y «alegoría» son ambas formas de referirse al sentido superior, que también se denomina «expresión figurativa».[23] El lenguaje críptico se consideraba un medio adecuado para expresar los misterios profundos.[24]

En lo que respecta a desentrañar los enigmas de las Escrituras, varios de los primeros escritores cristianos mencionan explícitamente el principio de que se deben utilizar pasajes claros para interpretar los que no están claros.[25] Así pues, en principio, los textos «claros» de la Escritura proporcionaban la entrada al mundo simbólico de los misterios ocultos de la Escritura. Esto proporcionaba al menos algunos controles sobre el contenido que podía derivarse de un texto poco claro, aunque en la práctica los intérpretes seguían ejerciendo una libertad considerable para importar material a la Escritura, especialmente en las esferas de la cosmología y la ética.

La antigua creencia de que los textos sagrados comunicaban los misterios a través de un lenguaje oscuro no siempre sirvió bien a los primeros intérpretes cristianos. Muchos textos no estaban claros en el Antiguo Testamento simplemente porque las traducciones al griego (o al latín) no estaban claras, o porque los objetos o nombres en cuestión eran culturalmente extraños para los cristianos que vivían en el mundo romano.[26] Si hubieran intentado resolver estas oscuras expresiones a nivel literal e histórico, habrían podido apreciar mejor el significado superficial de la narrativa, el poema o el discurso que estaban leyendo. En general, se hizo un mayor esfuerzo por desentrañar las oscuridades a nivel literal entre los intérpretes «antioquenos» y en algunos de los comentarios de Jerónimo, como sus *Preguntas hebreas sobre Génesis* y su *Comentario sobre Jeremías*.

---

[21] Gregorio el Grande, *Homilías sobre Ezequiel* 10.31.

[22] Cirilo de Alejandría, *Comentario sobre Isaías*, prefacio.

[23] Agustín, *Sobre la enseñanza cristiana* 3.11.17.

[24] Véase el tratamiento de Orígenes en Génesis 18, según el cual Abraham sirve a sus tres huéspedes «panes escondidos y misteriosos», y «Todo lo que él [Abraham] hace es místico, todo está lleno de misterio». Los significados secretos y ocultos están detrás de cada elemento peculiar de la historia (*Homilías sobre Génesis* 4.1-2).

[25] Por ejemplo, véase Tertuliano, *Sobre la modestia* 17.18; *Contra Marción* 1.9; *Sobre la resurrección* 19, 21; *Contra Praxeas* 20 (las muchas declaraciones interpretan las pocas); Ireneo, *Contra las herejías* 2.27.1; Agustín, *Sobre la enseñanza cristiana* 2.9.14. Véase también Quintiliano, *Institutos de oratoria* 5.10.8.

[26] Vea los comentarios de Agustín en *Sobre la enseñanza cristiana* 2.12.17-18; 2.13.19-20.

Al mismo tiempo, se deben hacer dos concesiones a la perspectiva de los Padres de la Iglesia como se describe en esta sección. Primero, hay un buen número de pasajes en las Escrituras, como Daniel 7 y Mateo 24, que son genuinamente oscuros y aparentemente simbólicos. De hecho, no se puede dudar de que al menos algunos detalles curiosos en la descripción del Tabernáculo tenían un valor simbólico.[27] Si uno llegó a la Escritura esperando que hablara en enigmas, es fácil ver cómo estos textos podrían confirmar esa creencia.

En segundo lugar, mucho más del lenguaje de las Escrituras es oscuro de lo que la mayoría de los modernos lectores ingleses de la Biblia se dan cuenta. Esto se debe a que la mayoría de las traducciones modernas de la Biblia parten de la suposición de que la Biblia está destinada a ser clara y comprensible, por lo que los traductores crean una Biblia inglesa que es clara y comprensible para los lectores ingleses de hoy. Sin embargo, muchos textos de la Escritura son realmente poco claros. Por ejemplo, el hebreo que subyace en la traducción inglesa «y el heredero de mi casa es Eliezer de Damasco» (Gén. 15:2) es casi incomprensible. Asimismo, el hebreo que subyace en la traducción inglesa «hasta que le llegue el tributo, y a él sea la obediencia de los pueblos» (Gén. 49:10) es extremadamente difícil. Una buena parte del libro de Job en hebreo es difícil de desentrañar, aunque uno no lo sabría basado en la mayoría de las traducciones inglesas. Los antiguos lectores que encontraron tales dificultades, ya sea en el original o en las traducciones que hicieron poco esfuerzo por enderezar los problemas, encontraron la confirmación de que los escritores divinamente inspirados hablaban en acertijos y enigmas. Mientras que muchos antiguos lectores cristianos de las Escrituras comenzaron a asumir la oscuridad y el misterio, la mayoría de los lectores cristianos modernos esperan que la Biblia sea directa y clara.

10. Las etimologías de las palabras en la Escritura transmiten significado

El primer poeta griego Hesíodo, que describió las relaciones genealógicas de los seres divinos, incluyó en su relato elementos de la

[27] Los estudiosos modernos han identificado paralelismos significativos entre la descripción del Tabernáculo en el Éxodo y el relato de la creación en Génesis 1-2. Tal vez, como muchos intérpretes antiguos creían, el Tabernáculo estaba de alguna manera destinado a ser una representación del universo. Sobre este tema, vea James K. Bruckner, *Exodus*, NIBC (Peabody: Hendrickson, 2008), págs. 231-32.

naturaleza («Océano profundo») y de la experiencia humana («La lucha odiosa se llevó un doloroso trabajo»), como para explicar la conexión original entre estos «nombres» y las cosas que significan.[28] Esta conexión fue el tema de discusión en el diálogo de Platón, *Crátilo*. En esta obra, Platón atribuye a su personaje Crátilo el punto de vista de que el nombre de una cosa refleja necesariamente la esencia de la cosa nombrada, así como una imagen refleja la realidad.[29] El personaje de Sócrates en el diálogo es escéptico de esta visión. Entre otras ideas que Sócrates menciona y luego rechaza está la noción de que, debido a que los dioses otorgaron los primeros nombres a las cosas, estos nombres deben ser «correctos» para capturar la esencia de las cosas.[30] Sin embargo, a pesar del escepticismo de Sócrates, la creencia en el origen divino y la corrección esencial de los nombres se convirtió en una parte importante de muchas corrientes del pensamiento filosófico y religioso griego posterior.

Los estoicos, por ejemplo, enseñaban que los nombres se daban primero a las cosas en imitación de las cosas nombradas, y sobre esta base los estoicos creían que el significado etimológico de un nombre daba información exacta sobre la cosa misma.[31] El estoico Cornuto del primer siglo usó la etimología extensamente para explicar la verdadera naturaleza de los dioses griegos. Así pues, el nombre «Poseidón» se relaciona con «beber» (*posis*) y «sudar» (*idiein*), ya que «Poseidón» representa la fuerza de la naturaleza que produce la humedad.[32]

Uno de los principales problemas de la conexión «nombre-esencia» sugerida en *Crátilo* y empleada por Cornuto es el hecho de que las cosas tienen diferentes nombres en diferentes idiomas. ¿Cómo puede haber una conexión singular entre el nombre y la esencia de una cosa, si la cosa —cuya esencia no cambia— tiene diferentes nombres en diferentes idiomas? Por supuesto, si uno cree que el idioma original del habla divina es el griego, entonces tendría sentido analizar las etimologías griegas para estudiar la esencia de una cosa a través de su nombre. Pero si uno creía que algún otro idioma o idiomas eran más antiguos y cercanos a los dioses, entonces

---

[28] Véase Hesíodo, *Teogonía* 133, 226.

[29] Toda la obra está dedicada al tema de los nombres y las cosas, pero vea especialmente a *Crátilo* 383a-384d; 424b-c; 428d-431e.

[30] Platón, *Crátilo* 425d-426b.

[31] Véase Cicerón, *La naturaleza de los dioses* 3.24; Orígenes, *Contra Celso* 1.24. Según Diógenes Laercio, *Vidas de los filósofos* 7.200, el estoico Crisipo escribió dos obras sustanciales sobre etimologías.

[32] Cornuto, Tradiciones de la teología griega 4.

obviamente se necesitaría estudiar las etimologías de los nombres en estos idiomas más antiguos. Tal punto de vista fue tomado por el filósofo neoplatónico Jámblico (finales del siglo III) en su trabajo *Sobre los misterios*:

> Debido a que los dioses han demostrado que todo el dialecto de las naciones sagradas, como las de los egipcios y asirios, se adapta a las preocupaciones sagradas, y debido a que tal modo de hablar es el primero y el más antiguo, debemos pensar que es necesario que nuestra conferencia con los dioses sea en un idioma relacionado con ellos.... Porque si los nombres existieran por convención, no tendría importancia si se usaran unos nombres en vez de otros. Pero como los nombres se basan en la naturaleza de las cosas, los nombres que se adapten mejor a las cosas serán también más queridos por los dioses.... A lo que se puede añadir que los nombres no conservan completamente el significado cuando se traducen a otro idioma.... Y en el siguiente lugar, aunque es posible traducirlos, ya no conservan el mismo poder cuando se traducen. Además, los nombres primitivos poseen mucho énfasis, gran concisión y participan de una menor ambigüedad, variedad y multiplicidad.[33]

Según Jámblico, los nombres de las cosas sagradas que se encuentran en los idiomas de las naciones antiguas contienen conocimientos divinos especiales. Uno debe estudiar los nombres de estas cosas en las lenguas sagradas para comprender su verdad. Las creencias de Jámblico, así como toda la discusión de los nombres y las cosas en el mundo griego antiguo, proporcionan un importante telón de fondo para entender el uso de las etimologías de los nombres propios en la interpretación cristiana temprana de las Escrituras.

La propia Biblia presenta los nombres como símbolos de realidades. En la Biblia hebrea, «Adán», cuyo nombre significa «ser humano», está formado por el suelo (hebreo *'adamah*), y el nombre de su esposa, «Eva», se asemeja a la palabra para «vivir» (Gén. 2:7; 3:20). Los ejemplos de asociaciones de nombres en Génesis son demasiado numerosos para mencionarlos; basta pensar en los tres grandes patriarcas Abraham («padre de una multitud», Gén. 17:5), Isaac («él ríe», 21:2-6), y «Jacob» el embaucador («Jacob» significa «él engaña») que se convierte en «Israel» («lucha con Dios», 32:28). El Nuevo Testamento sigue utilizando los significados etimológicos de los nombres; por ejemplo, «Jesús» se relaciona con la palabra

---

[33] *Iamblichus: On the Mysteries of the Egyptians, Chaldeans, and Assyrians*, trad. Thomas Taylor, 2da ed. (Londres: Bertram Dobell & Reeves and Turner, 1895), págs. 293, 297- 98 (traducción actualizada).

hebrea para «él salva» (Mt. 1:21), y el nombre «Emanuel» de Isaías 7:14 se interpreta según su etimología como «Dios con nosotros» (Mt. 1:23). No todas las «etimologías» de la Biblia reflejan necesariamente el origen histórico de la palabra dada;[34] por lo tanto, la conexión entre «Babilonia» (*babel*) y «confundir» (*bll*) es probablemente un juego de palabras más que una etimología histórica. Además, los escritores del Nuevo Testamento podrían aprovechar los significados etimológicos hebreos de manera creativa para nuevos contextos, como en el caso de la interpretación de «Siloé» como «enviado» (arameo *sheliah*) en Juan 9:7. Pero ya sea como descripciones históricas o como juego de palabras a posteriori, las etimologías de los nombres en la Biblia suelen reflejar significados que pertenecen a sus contextos más amplios.

El significado interpretativo de las etimologías en las Escrituras fue reconocido y desarrollado en el judaísmo antiguo. Los rabinos de la antigüedad hacían juegos de palabras interpretativos basados en nombres propios, como la interpretación de «Refidim» en Éxodo 17:8 como «debilidad de las manos» (*rephyon yadayim*) al comienzo de la historia en la que Moisés debe mantener sus manos levantadas para derrotar a los amalecitas.[35] Lo que subyace a tal enfoque es la creencia de que Dios inspiró las mismas palabras y nombres en la Escritura de modo que contienen claves para desbloquear la interpretación del texto. Filón compartía esta creencia, y empleó etimologías de nombres propios en las Escrituras como puntos de partida para interpretaciones alegóricas. Filón explica el fundamento de su método:

> En otros lugares la práctica universal del hombre como cuerpo es dar a las cosas nombres que difieren de las cosas, para que los objetos no sean los mismos que nosotros llamamos. Pero con Moisés los nombres asignados son imágenes manifiestas de las cosas, de modo que el nombre y la cosa son inevitablemente iguales a la primera, y el nombre y aquello a lo que se da el nombre no difieren ni un ápice.[36]

---

[34] Véase Yair Zakovitch, «Inner-biblical Interpretation», en *A Companion to Biblical Interpretation in Early Judaism*, ed. Matthias Henze (Grand Rapids: Eerdmans, 2012), págs. 49-50.

[35] *Mekhilta de-Rabbi-Ishmael*, tractato *Amalek 1*.

[36] Filón, *Sobre los querubines* 56 (Loeb Classical Library). Para otros pasajes donde Filón discute su teoría de las etimologías, vea *Alegorías de las leyes* 3.95; *Sobre la agricultura* 1-2; y *Preguntas y respuestas sobre Génesis* 2.77.

La posición de Filón no es que todos los nombres en todos los idiomas reflejen las realidades de las cosas nombradas. Sólo los nombres hebreos dados por Moisés en la Torá son «imágenes de las cosas». Además, como es evidente a lo largo de los escritos de Filón, el significado etimológico de un nombre propio en las Escrituras no se limita al pasaje en el que se introduce el nombre, sino que se puede invocar en cualquier momento en que se menciona el nombre. Así pues, si se considera que «Judá» está relacionado con la palabra hebrea «alabanza» (véase Gén. 29:35), entonces la idea de «alabanza» está potencialmente a la vista cada vez que el texto bíblico menciona a Judá. Para Filón, «Judá» representa la mente que bendice y alaba a Dios sin cesar.[37]

Ya en el primer siglo antes de Cristo, los judíos de habla griega crearon listas de palabras llamadas *Onomástica* que daban nombres propios bíblicos escritos en letras griegas seguidos de explicaciones griegas de sus significados hebreos. Estas listas habrían estado disponibles para los primeros intérpretes cristianos de las Escrituras, y en el siglo IV Jerónimo creó un manual latino de etimologías hebreas que llamó *El libro de los nombres hebreos*.[38] Algunas de las «etimologías» de estas listas eran bastante extravagantes. Por ejemplo, uno de los significados dados a «Israel» es «el hombre que ve a Dios». Este significado no sólo se basa en una extraña división de las consonantes, sino que en realidad ignora el significado de «Israel» dado en Génesis 32:28. Sin embargo, «Israel» se expone como «el hombre que ve a Dios» en Filón, Orígenes y Dídimo el Ciego.[39]

La interpretación de las etimologías de nombres propios era una característica común y extendida de la interpretación bíblica en la iglesia primitiva. Se encuentra en los primeros Padres de la Iglesia, como Justino Mártir y Clemente de Alejandría.[40] Orígenes dice que

---

[37] Filón, *Sobre la plantación* 134-35. Sobre «Judá» como «alabanza» en otras partes de Filón, vea *Alegorías de las leyes* 1.80; 3.146; *Sobre los sueños* 2.34.

[38] En el prólogo de su *Libro de nombres hebreos* Jerónimo dice que, según Orígenes, Filón había compilado el prototipo de lista de palabras griego-hebreas. Eusebio de Cesarea dice lo mismo (*Historia eclesiástica* 2.18.7), probablemente en dependencia de Orígenes. Es discutible si Filón sabía suficiente hebreo para haber compilado tal lista. Pero si Filón no es el autor de la lista conocida por Orígenes, debe haber hecho uso de esta lista o de una similar.

[39] Para que «Israel» signifique «el hombre que ve a Dios», hay que expandir las consonantes hebreas a *'ysh r'h 'l*, literalmente «el hombre viendo a Dios». Vea Filón, *Sobre los sueños* 2.173; *Acerca de la unión con los estudios preliminares* 51; *Sobre el vuelo y el hallazgo* 208; *Preguntas y respuestas sobre Génesis* 3.49; Orígenes, *Homilías sobre Números* 11.4; Dídimo, *Comentario sobre Zacarías* 6:12-15.

[40] Por ejemplo, véase Justino, *Diálogo con Trifón* 125; Clemente de Alejandría, *El instructor* 1.6.

«la sabiduría divina dispuso que ciertos nombres de lugares que se escriben en las Escrituras contengan un cierto significado místico... estas cosas están dispuestas por razones muy particulares y no suceden por casualidad o accidentalmente».[41] En otra parte explica que la inutilidad reina en «Madián» (es decir, en nuestros cuerpos mundanos) porque uno de los reyes de Madián en Números 31:8 es «Requem», que significa «inutilidad».[42] Las etimologías de los nombres propios son regularmente interpretadas simbólicamente por autores griegos como Gregorio de Nisa, Cirilo de Alejandría y Dídimo el Ciego.[43] Para Cirilo, el suegro de Moisés pasa de ser «superfluo» («Jetro» en Éx. 3:1) al «pastoreo de Dios» («Reuel» en Núm. 10:29) como resultado de su interacción con Moisés.[44] Para Dídimo, la palabra «Rimón» en Zacarías 14:10 significa «elevado» y significa que la palabra divina va a la mente elevada y alzada.[45] Como afirma explícitamente Dídimo, las etimologías de los nombres en las Escrituras no proceden de la convención sino de la naturaleza.[46] La etimología sigue siendo una fuente productiva de exposición espiritual en autores griegos posteriores como Máximo el Confesor (m. 662). Máximo expone la transfiguración de Jesús mediante los nombres de «Simón» («obediencia») y «Santiago» («suplantador»); e interpreta 2 Reyes 19 utilizando la «fuerza de Dios» para Ezequías y la «alteza de Dios» para Isaías, diciendo que los que siguen su camino pueden convertirse espiritualmente en otro «Ezequías» o «Isaías».[47]

---

[41] Orígenes, *Homilías sobre Josué* 23.4; véase *Origen: Homilies on Joshua*, trad. Barbara J. Bruce, ed. Cynthia White, Fathers of the Church (Washington: Catholic University of America Press, 2010), págs. 200-201.

[42] Orígenes, *Homilías sobre Números* 25.3; véase *Origen: Homilies on Numbers*, trad. Thomas P. Scheck, ed. C. A. Hall, Ancient Christian Texts (Downers Grove: InterVarsity, 2009), págs. 155-56. Esta etimología finalmente se remonta a la palabra aramea *ryq'*, que también subyace a la declaración de Jesús en Mateo 5:22 de que uno no debe decir «*raka*» a su hermano.

[43] Para ejemplos en Gregorio de Nisa, vea *Gregory of Nyssa: Homilies on the Song of Songs*, trad. Richard A. Norris, Jr., Writings from the Greco-Roman World (Atlanta: Society of Biblical Literature, 2009), págs. 17, 153, 225, 229.

[44] *Saint Cyril of Alexandria: Commentary on the Book of Exodus, First Discourse*, trad. Evie Zachariades-Holmberg (Rollinsford: Orthodox Research Institute, 2010), págs. 68-70. «Jetro» se asocia con la palabra hebrea *yeter*, «lo que queda», y «Reuel» se interpreta como «pastor» (*ro'eh*) de «Dios» (*'el*). Véase también *Cyril of Alexandria: Commentary on Isaiah*. Vol. 1: *Chapters 1–14*, trad. Robert C. Hill (Brookline: Holy Cross Orthodox, 2008), pág. 187.

[45] Dídimo el Ciego, *Comentario sobre Zacarías* 14:10. Sobre «Rimón» como «elevado», vea el hebreo *rwm*, «estar en lo alto», y *ramah*, «lugar elevado».

[46] Véase *Didyme L'aveugle. Sur la Genèse*, vol. 2, Nautin, págs. 10-12.

[47] «Ezequías» es «fuerza» (*hzq*) de «YHVH» (*yh*). «Isaías», que se interpretaría mejor como «liberación» (*yesha'*) de «YHVH» (*yh*) (como en *Onomastica Sacra* 165.97; 173.69; 191.65), también se interpretaba en algunas fuentes griegas como «elevación de Dios» (véase *Onomastica Sacra* 202.79). Curiosamente, Máximo interpreta «Saúl» como «Hades pidió» (relacionado con *Sheol*) o «prestadoǦ (participio pasivo de *sh'l*, «pedir»). Véase *St. Maximus the Confessor's Questions and Doubts*, trad. Despina D. Prassas (Dekalb: Northern Illinois

Máximo ofrece el siguiente consejo a los que desean comprender las Escrituras: «Si quieres absorber el sentido espiritual preciso de la Sagrada Escritura de una manera que concuerde con los deseos de Cristo, debes entrenarte diligentemente en la interpretación de los nombres, ya que de esta manera puedes dilucidar el significado de todo lo que está escrito».[48]

Los nombres propios también fueron interpretados simbólicamente entre los Padres latinos. Según Ambrosio, cuando Moisés conduce el rebaño de su suegro «Jetro» (= «superfluo»), esto significa que obliga a la irracional palabrería del discurso superfluo a entrar en los misterios de la sana doctrina.[49] Hilario lamentablemente interpreta el nombre «Abimelec» en el sentido de «el poder de mi hermano» (en realidad significa «mi padre es rey»), pero tiene más éxito con «Salomón» como «paz».[50] Agustín afirma que muchos nombres hebreos «tienen un significado considerable y mucha ayuda para dar en la solución de los misterios de las escrituras».[51] Un ejemplo es su exposición del Salmo 60:7, en la que Agustín extrae ideas espirituales de las etimologías de «Galaad», «Manasés» y «Efraín».[52] Incluso Jerónimo, cuyo conocimiento del hebreo superó al de sus contemporáneos y que fue capaz de mejorar la exactitud de algunas etimologías tradicionales,[53] nunca renunció a su creencia en la naturaleza simbólica de los nombres hebreos. En la última sección del último comentario que escribió antes de morir, Jerónimo interpretó espiritualmente Jeremías 32:42-44 a través de los significados etimológicos de los nombres de Benjamín, Jerusalén, Judá, Sefela y Néguev.[54] Jerónimo creía que los nombres hebreos estaban llenos de misterio divino, y que interpretarlos correctamente es descubrir la

---

University Press, 2010), págs. 137-39; Máximo el Confesor, *Questions to Thalassius I* (*Corpus Christianorum, Series Graeca* 7, págs. 379-83); y Máximo el Confesor, *Questions to Thalassius II* (*Corpus Christianorum, Series Graeca* 22, págs. 251-55).

[48] Véase *The Philokalia: The Complete Text, compiled by St. Nikodimos of the Holy Mountain and St. Makarios of Corinth*, vol. 2, trad. G. E. H. Palmer, P. Sherrard, y K. Ware (Londres: Faber and Faber, 1981), pág. 207. La interpretación de las etimologías de nombres propios generalmente juega un papel menor entre los intérpretes de Antioquía; pero para un ejemplo, véase Teodoreto de Ciro, *Preguntas sobre los primeros reinos* (= 1 Samuel) 59, donde Teodoreto hace uso del significado etimológico «tonto» para Nabal en 1 Samuel 25.

[49] Ambrosio, *Cain y Abel* 1.6.24. Para una declaración teórica sobre el significado interpretativo de las etimologías, véase el prólogo del *Comentario sobre Salmos* 118, de Ambrosio.

[50] Hilario, *Tractatos sobre los Salmos* 51:3; 67:14.

[51] Agustín, *Sobre la enseñanza cristiana* 2.16.23; véase *Saint Augustine: On Christian Teaching*, trad. R. P. H. Green, Oxford World's Classics (Oxford: Oxford University Press, 1999), pág. 43.

[52] Agustín, *Exposiciones de los Salmos* 59.9.

[53] Por ejemplo, véase el tratamiento de Jerónimo de «Sesac» en su *Comentario sobre Jeremías* 25:26c, y sus comentarios sobre «Abraham» en sus *Preguntas hebreas sobre Génesis* 17:4-5.

[54] Jerónimo, *Comentario sobre Jeremías* 32:42-44.

enseñanza del Espíritu Santo.[55] Esta es la perspectiva de los nombres hebreos transmitida a los cristianos de la Edad Media latina, cuya creencia en el hebreo como idioma humano original y en el significado místico de los nombres hebreos se refleja en la obra enciclopédica de Isidoro de Sevilla (m. 636) titulada las *Etimologías*.[56]

La exposición simbólica de las etimologías hebreas es un área en la que la interpretación bíblica moderna difiere significativamente de la interpretación antigua. Los estudiosos modernos reconocen que los textos bíblicos emplean etimologías y juegos de palabras, pero generalmente restringen sus discusiones sobre el juego de palabras a los pasajes en los que el texto identifica explícitamente el juego de palabras, o por lo menos a los pasajes en los que el juego de palabras encaja de manera convincente en el sentido literal y contextual. Los antiguos cristianos, en cambio, habitaban una cultura intelectual que consideraba todas las etimologías de nombres sagrados como potencialmente simbólicas a nivel místico. Hasta cierto punto, se les animaba a pensar que las etimologías bíblicas eran significativas por la multitud de nombres explicados en el Antiguo Testamento y por los textos del Nuevo Testamento como Hebreos 7:1-2: «Melquisedec... cuyo nombre significa primeramente rey de justicia, y luego también rey de Salem, esto es, rey de paz».

Además, muchos de los primeros cristianos creían, basándose en Génesis 11, que el hebreo era el idioma original y que la diversidad de los idiomas humanos era el resultado de los acontecimientos que rodearon a la Torre de Babel. Esta creencia en un solo idioma original hacía más plausible creer que podía haber una conexión intrínseca entre los nombres originales de las cosas y la esencia de las cosas nombradas. Los estudiosos modernos tienen una visión muy diferente del desarrollo de las lenguas. Por ejemplo, el acadio es una lengua semítica que se cree que es considerablemente más antigua que el hebreo, que a su vez se considera sólo una de las lenguas de la familia

---

[55] Jerónimo, *Homilías sobre los Salmos* 15 (sobre Salmo 83:6-11). Como explica Jerónimo, «A menos que interpretemos este pasaje como lo hemos hecho, ¿qué beneficio tiene para las iglesias de Cristo leer de las tiendas de Edom, y los ismaelitas, y así sucesivamente, con todos los otros nombres» (*The Homilies of Saint Jerome*, vol. 1, trad. M. L. Ewald, Fathers of the Church [Washington: Catholic University of America Press, 1964], pág. 114). En su *Comentario sobre Gálatas* 1:11-12, Jerónimo dice que los traductores griegos del Antiguo Testamento tuvieron que acuñar nuevas palabras para expresar las cosas nuevas que habían sido expresadas únicamente en hebreo.

[56] Isidoro de Sevilla, *Etimologías* 7.6-10; 9.1. Sobre el hebreo como idioma original de la creación, véase también Jerónimo, *Comentario sobre Isaías* 13:10; *Comentario sobre Amós* 5:8-9.

de las lenguas semíticas. Esta comprensión moderna de cómo el hebreo encaja en la historia de las lenguas antiguas obviamente cambia la forma en que vemos las etimologías en la Biblia. Desde la perspectiva actual, las palabras hebreas evolucionaron en sus significados bíblicos, y muchos nombres (como «Babilonia») son anteriores a la escritura de los textos bíblicos.

En vista de la perspectiva actual, no podemos asumir que los nombres propios en la Biblia hebrea representan los nombres originales dados por Dios para describir la esencia de las cosas nombradas. Además, la atención al sentido literal y contextual de los textos bíblicos muestra que las etimologías de los nombres propios son significativas en muchos menos casos de lo que los intérpretes antiguos suponían. Así pues, la exposición de las etimologías de nombres propios constituye uno de los aspectos de la interpretación bíblica antigua que menos ayuda da a los cristianos modernos.

11. Dios es directamente y atemporalmente el hablante en la Escritura

Según una fuente cristiana primitiva, «las divinas escrituras fueron habladas por el Espíritu Santo».[57] El tema de esta sección es si la autoría divina de las Escrituras es la única voz que habla en el texto. Es posible imaginar que la actividad de Dios en la inspiración es tan dominante que los contextos históricos y las categorías conceptuales de los escritores humanos se vuelven irrelevantes. Esta forma de pensar tenía un lugar en los primeros enfoques cristianos de las Escrituras. Al mismo tiempo, para la mayoría de los Padres de la Iglesia el autor humano seguía siendo visto como parte de la ecuación interpretativa. Estas dos tendencias, centradas en el elemento divino de la Escritura exclusivamente o que incluye lo humano junto con lo divino, se encuentran una al lado de la otra en la iglesia primitiva.

La primera tendencia era imaginar a Dios como el único autor de la Escritura, con el escritor humano sirviendo meramente como un instrumento. Filón expresa esta visión de la inspiración divina:

> Porque ningún pronunciamiento de un profeta es suyo; es un intérprete impulsado por Otro en todos sus pronunciamientos, cuando no sabe lo que hace se llena de inspiración, ya que la razón se retira y entrega la ciudadela del alma a un nuevo visitante e

[57] Esta cita proviene de una fuente del siglo III citada por Eusebio de Cesarea, *Historia Eclesiástica* 5.28.18.

inquilino, el Espíritu Divino que juega con el organismo vocal y dicta palabras que expresan claramente su mensaje profético.[58]

Utilizando metáforas similares, Atenágoras describe el proceso de inspiración diciendo que Dios «movió las bocas de los profetas como instrumentos», y continúa diciendo con respecto a los profetas, «Bajo el impulso del Espíritu divino y elevado por encima de sus propios pensamientos, proclamaron las cosas con las que fueron inspirados. Porque el Espíritu las usó como un flautista sopla en una flauta».[59] Estas citas representan una línea de pensamiento sobre la inspiración divina en la iglesia primitiva.[60]

La perspectiva de «sólo el autor divino» sobre la inspiración impactó la lectura del texto bíblico de al menos dos maneras diferentes. En primer lugar, el texto bíblico podía ser leído sin ningún contexto histórico propio. En la exégesis clásica del Corán, la situación histórica de la vida de Mahoma a la que se creía que el texto coránico respondía se denominaba *sabab alnuzūl*, la «ocasión de la revelación».[61] La revelación es divina, pero se envió para atender una necesidad específica en un contexto histórico concreto. Aplicando este concepto a la conversación cristiana, se podría sugerir que la posición de «sólo lo divino» en la inspiración haría que la «ocasión de la revelación» fuera irrelevante para la interpretación de las Escrituras. Desde este punto de vista, el lector de la Escritura no intenta comprender lo que Amós dijo a los israelitas o lo que Pablo dijo a los corintios, sino lo que Dios está «diciendo» atemporalmente. En este modo de pensamiento, la voz de Dios habla directamente a través de la Escritura sin referencia a la histórica «ocasión de la revelación».

---

[58] Filón, *Sobre las leyes especiales* 4.49 (Loeb Classical Library).

[59] Atenágoras, *Una súplica para los cristianos*, 7, 9; véase *Early Christian Fathers*, trad. Cyril C. Richardson, Library of Christian Classics (Philadelphia: Westminster, 1953), págs. 307-8.

[60] Véase también Basilio el Grande, *Homilías sobre los Salmos* 17.3; Justino Mártir, *Apología* 1.36; *Diálogo con Trifón* 115.

[61] Por ejemplo, con respecto a la sūra 2:216-17, que trata de la posibilidad de luchar en el mes prohibido en respuesta a un ataque, el comentarista coránico persa del siglo XIII al-Baydawi dio un relato de un conflicto entre los seguidores de Mahoma y una caravana de la tribu hostil Quraish como la situación directamente abordada por esta revelación; vea Helmut Gätje, *The Qur'an and Its Exegesis* (Oxford: Oneworld, 1996), págs. 212-14. Una famosa obra titulada *Ocasiones de la revelación* (*Asbāb al-nuzūl*) fue compuesta por el erudito islámico del siglo XI al-Wāhidī. Sobre la naturaleza esencialmente interpretativa (más que histórica) de este material de «ocasión de la revelación», vea Andrew Rippin, «The Function of *asbāb al-nuzūl* in Qur'ānic Exegesis», en *The Qur'an and Its Interpretive Tradition* (Aldershot: Ashgate, 2001), sección XIX (publicado originalmente en el *Bulletin of the School of Oriental and African Studies* 51 [1988]: 1-20).

En segundo lugar, el texto bíblico podría ser leído como una unidad atemporal, donde cualquier texto de cualquier parte de la Escritura es potencialmente relevante para elucidar cualquier otro pasaje. Los rabinos de la antigüedad tenían un dicho que describía situaciones en las que este tipo de interpretación parecía apropiado: «No hay un antes o un después en la Torá».[62] Esto permitía combinaciones temáticas de la Escritura sin tener en cuenta las limitaciones del contexto histórico. Un pasaje interesante del Midrash muestra a un sabio que une las palabras de la Torá con otras palabras de la Torá y con las palabras de los Profetas y las Escrituras, y, al interpretar las Escrituras, el fuego brilla a su alrededor.[63] Los textos bíblicos pueden encontrar un nuevo significado teológico cuando se sacan de su contexto inmediato y se colocan junto a otros pasajes de las Escrituras.[64] Siguiendo esta tradición, Orígenes y Jerónimo utilizan la analogía de las nubes que se frotan entre sí para producir relámpagos (tal como se entendía entonces) con el fin de describir las chispas que se crean al reunir diversos pasajes de la Escritura e interpretarlos a la luz del otro.[65] Esta noción de que toda la Biblia sirve como contexto adecuado para leer cualquier versículo es otra posible implicación de la perspectiva de «sólo el autor divino» de las Escrituras.

Una ilustración de la interpretación bíblica que esencialmente ignora el contexto histórico del escritor humano puede encontrarse en el comentario de Dídimo el Ciego sobre Zacarías 6:9-11.[66] Dídimo comienza su discusión afirmando que la «palabra» que le llegó al profeta es Dios la Palabra, lo que lleva a una discusión de Dios el Padre y Dios el Hijo. Tras un breve comentario sobre los que se exiliaron, que es la única referencia al contexto histórico del pasaje, Dídimo afirma que las cosas «útiles» y «familiares» sacadas del cautiverio eran virtudes y pensamientos sabios (los nombres «Tobías» y «Jedaías» se tradujeron como «útiles» y «familiares» en la antigua traducción griega). Después de esto, el nombre «Josué» (= «Jesús» en

---

[62] Por ejemplo, véase Talmud Babilónico, *Pesahim* 6b; *Mekhilta de-Rabbi Ishmael*, tractato *Shirata* 7. Por lo tanto, se podría decir que Abraham ha guardado toda la Torá de Moisés, aunque esto es imposible de acuerdo a la cronología humana (Mishnah, *Qiddushin* 4:14; Tosefta, *Qiddushin* 5:21; Talmud Babilónico, *Yoma* 28b).

[63] *Song of Songs Rabbah* 1.10.2

[64] De nuevo, un dicho rabínico capta esta idea: «Las palabras de la Torá pueden ser pobres en su propio contexto, pero ricas en otro contexto» (Talmud Yerushalmi, *Rosh Hashanah* 3:5, 58d).

[65] Orígenes, *Homilías sobre Jeremías* 8.3-5; Jerónimo, *Las homilías de San Jerónimo*, vol. 1, Ewald, pág. 195; *The Homilies of Saint Jerome*, vol. 2, Ewald, pág. 112.

[66] *Didymus the Blind: Commentary on Zechariah*, trad. Robert C. Hill (Washington: Catholic University of America Press, 2006), págs. 115-21.

griego) se interpreta como «él salva» y «Sofonías» se interpreta como «la larga estancia de Yahvé», de tal manera que Dios concede una larga estancia a los que reciben la salvación. La plata y el oro se interpretan espiritualmente como el habla y el entendimiento. La referencia a la corona está relacionada con la victoria espiritual de los mártires cristianos sobre sus perseguidores. Los cristianos reciben la corona de la vida eterna manteniendo su fe firme en la Trinidad. Las palabras «hijo de Josadac, el sumo sacerdote» se refieren a Jesús, que es el «hijo de la justicia» («Josadac» = «justicia») y el verdadero sumo sacerdote. Dídimo cierra su discusión afirmando que aquellos que imitan a Jesús pueden recibir todas las coronas de virtud.[67] Numerosos textos de prueba del Nuevo Testamento son citados a lo largo de esta discusión. El lector del comentario tiene muy poca idea de que Zacarías fue un profeta del Antiguo Testamento que vivió en el período posexilio. El tratamiento de Dídimo de Zacarías 6:9-11 ilustra cómo los Padres de la Iglesia podían interpretar las Escrituras como si Dios estuviera hablando directamente, sin referencia a la situación histórica del escritor humano.[68]

En cuanto a la idea de que la Escritura es una unidad tan atemporal que los pasajes de todo el canon bíblico pueden ser utilizados para iluminarse unos a otros, es exacto decir que la mayoría de los comentaristas bíblicos de la iglesia primitiva practicaban este tipo de lectura intertextual de la Escritura en un grado u otro. Orígenes dio la siguiente ilustración, que tomó prestada de un erudito judío, en un pasaje citado por Gregorio Nacianceno y Basilio el Grande en la *Filocalia*:

---

[67] Dídimo se refiere a Jesús como «el ser humano asumido por Dios el Verbo», y dice que los que imitan a Cristo son «también llamados Cristos por ser partícipes de aquel de quien se dice, "Cristo el poder y la sabiduría de Dios" (1 Co. 1:24)».

[68] Relevante para esta discusión es la creencia de Agustín de que Cristo es directamente el orador en todos los Salmos. Según Agustín, el hecho de que ciertos versículos digan cosas que no se espera que Cristo diga, simplemente muestra que Cristo habla en los Salmos tanto a través de su propia *persona* (la «cabeza» de Cristo) como a través de la *persona* de la iglesia (el «cuerpo» de Cristo). Así, en su exposición del Salmo 31, Agustín ve a Cristo la cabeza hablando en el v. 5 («En tus manos encomiendo mi espíritu»; vea Lucas 23:46), y su cuerpo la iglesia hablando en el v. 10, «Mi vida se gasta en pena... mi fuerza se debilita en la iniquidad»; vea *Saint Augustine: Expositions of the Psalms 1–32*, trad. Maria Boulding, Works of Saint Augustine (Hyde Park: New City, 2000), págs. 321-58. Agustín nunca interpreta un salmo como si David o cualquier otro personaje del Antiguo Testamento estuviera hablando fuera de su propio contexto, incluso cuando el salmo mismo sugiere una «ocasión de revelación». Por ejemplo, en el Salmo 18, que comienza, «Un Salmo de David, ... que dirigió las palabras de esta canción al Señor en el día en que el Señor lo rescató de la mano de todos sus enemigos, y de la mano de Saúl», Agustín dice, «Por consiguiente, Cristo y la Iglesia, todo el Cristo, Cabeza y cuerpo, están hablando aquí cuando el Salmo comienza»; vea *Saint Augustine: Expositions of the Psalms 1–32*, Boulding, pág. 189.

> Ese gran erudito solía decir que la Escritura inspirada tomada en su conjunto era por su oscuridad como muchas habitaciones encerradas en una casa. Antes de cada habitación suponía que debía colocarse una llave, pero no la que le pertenecía; y que las llaves estaban tan dispersas por todas las habitaciones, que no encajaban en las cerraduras de las varias habitaciones ante las que se colocaban. Sería un trabajo problemático descubrir las llaves que se adaptan a las habitaciones para las que están destinadas. Lo era, dijo, con la comprensión de las Escrituras, porque son tan oscuras; la única manera de empezar a entenderlas era, dijo, por medio de otros pasajes que contenían la explicación dispersa en ellas. El Apóstol, creo, sugirió tal manera de llegar al conocimiento de las palabras divinas cuando dijo: «Y esto lo impartimos con palabras no enseñadas por sabiduría humana, sino enseñadas por el Espíritu, comparando las cosas espirituales con las espirituales» (1 Co. 2:13).[69]

En otras palabras, la clave para comprender un pasaje de la Escritura no se encuentra en el contexto literario inmediato, sino en algún otro pasaje que se encuentra en otra parte de la Escritura. Para ser justos, esta analogía no hace suficiente justicia a la habilidad de Orígenes para interpretar la Biblia a nivel literal. Orígenes regularmente precede su interpretación espiritual con una exposición literal, que por lo general tiene en cuenta el contexto literario inmediato. Pero para Orígenes, el nivel espiritual es donde Dios habla intempestivamente a través de la Escritura, y la única manera de captar el sentido espiritual de la mayoría de los pasajes es situarlos en su contexto teológico adecuado dentro de toda la Biblia.[70]

He tratado de dar una idea del impacto que el punto de vista de «sólo el autor divino» podría tener en la interpretación bíblica cuando se lleva a un extremo. Pero en realidad, la mayoría de los Padres de la Iglesia prestaron al menos algo de atención a la autoría humana de las Escrituras, y unos pocos tomaron a los autores humanos bastante en serio.

El enfoque en el elemento humano de la Escritura se ve más claramente en los intérpretes de Antioquía. Por ejemplo, en su *Comentario sobre los doce profetas*, Teodoro de Mopsuestia presenta a cada profeta con un breve prefacio que describe el escenario

---

[69] *Filocalia* 2.3; véase *The Philocalia of Origen*, trad. G. Lewis (Edinburgo: Clark, 1911), pág. 32.

[70] Como señalan tanto Orígenes como Agustín, este enfoque de la interpretación bíblica requiere un conocimiento exhaustivo de las Escrituras y una memoria aguda; ver Orígenes, *Comentario a Mateo* 10.15; y Agustín, *Sobre la enseñanza cristiana* 2.9.14.

histórico y el tema general del libro.[71] Teodoro siempre trata de explicar el mensaje del profeta en términos de la audiencia original del Antiguo Testamento, incluso para pasajes como Joel 2:28-32 que se citan como cumplidos en el Nuevo Testamento. Según Teodoro, la profecía de Joel tenía como objetivo animar a la comunidad posexílica de que Dios les proporcionaría riqueza y su cuidado. En términos de la audiencia original, la predicción de que «el sol se convertirá en tinieblas y la luna en sangre» (Joel 2:31) sólo se cumplió en la percepción de los que vivían en ese momento y que vieron los grandes problemas que se les presentaban. Teodoro llega a señalar que, en sentido estricto, el «Espíritu Santo» como persona distinta del Padre y del Hijo no se conocía todavía en la época de Joel.[72] Teodoro mostró un interés inusualmente alto en los contextos históricos de los escritores humanos.

Pero ese interés no se limitaba a los antioquenos.[73] Cirilo de Alejandría a menudo utiliza información sobre las situaciones históricas de los profetas en su exégesis.[74] Jerónimo también interpreta los libros proféticos a la luz de sus contextos históricos, citando frecuentemente otros libros bíblicos (especialmente Reyes y Crónicas) para suministrar la *historia* relevante para explicar pasajes específicos.[75] Cirilo y Jerónimo eran también practicantes habituales de la interpretación alegórica. El énfasis en el contexto humano no los disuadió de buscar significados más elevados.

---

[71] Véase Michael Graves, «The "Pagan" Background of Patristic Exegetical Methods», en *Ancient Faith for the Church's Future*, ed. M. Husbands y J. P. Greenman (Downers Grove: InterVarsity, 2008), págs. 105-7.

[72] Véase *Theodore of Mopsuestia: Commentary on the Twelve Prophets*, trad. Robert C. Hill, Fathers of the Church (Washington: Catholic University of America Press, 2004), págs. 116-20. Véase también la observación de Teodoro de que el Salmo 68:18 no era originalmente una profecía sobre Cristo, sino que fue simplemente citado por Pablo en Efesios 4:7-11 como una idea aplicable a Cristo (*Theodore of Mopsuestia: Commentary on Psalms 1–81*, trad. Robert C. Hill, Writings from the Greco-Roman World [Atlanta: Society of Biblical Literature, 2006], págs. 876-78).

[73] Véase también Atanasio, *Discurso contra los arrianos* 1.54, «Ahora bien, es justo y necesario, como en toda la divina Escritura, exponer aquí fielmente el tiempo de que el apóstol escribió, y la persona, y el punto; no sea que el lector, por ignorancia que le falte, ya sea estos o cualquier otro particular similar, pueda ser amplio del verdadero sentido».

[74] Cirilo introdujo su *Comentario sobre Isaías* con una descripción general del escenario histórico: «El bienaventurado Isaías, entonces, profetizó en el tiempo del reinado de Uzías, Jotam, Acaz y Ezequías. Venid, recordemos los tiempos de cada uno y mencionemos de paso cómo vivió; de esto aprenderemos que la palabra de la profecía era apropiada y pertinente a lo que se hacía en cada período» (Cirilo de Alejandría, *Comentario sobre Isaías*, prefacio); véanse también los comentarios de Cirilo en Isaías 13:2 y 14:1-3.

[75] Por ejemplo, véase Jerónimo, *Comentario sobre Jeremías* 2:36b-37; 5b-6a; 7:12; 12:5; 22:13-17; 22:18-19; 24:1-10; 25:32-33; 26:17-19; 29:21-23.

Los antiguos intérpretes no solían discutir el discurso humano de la Escritura de manera teórica, pero en algunos pasajes ocasionales muestran sus pensamientos sobre el tema. Cuando un texto en particular parecía más adecuado para una explicación simple siguiendo las reglas normales de la gramática, los rabinos a veces decían: «La Torá (aquí) habla en lenguaje humano».[76] El comentario de Diodoro de Tarso sobre el Salmo 45:1, «Mi lengua es la pluma de un escriba preparado», ofrece una declaración cristiana sobre la inspiración que deja cierto espacio para el escritor humano: «Como dijo: "Pronuncio el salmo desde lo más profundo de mi mente", dice: "Traigo también mi lengua en la medida de lo posible para servir al pensamiento que viene de la gracia, de la manera en que una pluma sigue la pista del pensamiento de un escritor"».[77] En esta metáfora, el Espíritu Santo es el escritor y el ser humano es la pluma, como lo requiere la cita bíblica. Pero según Diodoro, el Espíritu Santo proporciona el «pensamiento», mientras que el escritor humano presumiblemente proporciona las palabras, que sirven al pensamiento «en la medida de lo posible».

El concepto de inspiración divina podría fácilmente prestarse a la idea de que Dios es tan directamente el orador de la Escritura que los escritores humanos son irrelevantes para entender el significado del texto. Este tipo de pensamiento se puede encontrar en los escritos de los Padres de la Iglesia, pero en general la mayoría de los primeros intérpretes cristianos tenían al menos cierta conciencia de los autores humanos. El estudio moderno de la Biblia en el contexto de otras fuentes antiguas ha hecho casi imposible leer la Escritura hoy en día sin reconocer su autoría humana. En el mundo contemporáneo, es la autoría divina de la Escritura lo que puede ser más difícil de conceptualizar y articular.

En mi opinión, es encomiable que los cristianos de hoy en día continúen la tradición de prestar atención a los contextos e intenciones de los autores humanos de las Escrituras. Pensar en los escritores humanos nos permite apreciar el contenido particular de cada texto bíblico. Al mismo tiempo, la idea de que todos los pasajes de las Escrituras se iluminan potencialmente unos a otros sigue siendo útil. Cuando el sentido literal de un texto dado ha sido estudiado cuidadosamente, parte del proceso por el cual percibimos lo que el texto enseña sobre Dios es que nos preguntamos cómo encaja con lo

---

[76] Por ejemplo, véase *Sifre to Numbers* 112; Talmud Babilónico, Berakhot 31b; *Yebamot* 71a; *Sanhedrin* 64b; 90b.

[77] *Diodore of Tarsus: Commentary on Psalms 1–51*, trad. Robert C. Hill, Writings from the Greco-Roman World (Atlanta: Society of Biblical Literature, 2005), pág. 143.

que sabemos sobre Dios en otros lugares. Si creemos que cada texto de la Escritura tiene algo que enseñar sobre Dios y que el mismo Dios está detrás de cada verdad de la Escritura, entonces lo que aprendemos sobre Dios de un pasaje de la Escritura puede ser adecuadamente llevado a la conversación teológica con la verdad aprendida de otro pasaje. De hecho, este proceso de combinar pasajes de la Escritura a lo largo de líneas teológicas puede ayudarnos con ciertos textos difíciles al considerar cómo podrían ser mejor interpretados para hablar de Dios. Empezar con el sentido literal e histórico es valioso porque ayuda a que la Escritura se dirija a cada generación de una manera fresca. Pero la enseñanza teológica de la Escritura debe ser buscada comparando la Escritura con la Escritura y tratando de averiguar cómo todos estos textos apuntan al único Dios que como cristianos creemos que se dio a conocer supremamente en Jesús.

12. Las Escrituras representan una literatura estilísticamente fina

En el pensamiento islámico, el Corán en sí mismo es el milagro supremo que valida el estatus profético de Mahoma. Los eruditos musulmanes describen la singularidad del Corán en términos de su «inimitabilidad», es decir, el hecho de que no puede ser imitado. La idea de la inimitabilidad del Corán (*i'jāz al-Qu'ran*) se basa en los textos coránicos donde los enemigos del Profeta le acusan de inventar el Corán, y se le dice que responda, «Entonces produce diez suras inventadas [= capítulos] como éste, y llama a quien puedas al lado de Dios, si eres sincero».[78] El concepto de inimitabilidad se refiere tanto al contenido como al estilo literario del Corán. El Corán se considera no sólo veraz, sino también bello, por encima de todos los otros libros. La belleza artística del Corán es muy apreciada en todo el mundo de habla árabe, donde puede ser apreciada en su medio original, recitado en voz alta en árabe.[79] De acuerdo con una línea de pensamiento, así como Dios le dio a Moisés señales mágicas para presentarlos a los egipcios que sobresalían en magia, y Dios le dio a Jesús signos de curación para presentarlos a los griegos que sobresalían en medicina, también Dios le dio a Mahoma un Corán

[78] Corán 11:13. Véase *The Qur'an*, trad. Muhammad A. S. Abdel Haleem, Oxford World's Classics (Oxford: Oxford University Press, 2004), pág. 137. Véase Corán 10:38; 17:88.
[79] Para una introducción a esta dimensión del Corán, con un CD adjunto, vea Michael Sells, *Approaching the Qur'an: The Early Revelations*, 2da ed. (Ashland: White Cloud, 2007).

estilísticamente magnífico para presentarlo a los árabes, que sobresalían en elocuencia literaria.[80] Para los musulmanes, la belleza estilística es una consecuencia de la naturaleza milagrosa del Corán.

En esta sección exploraré este tema en relación con la Biblia en la iglesia primitiva. ¿Creían los cristianos que la inspiración divina había hecho que los escritores bíblicos produjeran una literatura que no sólo fuera veraz en su contenido sino también hermosa en su forma? En su mayor parte, la respuesta es «No». Pero a partir del siglo IV, ciertos pensadores cristianos comenzaron a elaborar nuevas formas de pensar acerca de las Escrituras que permitieron que la Biblia fuera considerada como literatura estilísticamente fina.[81]

El estilo literario fue un componente importante de las culturas de la antigua Grecia y Roma. Aristóteles (384-322 a.C.) había dado al mundo griego sus primeras discusiones sistemáticas sobre el estilo, especialmente en sus libros *Poética* y *Retórica*. Más tarde, los autores griegos desarrollaron nuevas ideas sobre la crítica literaria, incluyendo el *Sobre el estilo* de Demetrio (quizás del siglo I a.C.) y *Sobre la sublimidad* de Longinos (siglo I d.C.). La conciencia literaria se desarrolló en el mundo latino durante el período de la República Romana a través de la poesía de Enio, las obras de Terencio y Plauto, y sobre todo el oratorio de Cicerón (106-43 a.C.). Las primeras obras latinas de crítica literaria incluyen los escritos de Cicerón sobre oratoria, la obra anónima *Rhetorica ad Herennium* (siglo I a.C.), ciertos poemas y cartas de Horacio, y los *Institutos de oratoria* de Quintiliano (siglo I d.C.). Los teóricos literarios discutieron diferentes niveles de estilo para varios propósitos (por ejemplo, para agitar las emociones o para persuadir), enumeraron figuras de discurso, identificaron virtudes de estilo (claridad, belleza, concisión, etc.), y trataron de mantener un «uso correcto», descrito como *hellēnismos* entre los griegos y *latinitas* en latín. Entre los intelectuales griegos y romanos, el estilo literario «clásico» sirvió como símbolo de prestigio cultural durante todo el período de los Padres de la Iglesia, con figuras representativas como Homero y Demóstenes en griego, o Virgilio y Cicerón en latín, que sirvieron como estandartes de la gran literatura.

---

[80] Véase Al-Sayyid Abu al-Qasim al-Musawi al-Khui, *The Prolegomena to the Qur'an* (Nueva York: Oxford University Press, 1998), págs. 42-44. Véase también Abdullah Saeed, «The Self Perception and the Originality of the Qur'an», en *Communicating the Word: Revelation, Translation, and Interpretation in Christianity and Islam*, ed. David Marshall (Washington: Georgetown University Press, 2011), págs. 102-3.

[81] Sobre este tema en general, véase Michael Graves, «The Literary Quality of Scripture as Seen by the Early Church», *Tyndale Bulletin* 61 (2010): 161-82.

La Biblia llegó por primera vez al mundo griego cuando las Escrituras Hebreas fueron traducidas al griego en Alejandría, Egipto. Esta traducción de los diversos libros del Antiguo Testamento llegó a ser conocida como la «Septuaginta» (vea sección 16 abajo). A finales del siglo I y II, los documentos del Nuevo Testamento se unieron para completar lo que se convertiría en la Biblia cristiana. El estilo griego de la Biblia cristiana era el estilo popular (*koinē*) de la época, con algunos rasgos peculiares de vocabulario y sintaxis que reflejaban la influencia del hebreo y el arameo. Las primeras traducciones al latín, que comenzaron a aparecer en el siglo II en el norte de África, imitaban el estilo simple y los peculiares modismos del griego.

Las versiones griega y latina de la Biblia podían ser entendidas en todo el mundo grecoromano, pero no eran estilísticamente muy agradables. Los primeros críticos paganos del cristianismo, que eran generalmente miembros bien educados de la clase alta, se burlaban del bajo nivel literario de la Biblia. Como dijo uno de los primeros opositores del cristianismo, «el lenguaje [i.e., de las Escrituras] es común y de baja calidad.... Sus narraciones... están invadidas de barbarismos y solecismos y viciadas por feos defectos».[82] Los primeros cristianos respondieron a estas críticas no tratando de probar que la Biblia era una gran literatura, sino más bien explicando por qué Dios había inspirado la Biblia usando un lenguaje simple y común.

Se argumentaba que una razón por la que Dios inspiraba las Escrituras en un estilo bajo era para comunicar la verdad de la humildad cristiana. Taciano dice que se convirtió al cristianismo no sólo por la verdad de las doctrinas cristianas y las predicciones proféticas, sino también por la humildad de las Escrituras, «la falta de arrogancia en la redacción, la falta de arte de los oradores».[83] Otra explicación del estilo simple de las Escrituras era que Dios quería dar prominencia al mensaje. Como Orígenes explicó, «Si la Escritura hubiera sido embellecida con un estilo y una dicción elegantes, como las obras maestras de la literatura griega, uno podría haber supuesto que no era la verdad lo que se apoderaba de los hombres, sino que la clara secuencia de pensamiento y la belleza del lenguaje ganaban las almas de los oyentes y los atrapaban con engaño».[84] Dios no quería

---

[82] Arnobio, *Contra los paganos* 1.58-59; véase *Arnobius of Sicca, The Case against the Pagans*, vol. 1, trad. George E. McCracken (Nueva York: Newman, 1949), pág. 104. Vea también las críticas de Celso en Orígenes, *Contra Celso* 6.1-2, y Lactancio, *Institutos divinos* 6.21.

[83] Taciano, *Discurso a los griegos* 29; véase *Tatian: Oratio Ad Graecos and Fragments*, trad. Molly Whittaker (Oxford: Clarendon, 1982), pág. 55. Véase también Clemente de Alejandría, *Protreptico* 8.

[84] Orígenes, *Filocalía* 4.2; véase *The Philocalia of Origen*, Lewis, pág. 36.

que la gente siguiera la Escritura porque estuvieran encantados con su belleza, sino porque eran obedientes a su mensaje. Juan Crisóstomo hizo las siguientes observaciones sobre el estilo sencillo del Evangelio de Juan: «No veremos ruido de palabras ni pomposidad de estilo, ni ordenamiento cuidadoso y disposición artificial y necia de sustantivos y verbos... sino fuerza invencible y divina, poder irresistible de las doctrinas auténticas y una riqueza de bienes sin número».[85] También se observó que el lenguaje sencillo de la Escritura era muy adecuado para llegar a un público amplio.[86] Además, es la gente común, más que los que son sabios a sus propios ojos, la que tiene más probabilidades de recibir el evangelio. Como observó Lactancio, «Esta es una de las primeras razones por las que el pueblo sabio y culto y los príncipes de este mundo no ponen ninguna confianza sagrada en las Escrituras; el hecho de que los profetas hablaron el lenguaje común y sencillo, como si estuvieran hablando al pueblo».[87]

La mayoría de los líderes cristianos en los primeros tres siglos de la iglesia eran ellos mismos personas cultas que intentaron en sus propios escritos aproximarse a los escritores más respetados de la cultura griega y latina. Fueron educados en los textos clásicos «paganos» y los recomendaron a otros.[88] Algunos cristianos incluso produjeron paráfrasis de libros bíblicos en formas clásicas, como Moisés en hexámetros, libros históricos en medida dactilar, y los Evangelios como diálogos platónicos.[89] Era obvio para los Padres de la Iglesia que la Biblia en sus formas griegas y latinas no se parecía estilísticamente a los escritos de Homero o Virgilio. En vez de pretender que lo hacían, los Padres pensaron teológicamente acerca de por qué no lo hacían.

Sin embargo, después de que las persecuciones pasaron y la cultura cristiana se hizo más poderosa en los siglos IV y V, algunos cristianos comenzaron a explorar formas de ver la Biblia como gran literatura. A medida que las Escrituras cristianas adquirieron el estatus de un símbolo cultural importante, fue necesario explorar qué mérito literario podría poseer. Dos figuras en particular, Jerónimo y Agustín, hicieron observaciones significativas sobre la potencial calidad literaria de la Escritura.

---

[85] Juan Crisóstomo, *Commentary on Saint John the Apostle and Evangelist*, trad. T. A. Goggin (Nueva York: Catholic University of America Press, 1957), pág. 18.

[86] Orígenes, *Contra Celso* 6.1-5.

[87] Lactancio, *Institutos divinos* 5.1.15-16.

[88] Como ejemplo, véase Basilio el Grande, *Discurso a los jóvenes sobre la literatura griega*; Gregorio Nacianceno, *Discursos* 4.5.

[89] Sócrates el Escolástico, *Historia eclesiástica* 3.16; Sozomeno, *Historia eclesiástica* 5.18; Jerónimo, *Chronicon* CE 329; *Sobre los hombres ilustres* 84.

La primera línea de pensamiento en defensa de la Biblia como buena literatura se refería al Antiguo Testamento como una traducción del hebreo. Orígenes y Eusebio ya habían notado de pasada que el Antiguo Testamento era estilísticamente mejor en el hebreo original que en la traducción.[90] Jerónimo aprendió realmente el hebreo él mismo e insistió repetidamente en que el Antiguo Testamento era buena literatura en el original. Al principio no le impresionó lo que le parecía la dureza del hebreo en comparación con la suavidad de Cicerón y Plinio.[91] Pero con el tiempo, Jerónimo se dio cuenta de que el Antiguo Testamento sólo le parecía mala literatura a ciertos hombres porque sólo lo leían en traducción. Como afirma Jerónimo: «Así ha sucedido que los escritos sagrados aparecen menos adornados y líricos, porque los hombres mencionados no saben que han sido traducidos del hebreo.... ¿Qué es más melodioso que el Salterio? ¿Qué es más bello que las canciones del Deuteronomio o de Isaías? ¿Qué es más elevado que Salomón? ¿Qué es más pulido que Job?»[92] A Jerónimo le encantaba señalar las figuras retóricas en el texto hebreo, y tenía buen ojo para los juegos de palabras en hebreo. Un ejemplo interesante es su comentario sobre Isaías 5:7, que dice: «Esperaba justicia (*mishpat*), pero he aquí derramamiento de sangre (*mishpah*); rectitud (*tsedakah*), pero he aquí un clamor (*tse'aqah*)». Jerónimo dice: «Y así, con una letra añadida o alterada de esta manera, mezcló correctamente la similitud de las palabras, de modo que para "mesphat" dijo "mesphaa", y para "sadaca" puso "saaca", y produjo una estructura elegante y el sonido de las palabras según el idioma hebreo».[93] A pesar de las imperfecciones naturales en su conocimiento, dado su tiempo y circunstancias, Jerónimo alcanzó una fuerte competencia en hebreo y representa el punto culminante de la erudición hebrea en la iglesia primitiva.[94] Su apreciación de los méritos literarios del Antiguo Testamento en hebreo fue una contribución significativa al pensamiento cristiano temprano.

Una segunda línea de pensamiento en defensa de la Biblia como buena literatura surgió de una reflexión más profunda sobre el papel de las convenciones en el arte. ¿Es la *Ilíada* de Homero un estándar para la gran literatura porque es intrínsecamente artística? ¿O la *Ilíada*

---

[90] Orígenes, *Contra Celso* 7.59; Eusebio, *Preparación para el Evangelio* 11.5.2.

[91] Jerónimo, *Epístolas* 22.30; 125.12.

[92] Esta cita proviene del prefacio de Jerónimo a su traducción latina de *Chronicon* de Eusebio (vea Griechischen Christlichen Schriftsteller 47, págs. 3-4).

[93] Jerónimo, *Comentario sobre Isaías* 5:7c; véase Roger Gryson, *Commentaire de Jérôme sur le Prophète Isaïe. Livres I-IV* (Freiburg: Herder, 1993), págs. 275-76.

[94] Véase Michael Graves, *Jerome's Hebrew Philology* (Leiden: Brill, 2007).

es considerada gran literatura porque se adhiere a las convenciones sociales que determinan lo que se considera «artístico»? ¿O es ambas cosas? Los escritores cristianos de los tres primeros siglos insistieron en que los escritores sagrados no trataban de producir «gran literatura» según los estándares paganos. Pero esto no significaba que no pudieran producir obras que tuvieran algún mérito literario. Simplemente significaba que la calidad literaria de las Escrituras podría ser diferente de la que se encuentra en los clásicos paganos. El individuo que más contribuyó a esta línea de pensamiento fue Agustín.[95]

El joven Agustín, al igual que Jerónimo, fue rechazado por el estilo poco atractivo de la Escritura y se centró en cambio en el contenido.[96] Aun así, incluso en sus primeros días como cristiano, Agustín a veces utilizaba términos artísticos, como «maravillosa sublimidad», para describir el sentido alegórico de la Escritura oculto bajo el lenguaje llano.[97] Pero fue en sus últimos años cuando Agustín formuló su más clara declaración sobre la Escritura, el arte y las convenciones. En el contexto de dar consejos a los predicadores, Agustín afirma que debemos considerar a los escritores de la Escritura como sabios y elocuentes.[98] La elocuencia de los escritores de la Escritura corresponde a veces a la elocuencia que se encuentra en los escritores seculares, pero la Escritura también tiene una elocuencia diferente en sí misma (*alteram quandam eloquentiam suam*), que es particularmente adecuada a su autoridad divina. La elocuencia de la Escritura no se hace demasiado prominente, sino que sirve al contenido deleitando a los lectores e inspirándolos a seguirla. Agustín ilustra su punto explicando ciertos dispositivos retóricos encontrados en Romanos y Amós. Según Agustín, los escritores de las Escrituras no trataron de seguir intencionadamente ninguna «regla de retórica», sino que simplemente escribieron guiados por la inspiración divina. Sin embargo, incluso las reglas paganas de la retórica no fueron

[95] Pero véase también el breve comentario de Ambrosio, *Epístola* 21: «Muchas personas dicen que nuestros escritores sagrados no escribieron de acuerdo con las reglas de la retórica. No nos oponemos a ellos: los escritores sagrados no escribieron de acuerdo con las reglas, sino de acuerdo con la gracia, que está por encima de todas las reglas de la retórica. Escribieron lo que el Espíritu Santo les dio para hablar. Sin embargo, los escritores de retórica han encontrado la retórica en sus escritos y se han servido de ellos para componer comentarios y reglas»; véase *Saint Ambrose: Letters*, trad. Mary M. Beyenka (Nueva York: Catholic University of America Press, 1954), pág. 115.

[96] Agustín, *Confesiones* 3.5.9; 5.14.24; la *Primera instrucción catequística* 9.13.

[97] Agustín, *Sobre la enseñanza cristiana* 2.6.7-8 (escrito c. 396), sobre el «gran placer» de encontrar el sentido alegórico de Cantar de los Cantares, y la *Primera instrucción vatequética* 8.12, sobre la «maravillosa sublimidad» bajo el simple lenguaje de la Escritura.

[98] Véase *Sobre la enseñanza cristiana* 4.6.9–4.7.21, que Agustín escribió a finales del 420.

simplemente inventadas por la gente sino que representan las mejores prácticas de los buenos oradores, cuya capacidad natural procede en última instancia de Dios.[99] Por lo tanto, no debería sorprender que los escritores inspirados por Dios exhiban algunas de las cualidades estilísticas conocidas de las reglas de la retórica. Sin embargo, al final, la Escritura no puede ser juzgada por estas normas, porque tiene una elocuencia propia. Este fue esencialmente el punto de vista de Agustín, y fue transmitido a la Edad Media por eruditos como Casiodoro (m. 583), cuyo *Comentario a los Salmos* siguió el ejemplo de Agustín en la búsqueda de figuras retóricas en el texto bíblico.

Los lectores modernos familiarizados con la versión King James están acostumbrados a pensar en la Biblia como una gran obra literaria.[100] La honestidad de los primeros Padres de la Iglesia al tratar con el bajo nivel estilístico de las Escrituras en griego y latín es refrescante. Además, la tendencia de la iglesia primitiva de enfatizar el contenido sobre la forma era perspicaz. La Biblia es una colección de libros que comparten una trayectoria ideológica particular; no fue compilada originalmente sobre la base de criterios estilísticos. El deseo de Jerónimo de apreciar el Antiguo Testamento en hebreo puede ser concedido como válido. Incluso el argumento de Agustín sobre la naturaleza relativa de lo que constituye la «buena literatura» contiene algo de verdad. Pero el alto estilo literario no se asoció con la Biblia cristiana de ninguna manera similar a como los musulmanes ven los méritos artísticos del Corán. La Biblia y el Corán tuvieron diferentes orígenes históricos y fueron tomados en diferentes direcciones teológicas en relación con este tema.

Los primeros cristianos generalmente esperaban que la Escritura hablara de manera particular porque estaba inspirada por Dios. Era costumbre que los oráculos divinos se comunicaran a través de acertijos y enigmas, y como el lenguaje escritural posee sus propias oscuridades, era lógico tomar el principio de la oscuridad como regla general. Algunos cristianos operaban como si la voz de Dios les hablara directamente a través de las palabras de la Escritura, y la mayoría de los cristianos creían que las doctrinas del Nuevo Testamento se enseñaban en el Antiguo Testamento, ya que el mismo

[99] Además del pasaje citado en la nota anterior, véase *Sobre la enseñanza cristiana* 2.19.29. Según Agustín, hay dos tipos de enseñanza: la que fue instituida por los humanos y la que ya existía (o fue instituida por Dios) y sólo ha sido observada por los humanos.

[100] Por ejemplo, véase Harold Bloom, *The Shadow of a Great Rock: A Literary Appreciation of the King James Bible* (New Haven: Yale University Press, 2011); y Robert Alter, *Pen of Iron: American Prose and the King James Bible* (Princeton: Princeton University Press, 2010).

Dios hablaba allí. Pocos Padres de la Iglesia conocían el hebreo, pero la mayoría consideraba que el hebreo era un idioma sagrado cuyos nombres contenían profundos secretos en sus etimologías. Por el lado negativo, la mayoría de los cristianos reconocían que la Biblia en sus formas griegas y latinas ampliamente autorizadas no era una gran literatura según los estándares culturales de la época. Pero al final esto no importaba, porque era la voz divina que la mayoría de los cristianos esperaban ver en las Escrituras. Jesús nació en un humilde establo, así que, ¿por qué las divinas Escrituras no deberían ser también humildes? Sólo ocasionalmente ciertos Padres de la Iglesia pusieron un énfasis significativo en el elemento humano de la Escritura, pero cuando lo hicieron fueron capaces de hacer observaciones perspicaces sobre el sentido literal y la calidad literaria del texto.

CAPÍTULO CINCO

Historia y facticidad

La Biblia está llena de historias que parecen estar ambientadas en el mundo real. El Antiguo Testamento se refiere a naciones históricas como Egipto y Babilonia e incluso menciona a gobernantes específicos, como el faraón Necao de Egipto y Nabucodonosor de Babilonia, que son conocidos por fuentes históricas antiguas. El Evangelio de Lucas sitúa el nacimiento de Jesús en la época de Herodes el Grande y Cirenio, gobernador de Siria, que fueron verdaderas personas históricas.[1] En las Escrituras se dan innumerables hechos y cifras, tanto en los relatos narrativos como en los escritos expositivos, como los libros proféticos y las cartas de Pablo. Así, en Isaías 7:8 se afirma que la ciudad de Damasco era la capital de Siria, y Pablo dice en Gálatas 3:16-17 que la ley de Moisés fue dada 430 años después de que se hicieran las promesas de Dios a Abraham.[2] Este capítulo aborda desde varios ángulos diferentes la relación entre la inspiración de las Escrituras y su historicidad y facticidad tal como la ve la Iglesia primitiva. Si la Biblia es inspirada, ¿se deduce que sus narraciones son todas históricas? ¿Se deduce que todos sus hechos son correctos? La creencia en la inspiración de la Escritura influyó en

---

[1] Hay algunas dificultades relacionadas con la cronología de estas dos figuras. Herodes el Grande murió en el 4 a.C., pero la única gobernación fácilmente identificable por nuestras fuentes (principalmente Josefo) no comenzó hasta el 6 d.C. Sobre este tema, vea I. Howard Marshall, *The Gospel of Luke: A Commentary on the Greek Text* (Grand Rapids: Eerdmans, 1978), págs. 102-4.

[2] El número de Pablo en Gálatas está aparentemente basado en la antigua traducción griega de Éxodo 12:40, que dice, «El tiempo que el pueblo de Israel vivió en Egipto *y Canaán* fue de 430 años». En otras palabras, la figura de Pablo incluye el período en Canaán que cubre la vida posterior de Abraham y las vidas de Isaac y Jacob, junto con el tiempo de Israel en Egipto. En este cálculo, el tiempo de Israel en Egipto sería de poco más de 200 años. Según el texto hebreo de Éxodo 12:40, «El tiempo que el pueblo de Israel vivió en Egipto fue de 430 años». Esta cifra de 430 años en Egipto se acerca más a los 400 años de aflicción mencionados en Génesis 15:13-14. Es un tema de debate qué texto representa la lectura original.

la forma en que los Padres de la Iglesia abordaron estas cuestiones de diversas maneras.

13. Los eventos narrados en la Biblia realmente pasaron

La tendencia general entre los primeros cristianos era asumir que las historias narradas en las Escrituras realmente tenían lugar. Sabemos esto no porque los Padres de la Iglesia típicamente se tomaban el tiempo para decirlo explícitamente, sino porque regularmente discutían los eventos de las narraciones bíblicas como si hubieran ocurrido.[3] Ocasionalmente uno encuentra una declaración directa sobre este tema. Por ejemplo, Jerónimo afirma la historicidad de varias figuras bíblicas en su *Comentario sobre Filemón* 5, donde Pablo se refiere a «la fe que tenéis en el Señor Jesús y en todos los santos». La pregunta de Jerónimo es: ¿Cómo se puede tener fe «en los santos»? Su respuesta es la siguiente:

> Alguien cree en el Dios Creador. No es capaz de creer a menos que primero crea que las cosas escritas sobre sus santos son verdaderas: que Adán fue formado por Dios; que sólo Noé fue salvado del mundo de los náufragos; que Abraham, cuando se le ordenó por primera vez salir de su tierra y de sus parientes, dejó a sus descendientes la circuncisión, que había recibido como una señal de la futura descendencia....

Jerónimo continúa mencionando el casi sacrificio de Isaac, la historia de las diez plagas en Egipto, el relato en Josué donde el sol se detiene, y varios eventos de los libros de Jueces y «Reinos» (1 Samuel a 2 Reyes), incluyendo a Elías que fue llevado por un carro de fuego y Eliseo resucitando a los muertos. Mientras que los comentaristas modernos suelen identificar a los «santos» de Filemón como creyentes cristianos contemporáneos de Pablo,[4] Jerónimo los interpreta como santos del Antiguo Testamento e insiste en que a

[3] Josefo también se acerca a las narraciones bíblicas como esencialmente históricas. Además, Josefo elogia la consistencia de las Escrituras de Israel en contraste con las historias contradictorias escritas por los griegos, de cuyos autores se dice que han carecido de registros fiables y que han escrito más para impresionar a sus lectores que por la exactitud (Josefo, Contra Apión 1.3-5, 8).

[4] Véase Markus Barth y Helmut Blanke, T*he Letter to Philemon: A New Translation with Notes and Commentary* (Grand Rapids: Eerdmans, 2000), págs. 278-80.

menos que uno crea en las cosas escritas sobre estos santos, no puede creer en el Dios de los santos.[5]

Jerónimo es típico de los primeros cristianos en el sentido de que cree en la historicidad de los milagros de las Escrituras. Incluso la historia de Jonás siendo tragado por un gran pez es considerada histórica por figuras como Teodoro de Mopsuestia, Jerónimo y Cirilo de Alejandría. Teodoro reconoce que la historia es fantástica, pero se niega a hacer más comentarios, afirmando que sería una locura extrema «pensar que uno podría captarla por medio del razonamiento humano y explicar cómo ocurrió en nuestros términos».[6] Tanto Cirilo como Jerónimo defienden su creencia en la historia no sólo apelando al poder de Dios, sino también señalando que muchos paganos creen en historias sobrenaturales que involucran a dioses y héroes. Si los paganos pueden creer en historias absurdas como éstas, argumentan Jerónimo y Cirilo, no debería ser un problema para los cristianos creer que Jonás vivió dentro de un gran pez durante tres días.[7] Los primeros intelectuales cristianos podrían reconocer la naturaleza fantástica de las historias de milagros en las Escrituras, pero en general las afirmaron de todas formas.

Es importante señalar que los antiguos no creían simplemente en la historicidad completa de todas y cada una de las narraciones que leían. Una excelente ilustración de esto se puede encontrar en el escritor Paléfato del siglo IV a.C., cuyo trabajo *Historias increíbles* se dedicó a dar explicaciones históricas de los mitos griegos. Por ejemplo:

> Dicen que Europa, la hija de Fénix, fue llevada a través del mar a lomos de un toro desde Tiro hasta Creta. Pero en mi opinión, ni un toro ni un caballo atravesarían una extensión tan grande de aguas abiertas, ni una niña se subiría al lomo de un toro salvaje. En cuanto a Zeus, si quisiera que Europa fuera a Creta, habría encontrado una mejor manera de que ella viajara. Esta es la verdad. Había un hombre de Cnossus llamado Tauro («toro») que estaba haciendo la guerra en el territorio de Tiro. Terminó llevándose de Tiro a muchas chicas, incluyendo a la hija del rey, Europa. Así que la gente dijo:

---

[5] Véase *Jerome's Commentaries on Galatians, Titus, and Philemon*, trad. Thomas P. Scheck (Notre Dame: University of Notre Dame Press, 2010), págs. 365-66.

[6] *Theodore of Mopsuestia: Commentary on the Twelve Prophets*, trad. Robert C. Hill, Fathers of the Church (Washington: Catholic University of America Press, 2004), pág. 200.

[7] Véase Cirilo de Alejandría, *Comentario sobre Jonás* 1:17; Jerónimo, *Comentario sobre Jonás* 2:2. Cirilo menciona una historia en la que Hércules fue tragado por un monstruo marino. Jerónimo enumera varias historias de las *Metamorfosis* de Ovidio.

> «El toro se ha ido con Europa, la hija del rey». Fue a partir de esto que se formó el mito.[8]

Paléfato no cuestiona la existencia de Zeus —aunque su concepción de «Zeus» podría ser estrictamente filosófica— pero sí duda de la historicidad de los elementos de la narrativa que parecen improbables o insensibles. Así pues, representa una amplia tendencia del pensamiento griego que aborda las narrativas tradicionales con al menos un cierto escepticismo en cuanto a su historicidad. Esta tendencia puede verse no sólo en las críticas filosóficas de los mitos tradicionales sino también en historiadores como Heródoto y Tucídides.[9]

Las primeras fuentes judías suelen tratar las narraciones bíblicas como históricas de la misma manera que las fuentes cristianas. Al historiador judío Josefo le interesaba ciertamente aceptar las narraciones bíblicas como históricas, aunque muestra una tendencia a restar importancia a los elementos sobrenaturales de las historias.[10] Sin embargo, para un comentarista fuertemente filosófico como Filón, la historicidad no siempre fue una parte esencial del texto de la escritura. Por ejemplo, dice a sus lectores que no deben considerar la historia de Sara y Agar como una mera historia habitual de celos femeninos, porque «no se habla aquí de mujeres, sino de mentes —por una parte, la mente que se ejercita en el aprendizaje preliminar, y por otra, la mente que se esfuerza por ganar la palma de la virtud y no cesa hasta que la gana».[11] En otros lugares, Filón no se compromete con la historicidad de Samuel: «Probablemente hubo un hombre llamado Samuel; pero concebimos al Samuel de las Escrituras, no como un compuesto vivo de alma y cuerpo, sino como una mente que se regocija en el servicio y la adoración de Dios y sólo eso».[12] Incluso los rabinos estaban abiertos a que ciertas cosas de las Escrituras no fueran históricas; por lo tanto, hay una tradición que dice que Crónicas, que difiere en ciertos detalles de los libros de Samuel y Reyes, fue dado simplemente como un midrash (relato interpretativo)

[8] *Historias increíbles* 15; véase Jacob Stern, *Palaephatus, On Unbelievable Tales: Translation, Introduction, and Commentary* (Wauconda: Bolchazy-Carducci, 1996), pág. 46.

[9] Véase Luc Brisson, *How Philosophers Saved Myths*, trad. Catherine Tihanyi (Chicago: University of Chicago Press, 2004); T. James Luce, *The Greek Historians* (Nueva York: Routledge, 1997).

[10] Véase Louis H. Feldman, *Josephus's Interpretation of the Bible* (Berkeley: University of California Press, 1998), págs. 427-33.

[11] Filón, *Acerca de la unión de los estudios preliminares* 180 (Loeb Classical Library).

[12] Filón, *On Drunkenness* 144 (Loeb Classical Library).

sobre la historia de Israel.[13] A la luz de las cuestiones planteadas sobre la historicidad en estas y otras fuentes antiguas, no es sorprendente encontrar que los Padres de la Iglesia también plantearon cuestiones históricas.

El filósofo griego del siglo II, Celso, despreció los Evangelios como completas fabricaciones que «no eran mejores que las fábulas». Orígenes respondió a esta acusación en su ampliamente respetado trabajo apologético *Contra Celso*. El siguiente pasaje de *Contra Celso* fue citado por Gregorio Nacianceno y Basilio el Grande en la *Filocalia*:

> Nuestra respuesta es que reconstruir casi cualquier escena histórica, aunque sea cierta, para dar una vívida impresión de lo que realmente ocurrió, es sumamente difícil y a veces imposible. Supongamos que alguien afirmara que nunca hubo una guerra de Troya, principalmente porque la imposible historia de Aquiles siendo el hijo de una diosa del mar (Tetis) y un hombre (Peleo) se mezcla con ella.... ¿Cómo podríamos deshacernos de tales objeciones? ¿No deberíamos ser muy duros para explicar cómo la mezcla de ficción extraña en la narración encaja con la creencia universal de que hubo una guerra entre los griegos y los troyanos en Troya? O supongamos que alguien dudó de la historia de Edipo y Jocaste, y de sus hijos Eteocles y Polinices, porque una media mujer, la Esfinge, está mezclada con la historia. ¿Cómo deberíamos aclarar la dificultad? Pues bien, el lector prudente de los relatos que desee evitar el engaño utilizará su propio juicio en cuanto a lo que permitirá que sea histórico y lo que considerará como figurativo; tratará de descubrir lo que los escritores quisieron decir al inventar tales historias; y a algunas cosas rechazará su asentimiento alegando que fueron grabadas para gratificar a ciertas personas. Y esto lo hemos expuesto, teniendo en cuenta la historia de Jesús en su conjunto contenida en los Evangelios; pues no invitamos a los lectores inteligentes a desnudar una fe irracional, sino que deseamos mostrar que los futuros lectores tendrán que ejercer la prudencia y hacer una cuidadosa investigación y, por así decirlo, penetrar en el corazón mismo de los escritores, si se quiere descubrir el significado exacto de cada pasaje.[14]

Como explica Orígenes, es común que los relatos genuinamente históricos tengan algunos elementos imposibles de tejer. Pero sólo porque ciertos elementos de una historia puedan no ser históricos, no

---

[13] *Leviticus Rabbah* 1; Talmud Babilónico, *Megillah* 13a.

[14] *Filocalia* 15.15; véase *The Philocalia of Origen*, trad. G. Lewis (Edinburgo: Clark, 1911), págs. 73-74 (traducción actualizada). Véase también *Contra Celso* 1.42.

significa que toda la narración sea ficticia. Para Orígenes, un ejemplo de un elemento no histórico en los Evangelios es la historia de Jesús echando a los cambistas del Templo (Juan 2:13-22). Esta historia probablemente no es histórica, piensa Orígenes, porque es poco probable que los funcionarios del Templo permitieran que alguien de la posición social de Jesús se saliera con la suya, y porque la imagen de Jesús golpeando a la gente con látigos hace que el Hijo de Dios parezca temerario e indisciplinado.[15] Según Orígenes, no se trata de errores sino de indicios divinos de que se pretende dar algún significado simbólico.[16] Orígenes defiende la historicidad general de los relatos evangélicos señalando detalles que se reflejan negativamente en los discípulos, como la negación de Pedro (Juan 18:17, 25, 27) o los lugares donde los discípulos se ofenden por la enseñanza de Jesús (e.g., Juan 6:60-61). Los escritores de los Evangelios no habrían incluido tal información, argumenta Orígenes, si se hubieran limitado a inventar historias desde cero.[17]

Otros intérpretes de los primeros cristianos también plantearon dudas sobre la historicidad de ciertos aspectos de las Escrituras. Un tema común en muchos de estos pasajes es que una dificultad en el texto bíblico indica que una narración no debe tomarse históricamente, sino en un sentido espiritual. Así, Jerónimo interpreta el mandamiento de Josué 5:2 de «circuncidar a los hijos de Israel por segunda vez» como referido a los israelitas que ya estaban circuncidados,[18] y como un hombre no puede ser literalmente circuncidado dos veces, debe tener un significado espiritual: «Si tomamos esto literalmente, no puede sostenerse». Jerónimo dice que esta segunda circuncisión es Josué circuncidando espiritualmente a

[15] *Comentario sobre Juan* 10.143-49; véase *Origen, Commentary on the Gospel According to John Books 1-10*, trad. Ronald E. Heine, Fathers of the Church (Washington: Catholic University of America Press, 1989), págs. 288-90.

[16] Véase también *Filocalia* 1.16: «Y esto debemos saber, que el propósito principal era mostrar las conexiones espirituales tanto en los acontecimientos pasados como en las cosas por hacer. Dondequiera que el Verbo encontró eventos históricos capaces de adaptarse a estas verdades místicas, hizo uso de ellos, pero ocultó el sentido más profundo a muchos; pero donde al establecer la secuencia de las cosas espirituales no hubo ningún evento real relatado por el significado más místico, la Escritura entrelaza lo imaginativo con lo histórico, a veces introduciendo lo que es completamente imposible, a veces lo que es posible pero nunca ocurrió. A veces son sólo unas pocas palabras, no literalmente verdaderas, las que se han insertado; a veces las inserciones son de mayor longitud»; vea *The Philocalia of Origen*, Lewis, pág. 17 (traducción actualizada).

[17] *Filocalia* 15.17. También hay que señalar que Orígenes defendió la historicidad de muchos pasajes de las Escrituras, incluyendo la historia del arca de Noé, contra la crítica pagana (*Homilías sobre el Génesis* 2.2).

[18] Pero véase Josué 5:4-6.

Israel con el cuchillo del evangelio.[19] Como otro ejemplo, Gregorio Magno afirma que las dimensiones de la ciudad descritas en Ezequiel 40-48 «no pueden ser literalmente verdaderas». Después de comparar las dimensiones de la puerta de la ciudad con las dimensiones de la ciudad misma, Gregorio concluye, «Obviamente no es de ninguna manera posible aceptar la construcción de esta ciudad de acuerdo a la letra». Pero como a menudo en la Sagrada Escritura, lo que no puede ser aceptado de acuerdo a la historia debe ser entendido espiritualmente.[20]

La historicidad del Jardín del Edén fue un tema de disputa entre los Padres de la Iglesia. La palabra en Génesis 2–3 traducida «jardín» en la mayoría de las Biblias inglesas fue traducida como «Paraíso» en la antigua traducción griega (la «Septuaginta»). Apocalipsis 2:7 confirma lo apropiado de esta traducción desde la perspectiva del Nuevo Testamento. Jesús usa esta misma palabra cuando le dice al ladrón arrepentido en la cruz, «Hoy estarás conmigo en el Paraíso» (Lucas 23:43). Además, Pablo sugiere que fue atrapado en el Paraíso a través de una experiencia mística (2 Co. 12:3). Orígenes interpreta el relato del Paraíso de manera alegórica, encontrando en estos capítulos verdades filosóficas sobre la «humanidad» (que es el significado de «Adán») y el diablo (simbolizado por la serpiente). En defensa de esta lectura, Orígenes señala que el propio Platón habló filosóficamente sobre el jardín de Zeus.[21] Muchos otros cristianos, incluidos Dídimo el Ciego y Ambrosio, siguieron la exposición simbólica de Orígenes.[22] Ambrosio, por ejemplo, interpreta la serpiente como el diablo (= disfrute), la mujer como los sentidos, el hombre como la mente, y los cuatro ríos como la prudencia, la templanza, la fortaleza y la justicia, es decir, las cuatro virtudes cardinales de la filosofía griega.[23] Ninguno de estos intérpretes piensa que el Paraíso haya sido alguna vez un lugar en el mundo real.

---

[19] Jerónimo, *Contra Joviniano* 1.21 (Nicene and Post-Nicene Fathers, series 2, vol. 6, págs. 361-62). Jerónimo interpreta «Gilgal» como «revelación» y toma el derrocamiento de Jericó como el derrocamiento del mundo por la predicación del Evangelio (siguiendo a Orígenes). Jerónimo también argumenta que cuando Josué entra en la tierra, las aguas del matrimonio se secan. Esto es parte del argumento de Jerónimo a favor de la castidad.

[20] *Homilías sobre Ezequiel* 2.1.3; véase *The Homilies of Saint Gregory the Great on the Book of the Prophet Ezekiel*, trad. Theodosia Gray, ed. P. J. Cownie (Etna: Center for Traditionalist Orthodox Studies, 1990), págs. 158-59.

[21] Véase Orígenes, *Contra Celso* 4.39-40; *Sobre los principios* 3.2.1; 4.3.1.

[22] Véase Dídimo, *Comentario sobre Génesis* 3; Ambrosio, *Paraíso.*

[23] Ambrosio, *Paraíso* 11-18; véase *Saint Ambrose: Hexameron, Paradise, and Cain and Abel*, trad. John J. Savage, Fathers of the Church (Nueva York: Fathers of the Church, 1961), págs. 293-99. Sobre las virtudes cardinales, vea Platón, *Protágoras* 330b; 349b; 359a (cinco virtudes: las cuatro más la «piedad»); *República* 4.427e, 433a-c; *Leyes* 1.631c-d; 12.965d (cuatro

Los intérpretes de Antioquía, por otro lado, consideraban el Paraíso del Edén como un lugar histórico. Diodoro de Tarso reconoce que el Génesis 3 contiene enigmas con significado simbólico, pero sigue insistiendo en un jardín histórico con una serpiente real, a través de la cual el diablo habló.[24] Teodoro de Ciro cree igualmente en un verdadero Paraíso en la tierra y en cuatro ríos reales, cuyos lugares han sido ahora escondidos por Dios.[25] Según Teodoro de Mopsuestia, el hecho de que Cristo cancelara el pecado de Adán (Rom. 5:12-21) significa que el pecado de Adán debe haber tenido lugar en el pasado histórico.[26] Los antioquenos generalmente aceptaban el significado simbólico de la historia del Paraíso en Génesis 2–3, pero también pensaban que era importante afirmar su historicidad. «Porque la historia no se opone a la *theōria*», afirma Diodoro. «Por el contrario, demuestra ser el fundamento y la base de los sentidos superiores».[27]

Cabe señalar, sin embargo, que los antioquenos cuestionaron la naturaleza histórica de ciertos textos bíblicos. Así, se informa que Teodoro hizo el siguiente comentario sobre el libro de Job:

> El nombre del bendito Job ... era famoso entre todo el pueblo, y sus actos virtuosos así como sus pruebas se relataban oralmente entre todo el pueblo y todas las naciones de siglo en siglo y en todos los idiomas. Ahora, después del regreso de los israelitas de Babilonia, un erudito hebreo especialmente versado en la ciencia de los griegos se comprometió a escribir la historia de los justos, y para hacerla más grande mezcló la historia con exquisitas expresiones prestadas por los poetas, porque compuso su libro con el propósito de hacerlo más agradable a los lectores.[28]

Teodoro llama más tarde al Behemot de Job «un dragón de pura ficción creado por el autor según su manera completamente poética; es así como también ha compuesto muchos discursos en nombre de Job y sus amigos, y en nombre de Dios, que no están de acuerdo ni

---

virtudes); Sabiduría 8:7; Cicerón, *Sobre los fines* 5.23.67; *Sobre los deberes* 1.2.5; Ambrosio, *Exposición del Evangelio de Lucas* 5.62-68.

[24] Diodoro de Tarso, *Comentario sobre Salmo* 118, prefacio; véase Karlfried Froehlich, ed. y trad., *Biblical Interpretation in the Early Church* (Philadelphia: Fortress, 1984), pág. 90.

[25] Teodoreto, *Preguntas sobre el Octateuco*, P. 25 y P. 29 sobre Génesis.

[26] Teodoro de Mopsuestia, *Comentario sobre Gálatas* 4:22-31; véase Froehlich, *Biblical Interpretation in the Early Church*, pág. 97.

[27] Diodoro de Tarso, *Comentario sobre los Salmos*, prólogo; véase Froehlich, *Biblical Interpretation in the Early Church*, pág. 85.

[28] Véase Dimitri Z. Zaharopoulos, *Theodore of Mopsuestia on the Bible: A Study of His Old Testament Exegesis* (Nueva York: Paulist, 1989), págs. 46-47. La fuente de esta cita es el escritor del siglo IX Isho'dad de Merv.

corresponden a la realidad».[29] Diodoro está de acuerdo en que el libro de Job contiene discursos ficticios.[30] La tendencia historicista de los antioquenos los disuadió de aceptar interpretaciones puramente simbólicas, pero también promovió el pensamiento crítico en cierto modo en la línea de la crítica bíblica moderna.

Cuando Orígenes compara Génesis 2–3 con el mito platónico, o cuando Teodoro se refiere al modo poético de Job, están invocando la categoría que hoy llamamos género literario. Un artículo de periódico es un tipo de escritura diferente a una novela, y traemos a estos textos diferentes expectativas en cuanto a su historicidad. Los mejores intérpretes de los primeros cristianos trataron de averiguar qué tipo de textos contiene la Escritura, y qué expectativas deben ser traídas a estos textos como consecuencia. Tal pensamiento no se consideró incompatible con la creencia en la inspiración divina. La disposición de algunos comentaristas de los primeros cristianos a investigar los géneros literarios de los textos bíblicos es un aspecto encomiable de su enfoque de las Escrituras que merece ser emulado por los cristianos modernos.

14. La Escritura no tiene ningún error en sus hechos

La idea que se trata en esta sección es que la inspiración divina asegura que todos los hechos reportados en la Escritura son correctos. Filón afirmó que la inspiración profética hizo que Moisés legislara sin errores, sobre la base de que «para Dios no hay nada malo».[31] Agustín argumentó que incluso en un tema tan difícil como el alma humana nada podría ser cierto que contradiga la Escritura inspirada; si alguna proposición parece contradecir la Escritura, o bien la proposición está equivocada o la Escritura ha sido mal interpretada.[32] Según Cirilo de Alejandría, las profecías del libro de Isaías deben ser verdaderas, porque «no es posible que Dios hable falsamente».[33] Si no hay falta o falsedad con Dios, se podría concluir que la Escritura, que fue escrita

---

[29] Zaharopoulos, *Theodore of Mopsuestia on the Bible*, págs. 46-47. Para los cargos hechos contra Teodoro basados en sus opiniones sobre Job, vea John Behr, *The Case against Diodore and Theodore: Texts and Their Contexts* (Oxford: Oxford University Press, 2011), págs. 411-13.

[30] Diodoro de Tarso, *Comentario sobre Salmo* 118, prefacio; véase Froehlich, *Biblical Interpretation in the Early Church*, pág. 91.

[31] Filón, *Sobre las recompensas y castigos* 55 (Loeb Classical LIbrary).

[32] Agustín, *Epístola* 143.7.

[33] Cirilo de Alejandría, *Comentario sobre Isaías 1:2-3*; véase *Cyril of Alexandria: Commentary on Isaiah*. Vol. 1: *Chapters 1–14*, trad. Robert C. Hill (Brookline: Holy Cross Orthodox, 2008), pág. 21.

bajo inspiración divina, no se equivoca con respecto a ninguno de los hechos que contiene.

Rara vez los comentaristas se tomaban el tiempo de discutir los hechos en el texto, a menos que se presentara algún problema específico. A veces los comentaristas abordaban problemas que ellos mismos descubrían, pero a menudo abordaban problemas que habían sido señalados por otros. La *Poética* de Aristóteles 25 contiene un ejemplo temprano de discusión textual centrada en «los problemas y sus soluciones».[34] En este capítulo, Aristóteles describe varios tipos de problemas que podrían plantearse con la poesía tradicional, especialmente con Homero, y ofrece posibles soluciones. Las principales categorías de críticas contra los poetas son las siguientes: que hayan dicho cosas imposibles (*adynata*), irracionales (*aloga*), perjudiciales (*blabera*), contradictorias (*hypenantia*), o contrarias a las normas artísticas (*para tēn orthotēta tēn kata technēn*). Aristóteles sugiere posibles vías de explicación, como que el poeta ha introducido algo imposible para que la obra sea más emocionante, o que una aparente contradicción en el poema puede resolverse interpretando uno de los pasajes en cuestión en un sentido diferente.[35] Ejemplos de ello son las *Preguntas homéricas* de Porfirio, las *Preguntas hebreas sobre Génesis* de Jerónimo y las *Preguntas sobre el Octateuco* Teodoreto.

Siempre que los Padres de la Iglesia identifican e intentan resolver un problema en las Escrituras, dan testimonio de su creencia general de que las Escrituras no cometen errores. En algunos casos la solución ofrecida implica apelar a un sentido más elevado de la Escritura. Pero en otros casos se busca una solución a nivel literal.

Muchos intérpretes antiguos creían que las Escrituras transmiten significados simbólicos a través de textos que no son correctos en cuanto a los hechos. Levítico 19:23 en la Septuaginta afirma que la fruta en la Tierra Santa «permanecerá impura durante tres años; no se comerá». Según Filón, esta afirmación no tiene sentido en el mundo real, porque ningún jardinero limpia nunca la fruta. Sin embargo, Filón no sugiere que las Escrituras hayan hablado por error. Más bien, Filón cree que este fenómeno textual indica que se pretende un

---

[34] Aristóteles, *Poética* 25 (Loeb Classical Library): *Peri problēmatōn kai lyseōn* («En cuanto a los problemas y sus soluciones»).

[35] Un ejemplo de una narración supuestamente imposible es la historia de Aquiles persiguiendo a Héctor por la ciudad de Troya en la *Ilíada* 22. Un ejemplo de una supuesta contradicción es la descripción de la lanza de Eneas que no penetró en el escudo de Aquiles en la *Ilíada* 20.258-72; la lanza está detenida por la capa de oro (¿exterior?), pero también se dice que penetró en dos capas de bronce (¿interior?).

significado más elevado: «Permítanme decir, pues, que éste es uno de los puntos que deben interpretarse alegóricamente, ya que la interpretación literal no se ajusta en absoluto a los hechos».[36] Filón concluye que los «tres años» representan la triple división del tiempo —pasado, presente y futuro— y que el hecho de no comer fruta «impura» simboliza el evitar de la enseñanza insana.

Orígenes estaba profundamente preocupado por entender las diferencias entre los relatos de los Evangelios sobre la vida de Jesús. En su *Comentario sobre Juan*, Orígenes expone numerosos puntos de aparente discrepancia entre los diferentes escritores de los Evangelios con respecto a los acontecimientos del ministerio de Jesús. Por ejemplo, Orígenes señala que en el Evangelio de Mateo, directamente después de su tentación en el desierto, Jesús se retira a Galilea y luego se va a vivir a Cafarnaún después de oír que Juan el Bautista había sido arrestado,[37] pero en el Evangelio de Juan, Jesús convierte el agua en vino en Galilea, baja a Cafarnaún, hace una visita a Jerusalén para expulsar a los cambistas (lo que no ocurre hasta el final del ministerio de Jesús en los otros Evangelios),[38] y aún después Juan el Bautista está bautizando y predicando, sin haber sido arrestado todavía.[39] Orígenes concluye:

> Con base en otros numerosos pasajes también, si alguien examinara los Evangelios cuidadosamente para comprobar el desacuerdo en cuanto al sentido histórico... se marearía, y o bien se encogería de confirmar realmente los Evangelios, y estaría de acuerdo con uno de ellos al azar porque no se atrevería a rechazar completamente la fe relacionada con nuestro Señor, o bien, admitiría que hay cuatro y diría que su verdad no está en sus rasgos literales.[40]

Orígenes cree que cada uno de los escritores de los Evangelios enseña algo específico sobre Jesús y que «han hecho algunos pequeños cambios en lo que ha sucedido en lo que respecta a la historia, con vistas a la utilidad del objeto místico de estas cuestiones».[41] En otras

---

[36] Filón, *El trabajo de Noé como plantador* 113 (Loeb Classical Library). Los lectores de hoy pueden encontrar los comentarios de Filón fascinantes como una ventana a la forma en que la gente preparaba la comida en el mundo antiguo.
[37] Mateo 4:11-13.
[38] Véase Mc. 11:15-19; Mt. 21:12-17; Lc. 19:45-48.
[39] Jn. 2:1; 2:12, 14-22; 3:22-24.
[40] Orígenes, *Comentario sobre Juan* 10.14; véase *Origen, Commentary on the Gospel According to John Books 1-10*, trad. Ronald E. Heine, Fathers of the Church (Washington: Catholic University of America Press, 1989), pág. 257.
[41] Orígenes, *Comentario sobre Juan* 10.19; véase *Origen, Commentary on the Gospel According to John Books 1-10*, Heine, pág. 259. Véase también *Comentario sobre Juan* 10.10, 18-22, 27, 129-30, 143-49, 197-200.

palabras, los escritores de los Evangelios presentaron a veces detalles en sus relatos no según lo que realmente sucedió sino para hacer un punto «místico» sobre Jesús. Así, Orígenes aceptaría que los Evangelios contienen ocasionalmente desviaciones de la historia a nivel literal, pero no errores a nivel místico más importante.

Agustín hace un revelador comentario sobre la exactitud de las Escrituras mientras discute las versiones hebrea y griega de Jonás 3:4. Como la mayoría de los primeros cristianos, Agustín creía en la inspiración de la antigua traducción griega del Antiguo Testamento, la «Septuaginta». Incluso cuando se dio cuenta de las diferencias entre los textos hebreos y griegos del Antiguo Testamento, Agustín no estaba dispuesto a renunciar a la autoridad de la Septuaginta, sino que simplemente afirmó que tanto los textos hebreos como los griegos eran inspirados, incluso en los puntos en que diferían. Así como el Espíritu Santo inspiró diferentes mensajes a través de Isaías y Jeremías, también los textos hebreos y griegos de un mismo pasaje de la Escritura son ambos inspirados, aunque digan cosas diferentes. Así, en el texto hebreo Jonás dice: «Aún cuarenta días, y Nínive será derribada», mientras que en la Septuaginta Jonás dice: «Aún tres días, y Nínive será derribada». Agustín comenta, «Así que si me preguntan cuál de estos dijo Jonás, supongo que fue más bien lo que leímos en el hebreo». Sin embargo, continúa Agustín, el Espíritu inspiró a los traductores griegos a escribir «tres días» para transmitir un significado simbólico, a saber, que Jesús resucitó de entre los muertos al tercer día. En lo que respecta a los hechos, Jonás no dijo «tres días», pero el Espíritu Santo todavía inspiró «tres días» para señalar espiritualmente a Jesús.[42]

Volvamos a Aristóteles por un momento. Una cosa que hay que notar en el capítulo «Los problemas y sus soluciones» de la *Poética* de Aristóteles es que las soluciones no suelen implicar una interpretación alegórica. Había otros enfoques de la poesía griega antigua que sí hacían uso de la alegoría (vea sección 20 abajo), pero las soluciones de Aristóteles se centran más en el sentido literal. De manera similar a Aristóteles, existe una corriente de pensamiento entre los Padres de la Iglesia que trató de resolver los supuestos problemas fácticos en las Escrituras a nivel literal.

Aunque creía firmemente que la Escritura contiene significados alegóricos, Jerónimo era uno de los más hábiles en la iglesia primitiva para resolver dificultades textuales en el plano literal. En la historia en

[42] Agustín, *Ciudad de Dios* 18.44; véase *St. Augustine Concerning The City of God against the Pagans*, trad. Henry Bettenson (Londres: Penguin, 1984), págs. 822-23.

la que Jesús es ungido en Betania, el Evangelio de Juan retrata a Judas quejándose del ungüento desperdiciado, mientras que en el Evangelio de Mateo se dice que todos los discípulos están indignados.[43] Jerónimo dice: «Sé que algunos critican este pasaje y preguntan por qué otro evangelista dijo que sólo Judas estaba enfadado, mientras que Mateo escribe que *todos* los apóstoles estaban indignados. Estos críticos desconocen una figura retórica llamada *syllēpsis*, que se suele llamar «todos para uno y uno para muchos».[44] Jerónimo también sugiere otra solución: tal vez los apóstoles estaban realmente indignados por el bien de los pobres, mientras que Judas estaba indignado por su propio beneficio. Pero lo que es notable es que ambas soluciones de Jerónimo defienden la corrección del texto a nivel literal sin apelar a la alegoría.

Las obras de Jerónimo proporcionan muchos ejemplos de este tipo. En su *Comentario sobre Mateo* 27:32, Jerónimo utiliza la armonización histórica para responder a la pregunta de quién cargó la cruz de Jesús, el propio Jesús (Jn. 19:17) o Simón de Cirene (Mt. 27:32). Según Jerónimo, Jesús comenzó a llevar su propia cruz, pero luego Simón de Cirene la llevó más tarde. El Evangelio de Marcos comienza con citas tanto de Isaías 40:3 como de Malaquías 3:1, pero sólo menciona a Isaías. Pero esto no puede ser un error, argumenta Jerónimo, porque «Las palabras de los evangelistas son obra del Espíritu Santo». La solución de Jerónimo es que las palabras «está escrito» en Marcos 1:2 se refieren sólo a Isaías 40:3, y que Marcos está simplemente usando el testimonio de Malaquías para confirmar que Juan el Bautista es el cumplimiento del pasaje de Isaías.[45] En cuanto a la cuestión de por qué Marcos dice que Jesús fue crucificado en la tercera hora (Mc. 15:25) cuando los demás escritores de los Evangelios sitúan la crucifixión en la sexta hora (Mt. 27:45; Jn. 19:14), Jerónimo sostiene que el aparente error de Marcos es el resultado de un error de los escribas: originalmente Marcos escribió

---

[43] Vea Mateo 26:6-13 y Juan 12:1-8 sobre los muchos paralelismos y diferencias entre estos relatos.

[44] Jerónimo, *Commentary on Matthew* 26.7-8; véase *St. Jerome: Commentary on Matthew*, trad. Thomas P. Scheck, Fathers of the Church (Washington: Catholic University of America Press, 2008), pág. 293. Sobre la figura literaria *syllēpsis*, véase H. Lausberg, D. E. Orton, y R. D. Anderson, eds., *Handbook of Literary Rhetoric* (Leiden: Brill, 1998), párrafos 702, 703, y 706. Jerónimo se refiere a *synecdochē* («el todo significa parte, o la parte para el todo») en su *Comentario sobre Jonás* 2:1 para explicar por qué Jesús compara su tiempo en la tumba con los «tres días y tres noches» de Jonás (Mt. 12:40), cuando Jesús no estuvo en la tumba durante tres días y noches completos (vea también Quintiliano 8.6.19; Cicerón, *Sobre el Orador* 3.168).

[45] Jerome, *Homilia* 75; véase *The Homilies of Saint Jerome*, vol. 2, trad. M. L. Ewald, Fathers of the Church (Washington: Catholic University of America Press, 1965), págs. 121-23. Este problema había sido planteado por Porfirio en su obra *Contra los cristianos*.

«sexta», pero fue copiado erróneamente como «tercera».[46] Jerónimo no fue el único intérprete de los primeros cristianos que resolvió las dificultades de esta manera, pero con sus grandes habilidades lingüísticas y su creatividad fue probablemente el más capaz.

Los primeros intérpretes cristianos a veces respondían a problemas potenciales de las Escrituras haciendo observaciones que presagiaban elementos de los estudios bíblicos modernos. Teodoreto se pregunta por qué Jueces 1:8 utiliza el nombre de «Jerusalén» cuando durante este período la ciudad se llamaba «Jebus» (véase Jue. 19:10-11). Teodoreto explica: «Creo que la composición de este libro debe ser fechada en un período posterior. En apoyo, observo que la narración se refiere a esta ciudad como Jerusalén; antes se llamaba Jebus, sólo más tarde recibió este nombre».[47] Jerónimo dice que se debe permitir a Lucas omitir ciertas cosas sobre Pablo en su relato en vista de la «libertad de Lucas como historiador». Además, Lucas puede referirse a José como el «padre» o «progenitor» de Jesús (véase Lc. 2:33, 41), aunque en sentido estricto no lo era, porque es costumbre de los historiadores describir las cosas como se cree comúnmente que son, no necesariamente como son.[48] Esas observaciones esperan con interés los debates en los estudios bíblicos modernos sobre la historia de la composición y las prácticas de composición de los escritores bíblicos.[49]

---

[46] Jerónimo, *Homilías sobre Salmos* 11; véase *The Homilies of Saint Jerome*, vol. 1, trad. M. L. Ewald, Fathers of the Church (Washington: Catholic University of America Press, 1964), págs. 81-83. Jerónimo aborda varias otras dificultades textuales en este pasaje. Sobre los intentos de Jerónimo de resolver la aparente cita de Zacarías atribuida a Jeremías en Mateo 27:9-10, véase las *Homilías de sobre Salmos* de Jerónimo 11; la *Epístola* 57.7; y el *Comentario sobre Mateo* 27:9-10. Jerónimo sugiere el error de los escribas, las prácticas de citas sueltas de los apóstoles, e incluso la posibilidad de que el texto estuviera en una obra apócrifa sobre Jeremías. Pero al final, concede que el pasaje es de Zacarías: «Sin embargo, me parece más probable que el testimonio fue tomado de Zacarías por una práctica común de los evangelistas y apóstoles. En las citas, sólo sacan a relucir el sentido del Antiguo Testamento. Tienden a descuidar el orden de las palabras» (vea *St. Jerome: Commentary on Matthew*, Scheck, pág. 310).

[47] Teodoreto, *Preguntas sobre el Octateuco*, P. 2 sobre Jueces; véase *Theodoret of Cyrus: The Questions on the Octateuch*, vol. 2, Hill, pág. 311.

[48] Véase *Jerome's Commentaries on Galatians, Titus, and Philemon*, trad. Thomas P. Scheck (Notre Dame: University of Notre Dame Press, 2010), pág. 101; Jerónimo, *Contra Helvidio* 4. Sobre la costumbre de los historiadores de describir las cosas no como eran sino como se pensaba que eran, vea también Jerónimo, *Comentario sobre Jeremías* 28:10-17, sobre el falso profeta Hananías siendo llamado «profeta». Este tema es tratado en la *Poética* de Aristóteles 25.

[49] Es interesante que ni Teodoro ni Jerónimo comenten explícitamente qué tipo ("género") de literatura es Jonás. Aún así, ambos hacen observaciones que corren paralelas a algunas lecturas modernas del libro. Por ejemplo, Teodoro duda de que los marineros de Jonás 1 hicieran realmente sacrificios mientras estaban todavía en el barco e insiste en que Jonás debe haber predicado más de lo que se informa en Jonás 3, ya que los ninivitas nunca se habrían arrepentido basándose en la breve observación del v. 4, pronunciada por un extranjero desconocido (véase Teodoro, *Comentario sobre Jonás* 1, 16; 3, 5), y Jerónimo dice que la descripción de los

En algunos casos, los Padres de la Iglesia estaban dispuestos a conceder pequeñas discrepancias en las Escrituras sin sentir la necesidad de armonizarlas. Al refutar las opiniones de Marción, el líder de un grupo cismático de la iglesia primitiva que puso la única autoridad para la información sobre la vida de Jesús en una versión editada de Lucas, Tertuliano dice lo siguiente sobre los cuatro Evangelios: «No importa que la disposición de sus narraciones varíe, siempre y cuando haya acuerdo en lo esencial de la fe —y en esto no muestran ningún acuerdo con Marción».[50] En otras palabras, aunque los Evangelios no estén de acuerdo en todos los detalles, están de acuerdo por lo menos en los puntos principales de la vida y enseñanza de Jesús, y esto es suficiente para contrarrestar los puntos de vista de Marción. Juan Crisóstomo tomó las discrepancias entre los Evangelios como prueba de que representan cuatro testigos independientes de la vida de Jesús. «Porque si hubieran estado de acuerdo en todas las cosas exactamente hasta el tiempo y el lugar, y hasta las mismas palabras», explica Crisóstomo, «nuestros enemigos simplemente habrían creído que se reunieron y compusieron lo que escribieron por mero acuerdo humano.... Pero tal como está, la discordia que parece existir en los asuntos pequeños los libera de toda sospecha, y habla claramente en nombre del carácter de los escritores».[51] Como Crisóstomo lo ve, los escritores de los Evangelios fueron al menos lo suficientemente honestos para escribir lo que sabían, sin conspirar juntos para crear un solo relato sin fisuras. Esto ayuda a sustanciar su testimonio en cuanto a los puntos más importantes de la historia en los que están de acuerdo.

La tendencia general en la iglesia primitiva era ver la libertad de los errores de hecho como una implicación de la inspiración bíblica. Los intérpretes que hacían mucha interpretación alegórica estaban a veces dispuestos a reconocer ciertos tipos de errores a nivel literal mientras afirmaban la verdad del significado espiritual del texto. También había Padres de la Iglesia que trataban de resolver problemas en las Escrituras trabajando con el sentido literal. Uno encuentra esto especialmente cuando textos bíblicos específicos habían sido atacados por críticos de la iglesia. La cándida admisión de Orígenes de que las narraciones del Evangelio contienen elementos conflictivos que no pueden ser reconciliados a nivel histórico refleja

---

animales que llevaban cilicio en el 3, 8 debe interpretarse alegóricamente (véase Jerónimo, *Comentario sobre Jonás* 3:6-9).

[50] Tertuliano, *Contra Marción* 4.2; véase *Tertullian: Adversus Marcionem, Books 4 and 5*, trad. Ernest Evans (Oxford: Clarendon, 1972), pág. 263.

[51] Juan Crisóstomo, *Homilías sobre Mateo* 1.6 (Nicene and Post-Nicene Fathers 10, pág. 3).

el hecho de que él defendió estas narraciones en un momento en el que el cristianismo era una pequeña minoría en un mundo hostil a la iglesia. La mayoría de los intelectuales de la época de Orígenes se burlaban del cristianismo. La cultura en general no estaba dispuesta a hacer la vista gorda ante los problemas de la Biblia. Orígenes no podía permitirse el lujo de depender principalmente de armonizaciones históricas forzadas o simplemente dejar asuntos abiertos para su futura resolución.

Al final, no es necesario que la Escritura esté libre de todas las inexactitudes a nivel literal para cumplir con su propósito inspirado de ser provechosa para enseñar, reprender, corregir y entrenar en la justicia (2 Ti. 3:16). Aun así, tiene sentido que los cristianos esperen que sus escritos sagrados no sean engañosos en su propósito o escritos por ignorancia. Los cristianos deben evaluar la exactitud fáctica de las Escrituras con caridad, dando al texto el beneficio de la duda cuando las cuestiones no están claras, siempre que tengamos presente que los textos bíblicos vienen de la antigüedad y reflejarán naturalmente las convenciones literarias e históricas del mundo antiguo. En cuanto a los antiguos enfoques cristianos para tratar los posibles problemas de hecho de la Escritura, la alegoría como mecanismo puramente defensivo no es particularmente útil hoy en día. Pero parece bastante realista afirmar que los escritores bíblicos presentaron a veces detalles textuales que no se ajustaban estrictamente a los hechos con el fin de hacer un punto teológico. Esto está sin duda detrás de muchas de las discrepancias en los Evangelios. Además, era sensato que figuras como Tertuliano y Juan Crisóstomo reconocieran problemas fácticos en cuestiones más pequeñas y al mismo tiempo afirmaran la verdad de la imagen básica de Jesús presentada por los Evangelios. El valor relativo a la inspiración bíblica que se discute en esta sección sigue siendo significativo hoy en día, pero debe ser explicado con el matiz adecuado.

15. La Escritura no está en conflicto con aprendizaje «pagano»

La mayoría de los Padres de la Iglesia fueron bien educados según los estándares de su época. Por lo tanto, estaban en una buena posición para comparar y contrastar la enseñanza de las Escrituras con la enseñanza de las principales escuelas filosóficas en temas importantes como la naturaleza del mundo físico y los principios de la ética. Especialmente en los primeros siglos, este proceso constante de evaluación fue impulsado por la iglesia al tratar de crear una identidad cristiana dentro del panorama intelectual más amplio. Ocasionalmente los cristianos afirmaban que la verdad de las escrituras estaba en tan directa oposición a la «falsedad pagana» que no había un terreno común entre ellos. Pero más a menudo los primeros cristianos concedían que el aprendizaje «pagano» poseía alguna medida de verdad. Cuando esta concesión estaba a la vista, los Padres de la Iglesia sostenían que la Escritura y el aprendizaje filosófico genuino no estarían en conflicto.

La expresión clásica de la oposición cristiana a la filosofía «pagana» es la serie de preguntas de Tertuliano, «¿Qué tiene que ver Atenas con Jerusalén? ¿Qué concordia hay entre la Academia y la Iglesia? ¿Qué entre herejes y cristianos?»[52] En oposición a Heráclito, Platón, Zenón el Estoico, los epicúreos y otros, Tertuliano cita Colosenses 2:8, «Mirad que nadie os haga cautivos por medio de su filosofía y vanas sutilezas, según la tradición de los hombres, conforme a los principios elementales del mundo y no según Cristo». Según Tertuliano, las nociones filosóficas son las «enseñanzas de los demonios» y la fuente de la herejía (vea 1 Ti. 4:1). Incluso si hoy en día pudiéramos ver ciertos aspectos del cristianismo de Tertuliano, como su rigor moral, como conectado a la atmósfera general del estoicismo romano, Tertuliano no lo habría visto de esa manera. Para Tertuliano, las Escrituras no estaban de acuerdo con el aprendizaje «pagano» porque el aprendizaje «pagano» estaba equivocado y la verdad de las Escrituras era correcta.

Lactancio, aunque califica su posición más que Tertuliano, expresa los mismos sentimientos básicos a menudo en sus *Institutos divinos*: Lo que los filósofos no hicieron, la doctrina celestial lo logra porque sólo ella es sabiduría.[53] De la misma manera Orígenes, que se imbuyó mucho del espíritu de la filosofía griega y ocasionalmente concedió que Platón había beneficiado a la humanidad, generalmente subrayó las deficiencias de la filosofía de Platón, incluso atribuyendo uno de los dichos de Platón al diablo.[54] Tertuliano representa una

[52] Tertuliano, *Prescripción contra los herejes* 7 (Ante-Nicene Fathers 3, pág. 246). Véase también *Tertullian: On the Testimony of the Soul, and "Prescription" of Heretics*, trad. T. Herbert Bindley (Londres: SPCK, 1914), pág. 45; y Early Latin Theology, trad. S. L. Greenslade, Library of Christian Classics (Philadelphia: Westminster, 1956), pág. 36.

[53] Por ejemplo, véase Lactancio, *Institutos divinos* 3.26-30.

[54] Por ejemplo, véase Orígenes, *Contra Celso* 6.2-10; 8.2-4. Mientras que el estilo simple de las Escrituras beneficia a muchos, dice Orígenes, el estilo refinado de Platón beneficia a pocos, si es que a alguno (6.2). Pero más tarde Orígenes dice que Platón ayudó a la humanidad (6.2) y dijo algo bueno (6.3), sin embargo, lo que Platón dijo bien no sirvió de mucho (6.4-5), aunque enseñó una profunda filosofía sobre el bien más elevado (6.5). El pasaje sobre el diablo

forma extrema de una corriente de pensamiento en el cristianismo temprano que enfatizaba el conflicto entre el error de la filosofía «pagana» y la verdad de las Escrituras cristianas.[55]

En general, sin embargo, era común para los cristianos otorgar cierta medida de credibilidad a la tradición filosófica «pagana». Esto presentaba el desafío de reconciliar la creencia en la perfecta revelación de la verdad en las Escrituras con la creencia de que alguna verdad se encontraba en la filosofía «pagana». Comenzando con los judíos de habla griega que vivieron en el siglo II a.C. y continuando en la iglesia primitiva, una forma común de responder a este desafío era argumentar que los filósofos «paganos» habían tomado prestadas sus mejores ideas de Moisés o de los profetas. En su obra apologética *La preparación del Evangelio*, Eusebio de Cesarea cita ampliamente a dos de los primeros autores judíos de habla griega, Aristóbulo y Artapano, que trataron de demostrar que muchas figuras intelectuales notables del pasado, entre ellas Orfeo, Pitágoras, Sócrates y Platón, se habían basado en los escritos de Moisés para desarrollar sus filosofías.[56] Clemente de Alejandría también argumentó de esta manera y citó a autores anteriores en apoyo, entre ellos Aristóbulo y el filósofo pitagórico Numenius, quien dijo: «¿Qué es Platón sino Moisés hablando griego?»[57] Que Moisés era de mayor antigüedad que los pensadores griegos y que era la fuente de sus doctrinas correctas era un tema común en las primeras obras apologéticas cristianas como el *Discurso a los griegos* de Taciano, las apologías de Justino Mártir, *A Autolico* de Teófilo y la *Ciudad de Dios* de Agustín.[58] Mientras que

---

inspirando un dicho de Platón se encuentra en *Contra Celso* 8.4 (vea Platón, *Fedón* 246e-247a). Orígenes parece haber estado algo conflictivo sobre el pensamiento platónico; vea Joseph W. Trigg, *Origen: The Bible and Philosophy in the Third-Century Church* (Atlanta: John Knox, 1983); Mark J. Edwards, *Origen against Plato* (Aldershot: Ashgate, 2002).

[55] Gregorio el Grande fue otra de las primeras figuras cristianas que a menudo mostraba una actitud negativa hacia el aprendizaje no cristiano; por ejemplo, en la frase «En toda la tierra de Israel no podía hallarse ningún herrero» (1 Sam. 13:19), Gregorio dice, «¿Qué significa esto, excepto que no nos equipamos para las guerras espirituales a través de la literatura secular sino a través de la literatura divina?» Vea Gregorio el Grande, *Comentario sobre 1 Reinos* (= 1 Samuel) 5.84 (*Corpus Christianorum, Series Latina* 144, pág. 471).

[56] Eusebio de Cesarea, *La preparación del Evangelio* 2.1; 9.27; 13.12.

[57] Véase Clemente de Alejandría, *Misceláneas* 1.15.66.1–73.6; 1.21.101.1–22.150.5; 1.25.165.1- 166.5 (véase *Clement of Alexandria: Stromateis, Books One to Three*, trad. John Ferguson, Fathers of the Church [Washington: Catholic University of America Press, 1991], págs. 72-78, 99- 135, 144-46). La cita de Numenio está en *Misceláneas* 1.22.150.4 (*Clement of Alexandria*, Ferguson, págs. 135). Sobre los beneficios parciales que se encuentran en la filosofía griega, vea *Miscelánea* 6.10.80.1–83.3 (Ante-Nicene Fathers 2, págs. 498-99).

[58] Taciano, *Discurso a los griegos* 31, 36-41; Justino, *1 Apología* 59; Teofilo, *A Autolico* 3.23; Agustín, *Ciudad de Dios* 18.37. Agustín sugiere que fue Jeremías quien introdujo a Platón en los escritos de Moisés mientras ambos estaban en Egipto, y «fue esto lo que le permitió [a Platón] aprender y escribir las cosas por las que es justamente alabado» (Agustín, *Sobre la enseñanza*

estos primeros judíos y cristianos estaban en lo correcto al fechar a Moisés antes que Sócrates, no hay por supuesto evidencia de que Sócrates o Platón realmente tomaran prestadas las Escrituras de Israel. Pero la historia de cómo Moisés fundó la tradición intelectual griega permitió a los primeros cristianos afirmar elementos de la filosofía griega y al mismo tiempo mantener su creencia en la singular veracidad de las Escrituras.

El concepto de Justino Mártir de la «Palabra divina seminal» representa otra vía en la iglesia primitiva para reconciliar la filosofía griega con las Escrituras. Según esta idea, la Palabra divina, es decir, el «Logos» de Dios, se hizo carne en la persona de Jesús (Jn. 1:1), por lo que Jesús representa todo el Logos en su forma pura. Sin embargo, el Logos no entró en el mundo por primera vez en la encarnación de Jesús, ni tampoco habló el Logos sólo a Moisés y a los profetas. Más bien, «Todo lo que los filósofos y legisladores descubrieron y expresaron bien, lo lograron mediante el descubrimiento y la contemplación de alguna parte del Logos. Pero, como no tenían un conocimiento completo del Logos, que es Cristo, a menudo se contradicen».[59] Justino identifica a Sócrates como un buen ejemplo de alguien que dijo la verdad como resultado de haber recibido una parte del Logos. Pero como Sócrates y otros como él sólo tenían una porción del Logos, todo lo que dijeron debe ser verificado y potencialmente corregido en base a la suprema revelación del Logos, Jesús. Justino explica,

> Me enorgullece decir que me esforcé con todas mis fuerzas para ser conocido como cristiano, no porque las enseñanzas de Platón sean diferentes de las de Cristo, sino porque no son en absoluto similares; tampoco lo son las de otros escritores, los estoicos, los poetas y los historiadores. Cada uno de ellos, viendo, a través de su participación en la seminal del Verbo Divino, lo que se relacionaba con ella, hablaba muy bien. Pero, los que se contradicen en asuntos

---

cristiana 2.28.43; véase *Saint Augustine: On Christian Teaching*, trad. R. P. H. Green, Oxford World's Classics [Oxford: Oxford University Press, 1999], pág. 55).

[59] Justino, *2 Apología* 10; véase *Saint Justin Martyr*, trad. Thomas B. Falls, Fathers of the Church (Nueva York: Christian Heritage, 1948), pág. 129. Véase también Jerónimo, *Comentario sobre Daniel* 1:2: «Por estos vasos debemos entender los dogmas de la verdad. Porque si se revisan todas las obras de los filósofos, necesariamente se encontrarán en ellas algunos vasos de las porciones de Dios. Por ejemplo, encontraréis en Platón que Dios es el modelador del universo, en Zenón el jefe de los estoicos, que hay habitantes en las regiones infernales y que las almas son inmortales, y que el honor es el único bien (verdadero). Pero como los filósofos combinan la verdad con el error y corrompen el bien de la naturaleza con muchos males, por eso se registra que sólo han capturado una parte de los vasos de la casa de Dios, y no todos en su totalidad y perfección»; véase *Jerome's Commentary on Daniel*, trad. Gleason L. Archer, Jr. (Grand Rapids: Baker, 1958), pág. 20.

> importantes evidentemente no adquirieron la sabiduría invisible [es decir, celestial] y el conocimiento indiscutible. Las verdades que los hombres de todas las tierras han dicho con razón nos pertenecen a nosotros los cristianos.... En efecto, todos los escritores, por medio de la semilla de la Palabra que les fue implantada, tuvieron una visión oscura de la verdad.[60]

Con este argumento, Justino pudo afirmar lo que consideraba cierto en cualquier escritor «pagano» y todavía ver a Jesús como el estándar de la verdad, todo sin necesidad de argumentar que los anteriores escritores «paganos» en realidad tomaron prestado de Moisés.

La huella del pensamiento griego es evidente en todos los escritos de muchos Padres de la Iglesia.[61] Algunos incluso estaban dispuestos a recomendar que los cristianos recibieran una educación «clásica», siempre que se centraran sólo en lo que fuera útil para la vida cristiana. Basilio el Grande afirma que «la enseñanza pagana no carece de utilidad para el alma» en su *Discurso a los jóvenes, sobre cómo podrían obtener beneficios de la literatura pagana*,[62] y Agustín en *Sobre la enseñanza cristiana* alienta a los cristianos a leer a los filósofos platónicos.[63] Gregorio de Nisa, Agustín y otros utilizaron la analogía de los israelitas que saqueaban a los egipcios para describir el proceso por el cual los cristianos podían hacer uso de la enseñanza pagana. Así como Israel tomó la plata y el oro que Egipto había utilizado para los ídolos y refundió estos materiales para hacer los

---

[60] Justino, *2 Apología* 13; véase *Saint Justin Martyr*, Falls, págs. 133-34. Vea los comentarios relacionados de Jerónimo, *Comentario sobre Mateo* 25:26-28: «"Cosecháis donde no habéis sembrado y recogéis donde no habéis esparcido2, entendemos que el Señor acepta la buena vida incluso de los gentiles y los filósofos. Él considera a los que se comportan de una manera justa y a los que se comportan injustamente de otra. Los que descuidan la ley escrita serán condenados en comparación con el que sirve a la ley natural»; véase *St. Jerome: Commentary on Matthew*, Scheck, pág. 288.

[61] Se pueden encontrar ejemplos de esto a lo largo del libro. Para ofrecer otra clara ilustración: Orígenes dice que Salomón pretendía enseñar las tres ramas de la filosofía a través de sus libros de sabiduría: la filosofía moral a través de los Proverbios, la filosofía natural a través del Eclesiastés, y la filosofía inspectora (o «contemplativa») a través del Cantar de los Cantares. Estas tres ramas ya estaban prefiguradas en los patriarcas Abraham, Isaac y Jacob. Según Orígenes, fue de Salomón que los griegos aprendieron estas categorías filosóficas (Orígenes, *Comentario sobre Cantar de los Cantares*, prólogo); véase *Origen: The Song of Songs, Commentary and Homilies*, trad. R. P. Lawson, Ancient Christian Writers (Nueva York: Newman, 1956), págs. 39-42, 44-45. Ambrosio igualmente encuentra la triple sabiduría de los filósofos «paganos», es decir, la filosofía natural, moral y racional, simbolizada por los tres pozos que Isaac cavó en Génesis 26:19-23 (Ambrosio, Comentario el Evangelio según Lucas, prólogo); véase Boniface Ramsey, *Ambrose*, The Early Church Fathers (Londres: Routledge, 1997), págs. 161-62. Obviamente, Orígenes y Ambrosio no aprendieron estas categorías de las Escrituras sino de su educación «pagana».

[62] Basilio, *Discurso a los jóvenes sobre la literatura griega* 4.1 (Loeb Classical Library).

[63] Agustín, *Sobre la enseñanza cristiana* 2.40.60.

muebles sagrados del Tabernáculo, así también los cristianos podían recibir el saqueo de la «enseñanza pagana», incluida la filosofía moral y natural, la geometría, la astronomía y la dialéctica, y llevarlos a la iglesia como ofrendas a Dios.[64] Este paradigma fue especialmente útil para los cristianos de los primeros cinco siglos, ya que la mayoría de los que recibieron una educación clásica durante este período lo hicieron en un contexto «pagano».[65]

Para ilustrar la forma en que los Padres de la Iglesia aplicaron los principios discutidos en esta sección al texto bíblico, consideraremos ahora cómo se interpretó Génesis 1 en relación con el pensamiento científico antiguo. Algunos de los primeros intérpretes cristianos de Génesis 1 prestaron poca atención a las afirmaciones de la filosofía natural. Orígenes, por ejemplo, interpreta Génesis 1 en términos puramente espirituales. Es obvio para Orígenes que el texto no debe ser tomado literalmente: «¿Qué hombre inteligente creerá que el primer, segundo y tercer día, la tarde y la mañana existían sin el sol, la luna y las estrellas?»[66] La «extensión» de Génesis 1:6 es nuestra «persona externa» (2 Co. 4:16), y las luces que nos iluminan son Cristo y la iglesia (Juan 8:12), con Moisés, Abraham, Isaac, Jacob, Isaías, etc. como estrellas.[67] El tratamiento de Efrén el Sirio en Génesis 1 es conciso y se centra en el sentido literal. Efrén comienza diciendo: «Que nadie piense que hay algo alegórico en las obras de los seis días». Efrén afirma que todo fue creado realmente en seis días, pero no intenta relacionar ninguno de los detalles con el aprendizaje «pagano».[68] La exposición de Juan Crisóstomo del Génesis 1 no es ni alegórica ni simplemente explicativa, sino que se dedica principalmente a la exhortación moral.[69] Ninguno de estos

[64] Gregorio de Nisa, *La vida de Moisés*, 2.115-16; véase también 2.37-41; Agustín, *Sobre la enseñanza cristiana* 2.18.28; 2.40.60–2.42.63. Vea también los comentarios de Orígenes en *Filocalia* 13.1-4. Véase Éxodo 3:20-22; 11:2-3; 12:35-36.

[65] Cabe destacar el intento de Juliano («Juliano el Apóstata», emperador 361-63) de prohibir a los cristianos la enseñanza en las escuelas. Juliano quiso aislar a los cristianos del sistema educativo. Si los cristianos no creían en los dioses tradicionales griegos y romanos, razonó Juliano, entonces no deberían enseñar la literatura tradicional. Juliano dijo, «Que ellos [es decir, los cristianos] se lleven a las iglesias de las Galileas para exponer a Mateo y Lucas» (Juliano, Epístola 36, Loeb Classical Library).

[66] Orígenes, *Sobre los principios* 4.3.1; véase *Origen: On First Principles*, trad. G. W. Butterworth (Nueva York: Harper & Row, 1966), pág. 288

[67] Orígenes, *Homilías sobre Génesis* 1.2, 5-7; véase *Origen: Homilies on Genesis and Exodus*, trad. Ronald E. Heine, Fathers of the Church (Washington: Catholic University of America Press, 1982), págs. 48-49, 53-56

[68] Efrén, *Comentario sobre Génesis* 1.1; 5.1; véase *St. Ephrem the Syrian: Selected Prose Works, Fathers of the Church* (Washington: Catholic University of America Press, 1994), págs. 74, 77-78, 91. Efrén dice que las plantas y los animales fueron creados con una apariencia vieja, aunque eran jóvenes (*Comentario sobre Génesis* 25.1).

[69] John Chrysostom, Homilies on Genesis 2-10.

intérpretes muestra mucho interés en lo que los filósofos naturales dijeron sobre el mundo creado.

Para otros intérpretes, sin embargo, era una prioridad tratar con la ciencia «pagana» al discutir Génesis 1. Vemos tres enfoques diferentes de este tema en Ambrosio, Basilio el Grande y Agustín. Para Ambrosio, la historia de la creación en Génesis 1 confronta y corrige las teorías «paganas». Ambrosio comienza su trabajo *Los seis días de la creación* con un resumen general de las opiniones sobre el mundo físico sostenidas por Platón, Aristóteles, Pitágoras y Demócrito. Luego pasa a introducir el texto bíblico diciendo: «Bajo la inspiración del Espíritu Santo, Moisés, un hombre santo, previó que estos errores aparecerían entre los hombres y tal vez ya habían aparecido».[70] A continuación, Ambrosio presenta a Moisés como el autor, haciendo hincapié en que fue «aprendido en todas las ciencias de los egipcios» e «instruido en todas las fases del aprendizaje secular». A partir de aquí, Ambrosio entreteje en su tratamiento de Génesis 1 numerosos comentarios dirigidos a mostrar cómo Moisés corrige las opiniones erróneas de los filósofos. Por ejemplo, (a) la tierra no está suspendida en medio del universo como ellos piensan, sino que está sostenida por la voluntad de Dios; (b) el agua puede efectivamente sentarse por encima de la esfera celestial (Gén. 1:7) —a pesar de las objeciones de los filósofos— porque los cielos son sólo esféricos por dentro, teniendo un techo exterior de forma cuadrada que puede contener el agua; (c) Dios, no el sol como ellos suponen, es el autor de la vegetación, porque la vegetación llegó a existir antes de que se hiciera el sol (Gén. 1:11-18). Como Ambrosio argumenta en todo momento, las opiniones de los filósofos no pueden resistir las palabras del profeta Moisés.[71]

Para Basilio, las enseñanzas de Génesis 1 y los hallazgos de las ciencias naturales son esencialmente compatibles. En *Los seis días de la creación*, Basilio rechaza «a los que no admiten el significado común de las Escrituras», que «dicen que el agua no es agua».

---

[70] Ambrosio, *Los seis días de la creación* 2.5; véase *Saint Ambrose: Hexameron, Paradise, and Cain and Abel*, trad. John J. Savage, Fathers of the Church (Nueva York: Fathers of the Church, 1961), pág. 5.

[71] Por ejemplo, véase *Saint Ambrose: Hexameron, Paradise, and Cain and Abel, Savage*, págs. 5-6 (la educación de Moisés), pág. 21 (la tierra sostenida por Dios), pág. 23 (los filósofos despectivos), pág. 24 (sus opiniones no pueden soportar las palabras de Moisés), págs. 52-53 (los cielos son esféricos con techo de forma cuadrada), pág. 87 (Dios, no el sol, hace la vegetación). Para una defensa de que la sombra de Ezequías realmente retrocedió diez pasos (2 Reyes 20:9) y que el sol se detuvo para Josué (Josué 10:12-14), véase Hipólito, *Comentario sobre Daniel* 1.7-8; véase *Hippolyte: Commentaire sur Daniel*, ed. y trad. Maurice Lefèvre, Sources chrétiennes (París: Cerf, 1947), págs. 80-84.

«Cuando escucho "hierba"», dice Basilio, «Pienso en la hierba, y de la misma manera entiendo todo como se dice, una planta, un pez, un animal salvaje y un buey. "De hecho, no me avergüenzo del Evangelio" [Rom. 1:16]».[72] Basilio promete así leer Génesis 1 como perteneciente al mundo físico. Como Ambrosio, menciona las opiniones de los filósofos griegos y señala cómo se contradicen entre sí y por lo tanto no se puede confiar en ellas. Pero lo que Basilio insiste como su gran error es la creencia de que el mundo surgió por casualidad.[73] Basilio intenta refutar este punto de vista siempre que surge, pero no gasta sus energías en *Los seis días de la creación* tratando de probar que el relato de Moisés es superior a la filosofía «pagana». Más bien, Basilio teje información sobre el mundo natural en su exposición, como para mostrar lo actualizado que estaba Moisés. Así, en Génesis 1:20, «Llénense las aguas de multitudes de seres vivientes», se dice que incluye a los anfibios, como las ranas, los cangrejos y los hipopótamos, y abarca tanto al «vipara, como las focas y los delfines y las rayas, y a los que como ellos se llaman cartilaginosos», como al «ovipara ... que son, a grandes rasgos, todas las clases diferentes de peces», es decir, peces con o sin escamas córneas y con o sin aletas.[74] Basilio no suele invocar las opiniones de los filósofos griegos para refutarlas, sino que utiliza su conocimiento de la filosofía natural para mostrar con qué éxito Génesis 1 describe la creación del mundo.

Finalmente, en su *Comentario literal sobre Génesis*, Agustín establece una visión para interpretar Génesis 1 que asume la coherencia entre lo que la Escritura enseña y lo que la verdadera filosofía natural sostiene. En esta obra, Agustín trata de la creación literal del mundo físico, pero también permite un uso considerable del lenguaje figurado.[75] Así, «Sea la luz» en Génesis 1:3 debe ser una expresión inmaterial de Dios en su Palabra eterna, porque antes de la creación de la materia no había posibilidad de sonido ni de lenguajes humanos. El «abismo» en Génesis 1:2 es una metáfora de «la vida que

---

[72] Basilio, *Los seis días de la creación* 9.1; véase *Saint Basil: Exegetic Homilies*, trad. A. C. Way, Fathers of the Church (Washington: Catholic University of America Press, 1963), págs. 135-36. Como dice Basilio, «Los que interpretan alegóricamente piensan que son más sabios que las revelaciones del Espíritu».

[73] Basilio, *Los seis días de la creación* 1.2.

[74] Basilio, *Los seis días de la creación* 7.1; véase Saint Basil: Exegetic Homilies, Way, págs. 105-6. El tratamiento que hace Basilio de los animales en las homilías 7 y 8 es particularmente interesante.

[75] Véase Agustín, *Comentario literal sobre Génesis* 8.2.5. Agustín contrasta este tratamiento «literal» con su anterior trabajo sobre Génesis dirigido contra los maniqueos, que se acercaba al texto principalmente a través de figuras y enigmas (véase *Dos libros sobre Génesis contra los maniqueos* 2.2.3 de Agustín).

no tiene forma a menos que se vuelva hacia su Creador», y las «aguas» representan «toda la creación material».[76] Estos ejemplos dan una idea de la interpretación física y a la vez metafórica que persigue Agustín.

Pero lo que nos interesa actualmente es la actitud de Agustín hacia Génesis y las ciencias naturales. Primero, Agustín cree que la Escritura, cuando se interpreta correctamente, nunca contradirá lo que aprendemos del mundo natural cuando los hechos han sido entendidos correctamente. Si una teoría humana sobre el mundo natural entra en conflicto con una presunta enseñanza de la Escritura, y «la razón debería probar que esta teoría es incuestionablemente verdadera», entonces «esta enseñanza nunca estuvo en la Sagrada Escritura, sino que fue una opinión propuesta por el hombre en su ignorancia». Agustín tiene claro que la razón y los hechos de la naturaleza pueden redirigir la forma en que los cristianos interpretan la Escritura. Puede ser que la Escritura enseñe precisamente lo mismo que las ciencias naturales, pero no tiene por qué ser así. La Escritura podría estar enseñando algo totalmente distinto, como una lección espiritual, que es diferente de la ciencia natural pero que sigue siendo verdadera. Pero cuando se interpreta correctamente, la Escritura nunca estará en conflicto con lo que la razón y la naturaleza nos dicen sobre el mundo natural.[77]

Además, Agustín advierte a los cristianos que no se involucren en debates innecesarios sobre Génesis y el mundo natural, no sea que esto quite la intención religiosa del texto bíblico. Agustín explica:

> Normalmente, incluso un no cristiano sabe algo sobre la tierra, los cielos y los otros elementos de este mundo, sobre el movimiento y la órbita de las estrellas e incluso su tamaño y posiciones relativas, sobre los eclipses predecibles de sol y luna, los ciclos de los años y las estaciones, sobre los tipos de animales, arbustos, piedras, etc., y este conocimiento lo mantiene como algo seguro por la razón y la experiencia. Ahora bien, es algo vergonzoso y peligroso para un infiel oír a un cristiano, presumiblemente dando el sentido de la Sagrada Escritura, decir tonterías sobre estos temas; y debemos tomar todos los medios para evitar una situación tan vergonzosa, en la que la gente muestra una vasta ignorancia en un cristiano y se ríe

[76] Agustín, *Comentario literal sobre Génesis* 1.2.5; 1.4.9; 1.9.16; 1.10.20 (La primera declaración de Dios fue inmaterial); 1.1.2 (sobre el «abismo»); 1.5.11 (sobre las «aguas»). Véase también el *Comentario literal sobre Génesis* 1.6.12 sobre la Trinidad.

[77] Véase Agustín, *Comentario literal sobre Génesis* 1.19.38; 1.21.41; 2.9.21; véase *St. Augustine: The Literal Meaning of Genesis*, vol. 1, trad. John Hammond Taylor, S.J., Ancient Christian Writers (Nueva York: Paulist, 1982), págs. 42, 45, 59.

> de ella con desprecio. La vergüenza no es tanto que se ridiculice a un individuo ignorante, sino que la gente fuera de la casa de la fe piense que nuestros escritores sagrados tenían tales opiniones, y, para gran pérdida de aquellos por cuya salvación trabajamos, los escritores de nuestra Escritura son criticados y rechazados como hombres ignorantes. Si encuentran a un cristiano equivocado en un campo que ellos mismos conocen bien y le oyen mantener sus tontas opiniones sobre nuestros libros, ¿cómo van a creer en esos libros en lo que se refiere a la resurrección de los muertos, la esperanza de vida eterna y el reino de los cielos, cuando piensan que sus páginas están llenas de falsedades sobre hechos que ellos mismos han aprendido de la experiencia y la luz de la razón? Los temerarios e incompetentes exponentes de la Sagrada Escritura traen incalculables problemas y penas a sus hermanos más sabios cuando se ven atrapados en una de sus traviesas opiniones falsas y son puestos a prueba por aquellos que no están obligados por la autoridad de nuestros libros sagrados.[78]

La mayoría de los cristianos modernos estarían de acuerdo en que podemos aprender verdades significativas sobre el mundo a partir de fuentes no bíblicas. Por supuesto, todas las vías para conocer la verdad implican alguna medida de interpretación; no es sólo la Escritura la que necesita ser interpretada. Pero las exploraciones en las ciencias naturales y en campos como la psicología y la antropología muestran que se pueden obtener valiosos conocimientos de fuentes que no se basan en la revelación cristiana. En vista de esto, sigue siendo importante la enseñanza cristiana de que lo que aprendemos como genuinamente verdadero de las fuentes «no cristianas» no será incompatible con lo que aprendemos como verdadero de la Escritura. Esta forma de pensar se basa en la creencia de que Dios es el único elemento unificador detrás de toda la verdad. Esta creencia puede impactar no sólo en cómo interpretamos el mundo que nos rodea sino también en lo que tomamos como enseñanza de las Escrituras. Obviamente, ya no se puede argumentar que todo el conocimiento significativo deriva en última instancia de Moisés. Sin embargo, la teología de Justino Mártir de la Palabra divina seminal ofrece una forma constructiva de pensar en Cristo como la fuente de toda la verdad que está justamente abierta a la actividad de la Palabra en general en la historia humana. En cuanto a la interpretación de Génesis 1, donde la forma literaria y el contexto

---

[78] Agustín, *Comentario literal sobre Génesis* 1.19.39; véase *St. Augustine: The Literal Meaning of Genesis*, vol. 1, Taylor, págs. 42-43. Véase también *Comentario literal sobre Génesis* 1.10.21; 2.1.4; 2.9.20

histórico son factores importantes, la cautela de Agustín al tratar de aprender la ciencia natural de Génesis sigue teniendo valor hoy en día.

16. El texto original de la Escritura es autoritativo

Los libros del Antiguo Testamento fueron escritos originalmente en hebreo, con la excepción de algunos capítulos escritos en arameo.[79] Tras las conquistas de Alejandro Magno en el siglo IV a.C., la lengua y la cultura griegas se extendieron por todo el mundo mediterráneo. En el siglo III a.C., los judíos de habla griega que vivían en Alejandría, Egipto, produjeron una traducción griega del Pentateuco para beneficio de los muchos lectores interesados que no sabían hebreo. Esta traducción del Pentateuco al griego fue conocida como la versión de los «Setenta» (traductores), es decir, «*Septuaginta*» en latín. El resto de las Escrituras hebreas (= Antiguo Testamento) fueron traducidas al griego durante los siguientes doscientos años, de modo que para el tiempo de Jesús y los apóstoles todo el Antiguo Testamento estaba disponible en traducción griega. En los primeros siglos de la era cristiana, el término Septuaginta (griego *hebdomēkonta*) se aplicó a la traducción griega de todo el Antiguo Testamento. Hoy en día los estudiosos usan este término para referirse a las traducciones originales de cada libro del Antiguo Testamento al griego.

En la época del Nuevo Testamento, el griego se había convertido en el idioma internacional más conocido en el mundo mediterráneo. El primer idioma escrito de la iglesia primitiva fue el griego, y todos los documentos que componen el Nuevo Testamento están en griego. Los Evangelios fueron compuestos en griego a pesar de que Jesús hablaba arameo.[80] Además, Pablo escribió su carta a los romanos no en latín sino en griego. El hecho de que estos primeros cristianos usaran el griego como su idioma de comunicación ayudó a que el cristianismo se extendiera por todo el mundo mediterráneo.

---

[79] Las porciones arameas del Antiguo Testamento son Daniel 2:4b-7:28; Esdras 4:8-6:18 y 7:12-26; Jeremías 10:11; y la frase «montón del testimonio» en Génesis 31:47. El arameo es una antigua lengua semítica estrechamente relacionada con el hebreo. Las inscripciones en arameo han sido fechadas en el siglo X a.C. El arameo fue usado más tarde como lenguaje administrativo por el Imperio babilónico, lo que explica la presencia del arameo en los libros relacionados con el exilio de Judá en Babilonia.

[80] Para ejemplos de dichos arameos de Jesús, vea Marcos 5:41; 15:34. Sobre los idiomas de Jesús y los Evangelios, vea Michael Graves, «The Languages of Palestine», en *Dictionary of Jesus and the Gospels*, 2da ed., ed. Joel B. Green, Jeannine K. Brown, y Nicholas Perrin (Downers Grove: InterVarsity, 2013).

La Septuaginta fue la principal fuente utilizada por los escritores del Nuevo Testamento para sus citas del Antiguo Testamento. Aun así, hay muchos lugares donde el Nuevo Testamento cita al Antiguo Testamento en versiones que difieren de la Septuaginta.[81] Algunas de estas citas se acercan más al texto hebreo tal como lo conocemos, pero otras no. Los estudiosos modernos han sugerido que algunos autores del Nuevo Testamento pueden haber citado pasajes del Antiguo Testamento de memoria o haber hecho sus propias traducciones interpretativas en el acto, o puede haber habido múltiples traducciones de algunas partes del Antiguo Testamento. En cualquier caso, el hecho importante que pertenece a nuestra discusión es este: los autores del Nuevo Testamento no muestran interés en asegurarse de que sus citas del Antiguo Testamento se adhieren precisamente al texto original.

Dos ejemplos ilustrarán esta falta de interés general. Primero, Hebreos 10:5-7 cita el Salmo 40:6-8, introduciendo la cita con «Cuando Cristo vino al mundo, dijo....» Según el hebreo original, el Salmo 40:6 comienza, «Sacrificios y ofrendas no has deseado, sino oídos que has cavado para mí» —esta última frase quizás significa «me has dado un oído abierto». En Hebreos, sin embargo, el original «orejas que has cavado para mí» se convierte en «un cuerpo que has preparado para mí». Al interpretar el versículo, el autor de Hebreos señala que «habremos sido santificados mediante la ofrenda del cuerpo de Jesucristo de una vez por todas». La cita en Hebreos no concuerda ni con el hebreo ni con la Septuaginta, pero la redacción particular del texto tal como aparece en Hebreos, con su referencia al «cuerpo» de Jesús, se integra en el punto que el escritor de Hebreos está haciendo.

El segundo ejemplo es la cita de Amós 9:11-12 en Hechos 15:16-17. En el contexto original de Amós, el texto habla de la restauración de la dinastía davídica («el tabernáculo de David»), con el siguiente resultado: «para que posean el remanente de Edom y todas las naciones que son llamadas por mi nombre». Se producen varios cambios en la cita del Nuevo Testamento. Primero, la palabra hebrea «Edom» se interpreta como «adán», es decir, «humanidad».[82]

---

[81] Véase Natalio Fernández Marcos, *The Septuagint in Context: Introduction to the Greek Versions of the Bible*, trad. W. G. E. Watson (Leiden: Brill, 2001), págs. 320-37.

[82] Las letras *aleph-daleth-mem* en hebreo pueden ser pronunciadas como «Edom» o «*adam*». El contexto del Antiguo Testamento favorece a «Edom», ya que va seguido de la frase «y todas las naciones», lo que implica que se acaba de mencionar una nación. En los manuscritos hebreos que nos han llegado, se añadió una letra vocal que marcaba un sonido de «o» para «Edom» para aclarar el significado, pero esta letra vocal aparentemente faltaba en el texto hebreo utilizado por

Segundo, mientras que el «remanente» es el objeto del verbo en el hebreo, se convierte en el sujeto del verbo en el griego. Tercero, el verbo «poseer» (hebreo *yarash*) se interpreta como si fuera el verbo «buscar» (hebreo *darash*). Como resultado, «que puedan poseer el remanente de Edom» se convierte en «que el remanente de la humanidad pueda buscar». Esta transformación ya había tenido lugar en la Septuaginta. El texto citado en Hechos 15:17 sigue a la Septuaginta, excepto que el escritor del Nuevo Testamento rellena el objeto perdido del verbo, produciendo, «que el remanente de la humanidad busque al Señor». Esta versión del texto encaja especialmente bien con el punto de Hechos 15, es decir, la inclusión de los gentiles a través de Jesús.

Se deben hacer dos importantes advertencias con respecto a la forma textual de las citas del Antiguo Testamento en el Nuevo Testamento. Primero, no todas las citas del Antiguo Testamento en el Nuevo Testamento implican una dificultad textual. Muchas de estas citas corresponden al hebreo de una manera relativamente sencilla. En segundo lugar, incluso cuando los problemas textuales han entrado en juego, hay generalmente una clara conexión teológica entre los pasajes del Antiguo y Nuevo Testamento. Por ejemplo, el pasaje de Amós 9 trata de la restauración de la monarquía davídica y la expansión del reino de Israel, presumiblemente mediante la conquista militar, para incluir a otras naciones. La cita de los Hechos, si bien deja de lado las dimensiones nacionales y militaristas del texto, aprovecha la conexión entre el gobierno de David y la inclusión de las naciones. Así pues, la presencia de un problema textual no resta importancia a la conexión temática general entre el texto original y el punto que el autor del Nuevo Testamento está señalando.[83]

Al mismo tiempo, la presencia de tantas citas libres del Antiguo Testamento en el Nuevo Testamento nos dice algo sobre los autores de estos textos. La disciplina de la crítica textual había existido en Alejandría desde el siglo III a.C. Eruditos como Aristófanes de Bizancio y Aristarco de Samotracia produjeron ediciones críticas de obras poéticas griegas e incluso utilizaron símbolos críticos para marcar lecturas variantes.[84] Pero no hay rastros de tal interés en el

---

los traductores de la Septuaginta, lo que no hizo más que exacerbar sus dificultades con este texto.

[83] El escenario histórico de la cita de Hechos 15 también es significativo. La cita de Amós 9 sigue esencialmente a la Septuaginta. ¿Pero no esperaríamos que Santiago, hablando en Jerusalén, citara el texto hebreo? ¿Es posible que lo hiciera y que el escritor de Hechos diera el texto en la forma basada en la Septuaginta?

[84] Véase Rudolph Pfeiffer, *History of Classical Scholarship: From the Beginning to the Hellenistic Age* (Oxford: Clarendon, 1968), págs. 171-279.

Nuevo Testamento. Los escritores del Nuevo Testamento no hacen ningún esfuerzo observable para conformar sus citas al texto hebreo, o a la Septuaginta, o a cualquier otro texto conocido. Además, no discuten las variantes textuales o los manuscritos. En resumen, los escritores del Nuevo Testamento no parecen interesados en la cuestión del texto original del Antiguo Testamento. Ellos dan toda la apariencia de ser pragmáticos, haciendo uso de cualquier versión que esté a mano con el fin de predicar el mensaje del evangelio.

La cuestión del texto del Antiguo Testamento fue finalmente abordada por los Padres de la Iglesia. La abrumadora mayoría de los primeros cristianos de este período atribuyeron la autoridad canónica a la Septuaginta.

Las primeras creencias cristianas sobre la Septuaginta derivan en última instancia de la *Carta de Aristeas*,[85] que fue compuesta en algún momento del siglo II a.C.[86] En ella se describe la traducción de la Ley (sólo el Pentateuco) al griego por setenta y dos traductores judíos bajo la dirección de Ptolomeo II de Filadelfia. *Aristeas* afirma la habilidad de los traductores, pero también insinúa un propósito divino en la traducción, afirmando que los setenta y dos traductores terminaron su trabajo en setenta y dos días, «como si esta coincidencia hubiera sido el resultado de algún diseño».[87] Este relato de la traducción griega de la Ley fue desarrollado a través de sucesivas capas de reafirmación, comenzando con los judíos de habla griega Filón y Josefo. Si bien la versión de Josefo es esencialmente no sobrenatural,[88] Filón añade varios elementos, incluida la mención explícita de la inspiración divina de los traductores[89] y la afirmación de que Dios había querido que la traducción beneficiara a la raza humana.[90]

El primer testigo cristiano del origen de la Septuaginta es Justino Mártir, quien relata que no sólo la «Ley» en sentido estricto (el Pentateuco), sino también los profetas (i.e., todo el Antiguo Testamento) fueron traducidos por orden del Rey Ptolomeo de Egipto.[91] Justino también reduce el número de traductores a setenta,

---

[85] La declaración de Aristóbulo sobre la traducción de la Ley, conservada en la *Preparación para el Evangelio* de Eusebio 13.12, no fue muy influyente.

[86] Moses Hadas sugiere una fecha poco después de la traducción de Sirac en 132 a.C.; véase Moses Hadas, ed. y trad., *Aristeas to Philocrates (Letter of Aristeas)* (Nueva York: Harper, 1951), pág. 54. Para otra traducción, vea «Letter of Aristeas», en *The Old Testament Pseudepigrapha*, vol. 2, ed. James H. Charlesworth (Nueva York: Doubleday, 1985), págs. 7-34.

[87] *Carta de Aristeas* 307; véase *Aristeas to Philocrates*, Hadas, pág. 221.

[88] Josefo, *Antigüedades judías* 12:11-118.

[89] Filón, *Vida de Moisés* 2.37.

[90] Filón, *Vida de Moisés* 2.36.

[91] Justino, *1 Apología* 31.

que se convirtió en el número tradicional.[92] Ireneo fue el primero en popularizar la leyenda de cómo cada uno de los traductores de la Septuaginta llegó milagrosamente a la misma traducción aunque trabajaban en celdas diferentes.[93] Afirma que los apóstoles confirman la autoridad de la Septuaginta, que fue inspirada por Dios para dar testimonio profético de la venida del Señor.[94] La historia de los traductores que trabajaban en celdas separadas también se encuentra en el tratado cristiano anónimo *Exhortación a los griegos*, en el que el autor afirma haber visitado la isla de Faros y haber visto las celdas reales donde se había hecho la traducción.[95] Clemente de Alejandría describe cómo los setenta traductores trabajaron por separado, pero llegaron a la misma traducción. Según Clemente, Dios inspiró a los traductores como profetas de acuerdo con su plan de poner las Escrituras a disposición del mundo griego.[96] En el siglo IV, Eusebio de Cesarea relata con cierto detalle la historia de la Septuaginta, siguiendo el relato de la *Carta de Aristeas*, acordando que Dios ordenó la Septuaginta como instrumento para la conversión de los griegos.[97] La inspiración y la autoridad de la Septuaginta fueron afirmadas por muchos otros Padres de la Iglesia, incluyendo a Cirilo de Jerusalén, Juan Crisóstomo, Epifanio de Salamina y Agustín.[98] Además, fue la Septuaginta la que sirvió de base para la traducción de la Escritura a otros idiomas, como el latín, el copto y el etíope. En resumen, la Septuaginta griega fue la versión autorizada más ampliamente reconocida del Antiguo Testamento durante el período de los Padres de la Iglesia.[99]

En su mayor parte, la creencia en la autoridad de la Septuaginta coincidía con una sensación de completa confianza en que los traductores habían reproducido con éxito el significado del original. Este ya era el caso de Filón, quien insistía en que la Septuaginta daba

---

[92] Justino, *Diálogo con Trifón* 71.
[93] Ireneo, *Contra las herejías* 3.21.2.
[94] Ireneo, *Contra las herejías* 3.21.3-4.
[95] *Exhortación a los griegos* 13. La historia de las celdas separadas no se menciona en las primeras fuentes y es sin duda ficticia, pero esto aparentemente no impidió que los antiguos «guías turísticos» sacaran provecho de la historia.
[96] Clemente de Alejandría, *Misceláneas* 1.22.148.1–149.3 (véase *Clement of Alexandria*, Ferguson, págs. 134-35).
[97] Eusebio, *Preparación para el Evangelio* 8.1–15.9.
[98] Por ejemplo, véase Cirilo de Jerusalén, *Conferencias catequéticas* 4.34; Juan Crisóstomo, *Homilías sobre Génesis* 4.9; *Homilías sobre* Mateo 5.4; Epifanio, *Sobre pesos y medidas* 3-11; Agustín, *Sobre la enseñanza cristiana* 2.15.22.
[99] Cabe señalar que en los tres primeros siglos sólo Tertuliano menciona la *Carta de Aristeas* por su nombre. Su versión de la leyenda de la Septuaginta sigue la *Carta* más de cerca que las de otros escritores, carece de elementos sobrenaturales, e incluso da el número de traductores como setenta y dos (Tertuliano, *Apología* 18.5-8).

el sentido literal y exacto del hebreo.[100] Aunque Orígenes era un caso único, también se mantuvo fiel a la Septuaginta. Orígenes compiló una Biblia multicolumna llamada la *Hexapla* que contenía el texto hebreo en una columna, una transliteración del hebreo a letras griegas en otra columna, y luego cuatro versiones griegas: la Septuaginta y tres traducciones griegas producidas en el siglo II d.C. (por Aquila, Símaco y Teodoción).[101] El objetivo de Orígenes al compilar esta Biblia paralela no era corregir la Septuaginta apelando al hebreo, sino mostrar a los cristianos que debatían con los judíos en qué se diferenciaba la Septuaginta del hebreo, y también poner a disposición las demás traducciones griegas para su uso en la interpretación bíblica.[102] Cuando Orígenes habló de corregir los errores textuales, parece haber tenido en mente simplemente restaurar la Septuaginta a su presunto estado prístino.[103] Otra teoría interesante fue sostenida por Hilario de Poitiers, quien creía que los traductores de la Septuaginta poseían un conocimiento secreto transmitido oralmente por Moisés y que incorporaban este conocimiento a su traducción. Esto hizo de la Septuaginta el mejor testigo superviviente del hebreo original, ya que el conocimiento secreto necesario para interpretar el texto hebreo ya no estaba disponible.[104] Teodoro de Mopsuestia no defendió la Septuaginta sobre la base de la inspiración, sino que se ciñó estrechamente al texto de la Septuaginta porque confiaba en la gran habilidad de los setenta traductores.[105] La mayoría de los Padres de la Iglesia no tenían la intención de elegir la Septuaginta sobre el hebreo original, pero asumieron que la Septuaginta capturaba el significado preciso del original. Como la mayoría de estos individuos no sabían hebreo, nunca se enfrentaron a las diferencias reales entre el texto hebreo y la Septuaginta.

---

[100] Filón, *Vida de Moisés* 2.38-40.

[101] Sobre *Hexapla* de Orígenes, véase Marcos, *Septuagint in Context*, págs. 204-22.

[102] Véase *Epístola a Africano* de Orígenes (Ante-Nicene Fathers 4, págs. 386-92). Para ejemplos de Orígenes interpretando más de un texto, vea sus *Homilías sobre Jeremías* 14.3-4; 15.5. Otros Padres de la Iglesia citan traducciones alternativas y las exponen; por ejemplo, Juan Crisóstomo, *Homilías sobre los Salmos* 8.5; 10.11; Jerónimo, *Comentario sobre Jeremías* 2:23c-24; 15:12; 22:13-17.

[103] Véase especialmente Orígenes, *Comentario sobre Mateo* 15.14 (Griechischen Christlichen Schriftsteller 40, pág. 387-89). Orígenes dice que pretende «curar» los desacuerdos en las copias del Antiguo Testamento. Parece creer que, al acercarse al hebreo, está restaurando la Septuaginta original. Sería posible leer este pasaje como si Orígenes tuviera la intención de corregir la Septuaginta basándose en el hebreo, pero esto no coincidiría con los puntos de vista de Orígenes, tal y como se afirma en su *Epístola a Africano* o su práctica general de basar sus interpretaciones en la Septuaginta. Vea también las *Homilías sobre Jeremías* de Orígenes 15.5; 16.5,10.

[104] Hilario, *Tractato sobre los Salmos* 2.2-3.

[105] Teodoro de Mopsuestia, *Comentario sobre Habacuc* 2:11.

Los rudimentarios estudios de Orígenes en hebreo y su diligente trabajo textual con las versiones griegas en la *Hexapla* dieron sus frutos en la persona de Jerónimo, que siguió el ejemplo de Orígenes y dio el siguiente paso de aprender suficiente hebreo para leer el Antiguo Testamento.[106] Jerónimo llegó a reconocer las diferencias entre el texto hebreo y la Septuaginta y finalmente adoptó el punto de vista de que la «verdad hebrea» (*hebraica veritas*) debería ser la norma para el Antiguo Testamento.[107] Lo importante para el presente debate es que el regreso de Jerónimo al hebreo se consideró radical en ese momento. Los prefacios de las traducciones de Jerónimo al latín basadas en el hebreo dan testimonio de las severas críticas que recibió por sugerir que el texto hebreo judío debía ser preferido a la Septuaginta de la iglesia.[108]

La reacción inicial de Agustín a la versión hebrea de Jerónimo fue negativa, y sólo después de un tiempo considerable llegó a aceptar la legitimidad del hebreo.[109] Incluso entonces, no abandonó su creencia en la inspiración de la Septuaginta, sino que simplemente aceptó el texto hebreo como inspirado junto a la Septuaginta, como se discutió en la sección 14 anterior. No fue sino hasta el siglo VII que el Antiguo Testamento basado en el hebreo de Jerónimo comenzó a desplazar a la versión (basada en la Septuaginta) del antiguo latín en Occidente, e incluso este reemplazo se basó más en la autoridad personal de Jerónimo y en su estilo latino superior que en la autoridad del texto hebreo.[110] Jerónimo fue la única figura de la iglesia primitiva

---

[106] Sobre la vida de Jerónimo y la interpretación bíblica en relación con el hebreo, vea *Jerome: Commentary on Jeremiah*, trad. Michael Graves, ed. C. A. Hall, Ancient Christian Texts (Downers Grove: InterVarsity, 2011), págs. xxiii-li.

[107] Por ejemplo, véase Jerónimo, *Comentario sobre Jeremías*, prólogo: «El libro de Baruc, que está incluido en la edición popular de los Setenta pero no se encuentra en el hebreo, y la carta pseudepigráfica de Jeremías, he juzgado que es totalmente indigno de tratamiento. Pero de las fuentes hebreas he tratado de enderezar el orden de Jeremías, que había sido confundido por los escribas, y de completar lo que faltaba en el libro, de modo que pueda tener lo nuevo de lo viejo, y el verdadero profeta en lugar del falso y corrompido» (véase *Jerome: Commentary on Jeremiah*, Graves, pág. 1). Esta cita muestra las implicaciones del giro de Jerónimo hacia el hebreo para la cuestión de qué libros deben ser incluidos en el canon. Al mismo tiempo, tenía una fuerte vena conservadora y continuó toda su vida citando libros «apócrifos», como Sabiduría de Salomón y Eclesiástico, aunque no estuvieran en el canon hebreo; véanse sus comentarios en el prefacio de su traducción de Samuel-Reyes (Nicene and Post-Nicene Fathers, series 2, vol. 6, pág. 490).

[108] Además de los prefacios de Jerónimo, véase Rufino, *Apología contra Jeronimo* 2.32-37

[109] Sobre la reacción inicial de Agustín, vea Agustín, *Epístolas* 28 y 71. Vea también *Sobre la enseñanza cristiana* 2.15.22 (escrita en 396); *Epístola* 82. La actitud más abierta de Agustín se encuentra en *Ciudad de Dios* 18.42-44 (escrita después del 420) y *Sobre la enseñanza cristiana* 4.7.15 (escrita a finales del 420).

[110] Véase H. F. D. Sparks, «Jerome as Biblical Scholar», en *The Cambridge History of the Bible. Volume 1: From the Beginnings to Jerome*, ed. P. R. Ackroyd y C. F. Evans (Cambridge: Cambridge University Press, 1970), pág. 521.

que consideró el texto original del Antiguo Testamento como autoritario frente a la Septuaginta.

La situación descrita en este capítulo se refiere específicamente al Antiguo Testamento. Para el Nuevo Testamento, el griego original era considerado, por supuesto, como el estándar autoritario.[111] Los cristianos griegos podían leer el Nuevo Testamento en el original, y para los cristianos que hablaban latín, sirio o cualquier otro idioma cristiano primitivo, no era muy difícil encontrar a alguien que pudiera explicar el significado del griego original. Este no era el caso del hebreo. Para esta época, el conocimiento del hebreo se limitaba principalmente a los círculos judíos.[112] La mayoría de los primeros cristianos leen el Antiguo Testamento estrictamente en traducción. Esto a menudo tenía un impacto significativo en la forma en que interpretaban el texto, especialmente a la luz de su énfasis en los detalles.[113]

Desde el Renacimiento ha habido continuos avances en nuestra comprensión de la historia textual de los libros bíblicos. Estos avances han sido alentados por mejoras en los métodos de investigación, nuevos descubrimientos textuales, y (para el Antiguo Testamento) la plena apreciación de la tradición de los manuscritos hebreos tal y como han sido preservados por los judíos. Este mayor conocimiento de las primeras formas conocidas de textos bíblicos ha sido extremadamente beneficioso para nuestra comprensión de numerosos pasajes de la Escritura. Las traducciones antiguas del Antiguo

---

[111] Sin embargo, Jerónimo se queja de que algunas personas se quejan contra él incluso por corregir los textos del Evangelio en latín según el griego original; vea *Vulgate Gospels*, prefacio (Nicene and Post-Nicene Fathers, series 2, vol. 6, págs. 488).

[112] Jerónimo se inició en el estudio del hebreo con un judío convertido al cristianismo (Jerónimo, *Epístola* 125.12).

[113] A continuación, se presenta un ejemplo de interpretación basado en un detalle textual de la traducción: En el idioma hebreo, hay una forma de expresar el énfasis en hacer una acción, diciendo «*ciertamente* lo hará» en lugar de simplemente «lo hará». Esto se hace colocando el infinitivo del verbo junto a la forma indicativa del verbo. Así, en Génesis 2:17, *mot tamut* significa «*ciertamente* morirás» (literalmente, «para morir, morirás»). Los traductores de la Septuaginta y de la versión latina antigua no siempre tradujeron esta construcción idiomáticamente, y esto causó problemas a los comentaristas. Así, en Éxodo 22:23 (hebreo *'anneh te'anneh*, «Si *de hecho* los afliges...»), la Septuaginta se tradujo de forma rígida: «Si *con aflicción* los afliges....» Según Filón, esto implica que también se puede afligir a alguien con el bien; de lo contrario, sería superfluo decir «*con aflicción* los afliges» (*Sobre la unión para los estudios preliminares* 178). El mismo fenómeno se produjo en latín. Por *mot tamut* en Génesis 2:17, la versión latina antigua tradujo «*por la muerte* morirás» (en lugar de «seguramente morirás»). Agustín explica que el texto señala dos actos de muerte, el primero y el segundo (vea Ap. 20:6, 14; 21:8). El comentario de Agustín tiene más sentido cuando nos damos cuenta de que dos palabras «morir» están delante de él en el texto. En el idioma hebreo, no hay dos muertes involucradas. Pero la peculiar lectura del latín antiguo, que seguía a la Septuaginta en su traducción rígida del idioma hebreo subyacente, le dio a Agustín una puerta abierta para identificar dos muertes en el pasaje (Agustín, *Ciudad de Dios* 13.12).

Testamento, como la Septuaginta, siguen siendo importantes testigos de los primeros textos de los que fueron traducidos (por ejemplo, la Septuaginta para cualquier libro dado sigue siendo un importante testigo del texto hebreo del que fue traducido). Además, las traducciones antiguas sirven como valiosos testigos de cómo los primeros cristianos interpretaban las Escrituras en sus contextos. Sin embargo, para la mayoría de los lectores modernos es obvio que nuestras mejores reconstrucciones de los textos originales de los libros bíblicos en sus idiomas originales proporcionan la base más firme para escuchar el mensaje de las Escrituras hoy en día.

Los Padres de la Iglesia generalmente asumieron que los hechos relatados en las Escrituras eran correctos y que los eventos narrados en las Escrituras tuvieron lugar. Ocasionalmente, ciertos Padres de la Iglesia expresaron la idea de que la facticidad o historicidad de las Escrituras era una implicación de la inspiración divina. Para algunos de los primeros intérpretes cristianos, los problemas en el nivel de facticidad o historicidad señalaban la presencia de un nivel espiritual de significado. Si bien ninguno de los primeros cristianos examinados en este capítulo dudaba de la posibilidad de que se produjeran milagros, la historicidad de ciertos acontecimientos podía cuestionarse por motivos de inverosimilitud, aparte de la cuestión de si se producían milagros. La enseñanza de las Escrituras se consideraba obviamente superior a la enseñanza «pagana», aunque los primeros capítulos de Génesis podían leerse con la ayuda de las ciencias naturales, o con la intención explícita de no contradecir las ciencias naturales. Excepto por Jerónimo y Orígenes, los Padres de la Iglesia no se esforzaron en estudiar el Antiguo Testamento en el hebreo original. Los cristianos en general aceptaron la autoridad de la Septuaginta griega, y muchos creyeron que esta traducción era inspirada. Los primeros cristianos tenían un interés en la facticidad e historicidad, pero la importancia de estos temas se medía en equilibrio con otros componentes de la inspiración divina, como la utilidad y el significado espiritual de las Escrituras.

CAPÍTULO SEIS

Acuerdo con verdad

Mientras que el capítulo anterior trataba de las afirmaciones de la Escritura en relación con el mundo físico (hechos e historia), el presente capítulo trata de la veracidad de la Escritura en relación con su tema espiritual. Como regla general, los Padres de la Iglesia consideraron la veracidad de la enseñanza de la Escritura como un compromiso de la inspiración bíblica. Hemos visto en capítulos anteriores la variedad de formas en que los primeros cristianos pensaban sobre el lenguaje de la Escritura y cómo debe ser interpretado. Pero cualquier otro punto de diversidad que se pueda encontrar entre los Padres de la Iglesia, todos buscaban en las Escrituras la verdadera enseñanza de la fe cristiana. Sólo con referencia a temas específicos surgieron complicaciones. En estas secciones finales discutiré algunos de estos temas.

17. La enseñanza de la Escritura es internamente consistente

Si la inspiración de la Escritura asegura que lo que enseña es verdad, y toda la Escritura es inspirada por Dios, es lógico concluir que las enseñanzas que se encuentran a lo largo del canon bíblico deben ser armoniosas entre sí. No puede haber contradicciones en la enseñanza de la Escritura. Lo que está en juego aquí es la posibilidad de contradicciones no en los hechos, sino en el mensaje. El mensaje de la Escritura debe ser consistente, sin conflictos internos.

Se pueden dar numerosos ejemplos para ilustrar la creencia de los Padres de la Iglesia en la consistencia interna de las Escrituras. Tertuliano, comentando la discusión del apóstol Pablo sobre el nuevo matrimonio en 1 Corintios 7, dice,

> Esta, entonces, es nuestra interpretación del pasaje. Debemos examinarlo para ver si armoniza con el tiempo y la ocasión del escrito, con las ilustraciones y los argumentos utilizados anteriormente, así como con las afirmaciones y opiniones que siguen después, y —lo más importante de todo— si está de acuerdo con los consejos del Apóstol y su propia práctica personal. Obviamente, no hay nada que se pueda evitar más seductoramente que la incoherencia.[1]

La obra apologética de los primeros cristianos *Exhortación a los griegos* contrasta las afirmaciones contradictorias de los filósofos «paganos» con las enseñanzas armoniosas de los escritores inspirados de la Escritura: «como si por una boca y una lengua, sin contradecirse a sí mismos ni a otros, nos hubieran instruido acerca de Dios, el origen del mundo, la creación de la humanidad, la inmortalidad del alma, el juicio futuro y todas las demás cosas que debemos conocer».[2] En su *Diálogo contra los pelagianos*, Jerónimo aborda la cuestión de por qué ni siquiera los apóstoles pudieron alcanzar la perfección, a pesar de que Jesús ordenó: «Sed, pues, vosotros perfectos, como vuestro Padre celestial es perfecto» (Mt. 5:48). Jerónimo explica que los diferentes testimonios de la Escritura no discreparán en última instancia cuando se considere el momento y el lugar específicos de los testimonios, «para que no parezca que el Espíritu Santo es contradictorio». Agustín proporciona una declaración clara sobre la coherencia de la Escritura al responder a los argumentos de cierto hombre llamado Fausto, que argumentaba sobre la base de Romanos 1:3 («que era descendiente de David según la carne») y 2 Corintios 5:16 («Aunque en otro tiempo considerábamos a Cristo según la carne, ya no lo consideramos así») que Pablo cambió de opinión sobre si Jesús había nacido físicamente de David. Agustín explica los dos

---

[1] Tertuliano, *Sobre monogamia* 11; véase *Tertullian: Treatises on Marriage and Remarriage*, trad. William P. Le Saint, Ancient Christian Writers (Nueva York: Newman, 1951), págs. 98. Véase también el tratado de Tertuliano *Sobre el alma* 21, donde indica que sus oponentes citaron Lucas 6:43, «Porque ningún árbol bueno da malos frutos, ni tampoco un árbol malo da buenos frutos», para demostrar que la naturaleza fundamental de los seres humanos no puede cambiar. Tertuliano contrarresta citando otros pasajes de las Escrituras, como Mateo 3:9, «Dios es capaz de levantar hijos para Abraham a partir de estas piedras», Efesios 2:3, y 1 Corintios 6:11, que demuestran que la naturaleza de los seres humanos puede cambiar por el poder de Dios. El punto de Tertuliano es que Lucas 6:43 no puede enseñar algo diferente a estos textos: «La Sagrada Escritura, sin embargo, nunca es contradictoria»; véase *Tertullian: Apologetical Works, and Minucius Felix: Octavius*, trad. R. Arbesmann, E. J. Daly, y E. A. Quain, Fathers of the Church (Washington: Catholic University of America Press, 1950), pág. 229.

[2] *Exhortación a los griegos* 8; véase *Saint Justin Martyr*, trad. Thomas B. Falls, Fathers of the Church (Nueva York: Christian Heritage, 1948), pág. 384. Aunque no fue escrita por Justino, la *Exhortación a los griegos* se conservó como parte del corpus de los escritos de Justino Mártir y está incluida junto con las obras de Justino en la serie de los Padres de la Iglesia.

pasajes de tal manera que ambos enseñan la encarnación, justificando su procedimiento con la siguiente observación:

> Los libros de los autores posteriores se distinguen de la excelencia de la autoridad canónica del Antiguo y Nuevo Testamento, que ha sido confirmada desde los tiempos de los apóstoles a través de las sucesiones de obispos y la difusión de las iglesias. Ha sido puesta en alto, como en una especie de trono, y todo intelecto creyente y piadoso debe obedecerla. Si algo allí le parece absurdo a una persona, no se puede decir: «El autor de este libro no tenía la verdad», sino: «O el manuscrito es defectuoso, o el traductor se equivocó, o no lo entiendes»... Por lo tanto, quienquiera que sea, a quien estos textos han molestado como si fueran contradictorios, porque está escrito en un lugar que el Hijo de Dios es descendiente de David pero en otro, «Y si conocimos a Cristo según la carne, ya no lo conocemos de esa manera», aunque ambas afirmaciones no se hayan tomado de los escritos de un apóstol, sino que Pablo había hecho una de ellas y Pedro o Isaías o cualquier otro apóstol o profeta había hecho la otra, todos están de acuerdo entre sí en la autoridad canónica. Por lo tanto, debemos creer con la más justa y prudente piedad que fueron habladas como si fueran de una sola boca.[3]

Agustín afirma explícitamente lo que la mayoría de los Padres de la Iglesia creían y practicaban en su lectura de la Escritura, a saber, que las enseñanzas de las diferentes partes de la Escritura no se contradicen entre sí cuando se han comprendido correctamente.

En algunos casos, los posibles conflictos entre los diferentes pasajes de la Escritura se armonizaron a nivel literal. Por ejemplo, Jerónimo aborda la posible contradicción entre Romanos 2:25 y Gálatas 5:2 sobre el valor de la circuncisión señalando las diferentes audiencias a las que se dirigen las dos cartas y afirmando que Pablo matiza su afirmación en Romanos 2:25 más adelante en el libro de Romanos.[4] Como otro ejemplo, Orígenes sostiene el sentido literal de Jeremías 4:1-2, que afirma el juramento en el nombre del Señor, y también Mateo 5:34, que prohíbe tomar juramentos, sugiriendo que el cristiano novato debe jurar «en verdad, en justicia y en rectitud» (Jer. 4:2), mientras que los cristianos más avanzados no jurarán en absoluto, dejando que lo que digan sea simplemente «Sí» o «No» (Mt. 5:37).[5]

---

[3] Agustín, *Respuesta a Fausto el maniqueo* 11.5-6; véase *Saint Augustine: Answer to Faustus, a Manichean*, trad. Roland Teske, S.J., Works of Saint Augustine (Hyde Park: New City, 2007), pág. 119.

[4] Jerónimo, *Comentario sobre Gálatas* 5:2.

[5] Orígenes, *Homilías sobre Jeremías* 5.12.1.

La presencia de conflictos potenciales también podría apuntar a un significado más allá del nivel literal. Dídimo el Ciego explica que, cuando dos textos bíblicos parecen estar en conflicto, es permisible forzar a uno de los textos a estar de acuerdo con el otro. Esto se debe a que toda la Escritura inspirada tiene un sentido superior, y así como no se le diría a un experto en geometría que no sabe dibujar una determinada figura, tampoco se debería decir que el Espíritu Santo no sabe lo que dice. Según una hipótesis propuesta por Dídimo, podemos forzar a un acuerdo el sentido literal de un texto cuya concordancia no es clara, ya que el sentido superior es claro y alivia la contradicción.[6] Justino Mártir ilustra cómo se pueden resolver enseñanzas aparentemente contradictorias cuando aborda el problema de la serpiente de bronce de Moisés en Números 21. Dado que Moisés prohibió la fabricación de una imagen o semejanza de cualquier cosa en los cielos o en la tierra (Éx. 20:4), ¿por qué entonces Dios le ordena a Moisés que haga una serpiente de bronce para ser colocada en un poste para que el pueblo la vea y se salve (Núm. 21:8-9)? Según Justino, la aparente contradicción se resuelve cuando nos damos cuenta de que Dios estaba anunciando un misterio a través de esta acción. El misterio, por supuesto, es que Dios quebrantaría el poder de la serpiente a través de la cruz de Jesús (véase Juan 3:14).[7] En lo que respecta a Justino, ninguna otra interpretación puede explicar por qué Moisés violaría tan descaradamente la prohibición de las imágenes. Debe ser un misterio que apunta a Cristo.

La relación entre el Antiguo y el Nuevo Testamento constituía un problema especial para los primeros cristianos. Figuras como Marción suscitaron grandes controversias en el siglo II al afirmar que se adherían a la enseñanza apostólica y al mismo tiempo rechazaban el Antiguo Testamento. En contraste con esto, la corriente principal de la iglesia en todo el mundo mediterráneo y Mesopotamia siguió los documentos del Nuevo Testamento al creer que el Antiguo Testamento estaba en armonía con las enseñanzas de Jesús y los apóstoles. Cirilo de Jerusalén explica el punto de vista de la mayoría de los cristianos en sus *Conferencias catequéticas*: «Por lo tanto, que nadie trace una línea entre el Antiguo Testamento y el Nuevo. Que

[6] Dídimo el Ciego, *Comentario sobre Eclesiastés*, fragmento de un papiro encontrado en Tura en Egipto. En este difícil texto he seguido la edición de Michael Fiedrowicz, *Principes de l'interprétation de l'Écriture dans l'Église ancienne* (Berne: Lang, 1998), págs. 78-80. Dídimo también menciona en este texto una crítica hecha por Porfirio contra la interpretación espiritual cristiana, y describe una lectura alegórica de Homero tal que Aquiles se asemeja a Cristo y Héctor al diablo.

[7] Justino, *Diálogo con Trifón* 94.

nadie diga que el Espíritu en el Antiguo Testamento no es idéntico al Espíritu en el Nuevo. Porque quien lo hace no ofende a nadie más que al Espíritu Santo, que es honrado con un solo honor junto con el Padre y el Hijo».[8] Según Orígenes el «Antiguo Testamento» no es realmente «antiguo» para los cristianos, porque interpretan el texto de manera espiritual:

> La ley se convierte en un «Antiguo Testamento» sólo para aquellos que quieren entenderla de manera carnal; y para ellos se ha vuelto necesariamente antigua y envejecida, porque no puede mantener su fuerza. Pero para nosotros, que la entendemos y explicamos espiritualmente y según el sentido evangélico, es siempre nueva. De hecho, ambos son «Nuevos Testamentos» para nosotros, no por la edad del tiempo sino por la novedad del entendimiento.[9]

La creencia en la armonía entre los testamentos permitió a los cristianos ver los paradigmas del Nuevo Testamento prefigurados en el Antiguo Testamento. Como dice Jerónimo, «Todo lo que se dijo en ese momento al pueblo israelita se refiere ahora a la iglesia, de modo que los "santos profetas" se convierten en "apóstoles y hombres apostólicos", y los "profetas mentirosos y frenéticos" se convierten en "todos los herejes"».[10]

La coherencia de la enseñanza entre el Antiguo y el Nuevo Testamento se veía en términos de sombra y cumplimiento, o bien a través de temas teológicos a menudo identificados a través de la interpretación espiritual. Las decisiones interpretativas más importantes giraron en torno al material legal del Pentateuco. Levítico 11-15 dice que ciertos animales son inmundos para la alimentación. Jesús, sin embargo, indicó que todos los «alimentos» (interpretados literalmente) son limpios, pero que debemos interpretar las categorías de limpio e inmundo éticamente (Mc. 7:14-23). En este caso, al menos algunos cristianos creían que la interpretación ética de la

---

[8] Cirilo de Jerusalén, *Conferencias catequéticas* 16.4; véase *Cyril of Jerusalem and Nemesius of Emesa*, trad. William Telfer, Library of Christian Classics (Philadelphia: Westminster, 1955), pág. 169. Véase también, de Jerónimo, *Comentario sobre Eclesiastés* 11:6-8; 12:12, donde argumenta que el Antiguo y el Nuevo Testamento son un solo cuerpo y que todos los diversos libros de la Escritura teológicamente comprenden un solo libro.

[9] Orígenes, *Homilías sobre Números* 9.4; véase *Origen: Homilies on Numbers*, trad. Thomas P. Scheck, ed. C. A. Hall, Ancient Christian Texts (Downers Grove: InterVarsity, 2009), pág. 39.

[10] Jerónimo, *Comentario sobre Ezequiel* 13:1-3a (Corpus Christianorum, Series Latina 75, p. 137). See also Jerome, Commentary on Jeremiah 30:18-22: «Todo lo que tuvo lugar "carnalmente" entre las personas anteriores se cumple espiritualmente en la iglesia» (vea *Jerome: Commentary on Jeremiah*, trad. Michael Graves, ed. C. A. Hall, Ancient Christian Texts [Downers Grove: InterVarsity, 2011], pág. 188).

«inmundicia» dada por Jesús era la intención original de Levítico.[11] En otro orden de cosas, Jerónimo reconoció que el Antiguo Testamento originalmente ordenaba la observancia literal del Shabat, pero argumentó que Jesús, como Dios, tenía la autoridad para alterar este mandamiento y que ahora era obligatorio que los cristianos interpretaran el Shabat en sentido figurado.[12] Como otro ejemplo, a nivel del discurso humano, Levítico afirma repetidamente que la expiación y el perdón vienen a través del sacrificio de animales, pero Orígenes sigue el libro de Hebreos del Nuevo Testamento al insistir en que estos sacrificios eran en última instancia sombras de la realidad que vendría en la muerte de Jesús.[13]

La sabiduría y los libros poéticos del Antiguo Testamento presentaban un desafío particular para los primeros intérpretes cristianos. ¿Qué podía decir un cristiano sobre Eclesiastés 3:16-22, que dice que las bestias y los humanos van al mismo lugar cuando mueren y pregunta si el espíritu humano sube y el espíritu de la bestia baja a la tierra? Jerónimo trata este difícil texto afirmando que antes de la venida de Jesús todas las almas humanas bajaron al Hades, y que «Quién sabe...» en Eclesiastés 3:21 sugiere no algo imposible sino algo difícil.[14] Además, Jerónimo señala las similitudes entre Eclesiastés y los Evangelios, como sus enseñanzas sobre la vanidad de acumular riquezas terrenales.[15] En cuanto a los Salmos, ¿cómo se supone que los cristianos, que creen en la resurrección, debían leer un pasaje como el Salmo 6:5, «Porque en la muerte no hay memoria de ti»? En este pasaje, Agustín interpreta la «muerte» como una referencia al tipo de pecado que hace que uno no se acuerde de Dios.[16]

---

[11] Por ejemplo, véase *Epístola de Barnabé* 10; Ireneo, *Contra las herejías* 5.8.3.

[12] El Shabat fue ordenado no sólo en la Ley (e.g., Éx. 20:8-11; Núm. 15:32- 36; Dt. 5:12-15) sino también en los Profetas (e.g., Is. 56:6; Jer. 17:19-27). Sobre Jesús y el Shabat, vea Mt. 12:1-14; Mc. 2:23-28; Lc. 6:1-5; y Jn. 5:18. Sobre las opiniones de Jerónimo, véase *Homilía* 72 (véase *The Homilies of Saint Jerome*, vol. 2, trad. M. L. Ewald, Fathers of the Church [Washington: Catholic University of America Press, 1965], pág. 139); y *Comentario sobre Jeremías* 17:21-27.

[13] Véase Levítico 4:20, 26, 31, 35; 5:10, 13, 16, 18; 6:7; 19:22; Hebreos 10:1-4, 11; Orígenes, *Homilías sobre Levítico* 2.2.5; 3.5.1; 8.5.3; 10.1.2; 12.1.1; 13.3.3; 15.3.2. Como dice Hebreos 10:4, «Es imposible que la sangre de los toros y de los machos cabríos quite los pecados».

[14] Jerónimo, *Comentario sobre Eclesiastés* 3:18-21; véase *St. Jerome: Commentary on Ecclesiastes*, trad. Richard J. Goodrich y David J. D. Miller, Ancient Christian Writers (Nueva York: Newman, 2012), págs. 63-64. Jerónimo señala Génesis 37:35; Job 17:13; 21:13; 24:19; y Lucas 16:19-31 para mostrar que antes de la muerte de Cristo todas las almas fueron al Hades, y Lucas 23:43 entre otros textos para mostrar que Cristo abrió el camino al Paraíso.

[15] Jerónimo, *Comentario sobre Eclesiastés* 2:18-19. Jerónimo cita como paralela la parábola del rico necio en Lucas 12:16-21.

[16] Agustín, *Exposiciones de los Salmos* 6.6; véase también 38.22, sobre el Salmo 39:13, «... antes de que me vaya y no esté más»; 87.11-12, sobre el Salmo 88:11, «¿Se ha declarado en el sepulcro tu amor firme, o tu fidelidad está en ruinas?»

Dado que el Nuevo Testamento ofrece una imagen más clara de lo que le ocurre a la gente cuando muere, los primeros intérpretes cristianos necesitaban actualizar la teología de muchos textos de sabiduría del Antiguo Testamento relacionados con la muerte.

En general, el sentido de coherencia teológica entre los testamentos era más fuerte en los lugares donde los primeros intérpretes cristianos creían que simplemente seguían las intenciones originales de los escritores del Antiguo Testamento. No hay conflicto entre el Levítico 11-15 y el Nuevo Testamento si Moisés escribió las leyes de alimentos en primer lugar para enseñar ética. O de nuevo, si Moisés hizo la serpiente de bronce específicamente para señalar misteriosamente a Jesús, entonces estaba claramente en armonía con ambos testamentos encontrar la crucifixión de Jesús simbolizada allí. Aun así, los cristianos a veces estaban dispuestos a reconocer las diferencias entre lo que enseñaban y lo que el Antiguo Testamento declaraba originalmente en su sentido literal. Los comentarios de Jerónimo sobre el Shabat son un buen ejemplo. En estos casos, los cristianos creían que la venida de Jesús trajo un cambio en la forma anterior de leer el Antiguo Testamento, pero también que la nueva lectura cristiana estaba en armonía con el objetivo teológico más amplio del pasaje del Antiguo Testamento. Agustín, que creía en el cumplimiento espiritual de las profecías del Antiguo Testamento, reconoció sin embargo que «los hombres justos de antaño visualizaron el reino de los cielos como un reino terrenal, y lo predijeron en consecuencia».[17] Puede que el cumplimiento cristiano no coincida perfectamente con la forma en que se describió originalmente la predicción, pero los cristianos creían que el cumplimiento se ajustaba al espíritu de la predicción original, sólo que de mayor alcance.

Las aparentes discrepancias entre los pasajes de las Escrituras se consideraban un problema, y reconciliarlas era una actividad loable. Los antiguos rabinos veían posibles conflictos entre los reglamentos sacerdotales del libro de Ezequiel y las leyes de la Torá.[18] Cierto rabino llamado Hananías, hijo de Ezequías, recibió elogios por armonizarlos juntos. El Talmud informa: «En verdad, ese hombre,

---

[17] Agustín, *Sobre la enseñanza cristiana* 3.12.20; véase *Saint Augustine: On Christian Teaching*, trad. R. P. H. Green, Oxford World's Classics (Oxford: Oxford University Press, 1999), pág. 78.

[18] Por ejemplo, compare Ezequiel 18:2-4, 19-20 («el alma que peque morirá») con Éxodo 20:5 («visitando la iniquidad de los padres sobre los hijos a la tercera y cuarta generación de los que me odian»). Véanse también las leyes enunciadas de manera diferente en Ezequiel 44:22 y Levítico 21:14 y también en Ezequiel 44:31 y Levítico 22:8. Además, Ezequiel 45:20 menciona un sacrificio que no está explícitamente prescrito en el Pentateuco.

llamado Hananías hijo de Ezequías, debe ser recordado por su bendición; pero para él, el Libro de Ezequiel habría estado oculto [= declarado no canónico], ya que sus palabras contradecían la Torá. ¿Qué es lo que hizo? Le llevaron 300 barriles de petróleo y se sentó en una cámara alta y los reconcilió».[19]

Orígenes dio la siguiente interpretación de Mateo 5:9, «Bienaventurados los pacificadores», según lo registrado por Gregorio Nacianceno y Basilio el Grande en la *Filocalia*:

> Pero hay también un tercer pacificador, el que muestra que lo que a los ojos de los demás parece un desacuerdo en las Escrituras no lo es realmente, y que prueba que existe armonía y concordia, ya sea entre el Antiguo y el Nuevo, o la Ley y los Profetas, o el Evangelio y el Evangelio, o los Evangelistas y los Apóstoles, o los Apóstoles y otros Apóstoles. Porque, según el Predicador, todas las Escrituras, palabras de los sabios, son como aguijones y como clavos bien sujetos, palabras que fueron dadas de las colectas de un solo Pastor (Ec. 12:11), y no hay nada superfluo en ellas. Y la Palabra es «un solo Pastor» de cosas relacionadas con la Palabra, que en verdad suenan discordantes para aquellos que no tienen oídos para oír, pero que en verdad son muy armoniosas.[20]

Para Orígenes y otros intérpretes afines de la Escritura en la antigüedad, encontrar la armonía entre pasajes aparentemente contradictorios de la Escritura era casi un ejercicio espiritual.

Al considerar este tema hoy en día, está claro que intentar reconciliar todas las contradicciones bíblicas a nivel estrictamente literal es demasiado artificial para ser ampliamente convincente. Sin embargo, la creencia en la consistencia teológica de las Escrituras es extremadamente valiosa en el sentido de que nos anima a buscar un

---

[19] Talmud babilónico, *Shabbat* 13b (véase The Babylonian Talmud, «Shabbath I», trad. H. Freedman, ed. I. Epstein [Londres: Soncino, 1938], pág. 55). Véase también Talmud babilónico *Hagigah* 13a; *Menahoth* 45a. Uno de los llamados «Trece *Middot* ["Reglas hermenéuticas"] del Rabino Ismael» era el principio de que «dos pasajes opuestos y en conflicto entre sí se mantienen tal como están, hasta que un tercer pasaje llega y decide entre ellos». Sobre las trece reglas del Rabino Ismael, vea H. L. Strack y G. Stemberger, *Introduction to the Talmud and Midrash*, trad. y ed. M. Bockmuehl (Minneapolis: Fortress, 1996), págs. 20-22. Para un ejemplo de este principio, vea *Mekhilta de-Rabbi Ishmael*, tractato *pisha* 4, donde el Rabino Akiba resuelve el conflicto entre Éxodo 12:5, «puedes tomarlo [el cordero de Pascua] de las ovejas o de las cabras», y Deuteronomio 16:2, «... de tus rebaños y de tus manadas». Akiba cita Éxodo 12:21 para decidir a favor de Éxodo 12:5, que el cordero de la Pascua sólo puede venir de los rebaños y no de las manadas. Esto presumiblemente deja a Deuteronomio 16:2 libre para ser usado para algún otro propósito; vea *Mekhilta de-Rabbi Ishmael*, ed. y trad. Jacob Z. Lauterbach, 2da ed., vol. 1 (Philadelphia: Jewish Publication Society, 2004), págs. 22-23.

[20] *Filocalia* 6.1; véase *The Philocalia of Origen*, trad. G. Lewis (Edinburgo: Clark, 1911), págs. 42-43.

mensaje unificado sobre Dios en las Escrituras a nivel teológico. Muchas discordias aparentes en lo que los textos bíblicos parecen decir revelan puntos de profunda importancia para la teología. Es beneficioso para los cristianos pensar cuidadosamente en estos puntos importantes con la aportación de cada testimonio bíblico, y no simplemente dejar de lado un texto bíblico por otro.

18. La Escritura no engaña

En esta sección me centraré principalmente en un intercambio que tuvo lugar entre Jerónimo y Agustín sobre la interpretación de Gálatas. En su comentario sobre Gálatas 2, Jerónimo argumentó que Pablo no reprendió genuinamente a Pedro por separarse de los gentiles, sino que lo hizo sólo en apariencia, sabiendo en privado la noble intención de Pedro de ganar a los judíos para la salvación. Según Jerónimo, la «reprimenda» pública de Pablo a Pedro era una especie de engaño en la línea de la actuación, destinada a llevar la armonía a los creyentes judíos y gentiles. Agustín contrarresta a Jerónimo con fuertes afirmaciones de que las Escrituras no pueden engañar. Los argumentos tanto de Jerónimo como de Agustín reflejan importantes creencias de los primeros cristianos sobre la inspiración de las Escrituras.

El trasfondo de esta historia involucra a Platón y Orígenes. En la *República*, Platón justifica el uso del engaño por parte de los gobernantes para inculcar los valores correctos en sus súbditos. Por ejemplo, es mejor para los guerreros tener una visión positiva del Hades que una negativa, porque la visión positiva les animará a ser valientes y no temer a la muerte. Asimismo, es más probable que las personas sean buenos ciudadanos si creen que su tierra es su madre y que todos sus ciudadanos son sus hermanos y hermanas. Estas creencias son útiles, a pesar de que son falsas y nada más que mitos. Este tipo de engaño al que Platón se refiere como una «noble falsedad». No es apropiado que la ciudadanía en general emplee la falsedad, como tampoco es bueno que los pacientes sean menos que honestos con sus médicos. Pero los líderes pueden justificadamente hacer uso de nobles falsedades.[21]

Según Jerónimo, Orígenes citó este mismo pasaje de la *República* en su obra perdida, las *Misceláneas*, donde Orígenes aparentemente comparó algún aspecto de la enseñanza cristiana con el concepto de

[21] Véase Platón, *República* 3.386a-c, 414b-415e.

noble falsedad de Platón.[22] Jerónimo también informa que Orígenes, de nuevo en las *Misceláneas*, interpretó el incidente entre Pedro y Pablo en Gálatas 2 como un mero conflicto fingido.[23] No es improbable que la idea platónica jugara un papel en el manejo de Orígenes de Gálatas 2. Pero se puede decir más del concepto de engaño en Orígenes que simplemente el hecho de que tomara prestado a Platón.

Primero, Orígenes desarrolló su propia teología del engaño divino, ofreciendo una amplia reflexión sobre este tema en su homilía sobre Jeremías 20:7, «Oh Señor, me has engañado, y fui engañado». Orígenes no está dispuesto a decir que Jeremías, el profeta de Dios, está equivocado, incluso cuando Jeremías acusa a Dios de engaño. Como resultado, Orígenes debe admitir que Dios engañó a Jeremías, pero como es Dios quien engaña, debe ser por el bien de Jeremías. Así como el «ceder» de Dios (1 Sam. 15:11) no es como el «ceder» de las personas, también el engaño de Dios es categóricamente diferente del engaño hecho por las personas. Orígenes compara la práctica de Dios de engañar a la gente por su propio bien con la práctica de los médicos que ponen miel en el borde de una taza llena de medicina amarga. La dulzura de la copa engaña al paciente para que beba la medicina amarga, que está destinada a la curación del paciente.[24] Orígenes también compara el engaño de Dios con un padre que oculta su afecto a su hijo y externamente sólo muestra desagrado, para que el hijo se beneficie de la disciplina. Como precedente bíblico, la declaración de Jonás de que Nínive pronto sería destruida (Jon. 3:4) resultó ser una falsedad beneficiosa, ya que condujo al arrepentimiento de los ninivitas. Además, Orígenes informa de una tradición aprendida de un erudito judío según la cual Jeremías sólo aceptó ser profeta sobre la base de que no tendría que proclamar el juicio contra Israel; sólo después de que Jeremías aceptara profetizar, Dios reveló que también Israel recibiría la copa de la ira de Dios. Al final, Orígenes declara que se alegra de ser engañado por Dios, siempre que sepa que es Dios quien realmente habla. Incluso si la serpiente le dijera la verdad a Orígenes, Orígenes preferiría las falsedades de Dios, porque sabe que Dios actúa para el bien.[25]

---

[22] Jerónimo, *Contra Rufino* 1.18. Se dice que Orígenes citó a la *República* de Platón en el libro seis de las *Misceláneas*.

[23] Jerónimo, *Epístola* 112 (*Epístola* 75 en el corpus de Agustín).

[24] Sobre el uso de la miel para cubrir el sabor amargo de la medicina, vea Lucrecio, *Sobre la naturaleza de las cosas* 1.935-50; 4.10-25.

[25] Orígenes, *Homilías sobre Jeremías* 19.15.3-9; 20.1.1–20.5.5; véase *Origen: Homilies on Jeremiah, Homily on 1 Kings 28*, trad. John Clark Smith, Fathers of the Church (Washington: Catholic University of America Press, 1998), págs. 217-33.

En segundo lugar, Orígenes puede haber tratado de defender la reputación de la iglesia principal en el siglo III cuando aplicó el concepto de falsedad a Gálatas 2. Ya en el siglo II ciertos grupos dentro de la iglesia, como los seguidores de Marción y los llamados «gnósticos», postularon que el verdadero cristianismo espiritual de Pablo era incompatible con el Antiguo Testamento y con el cristianismo judío, que podría estar simbolizado por Pedro. Quizás Orígenes, deseando refutar la acusación de inconsistencia entre los testamentos, argumentó que el conflicto reportado en Gálatas 2 entre Pedro y Pablo estaba escenificado, y que en realidad estos dos pilares de la verdad enseñaban el mismo Evangelio.

En cualquier caso, Jerónimo afirma seguir a Orígenes al interpretar la reprimenda de Pablo a Pedro en Gálatas 2 como una mera pretensión.[26] Según Jerónimo, Pedro decidió retirarse de la mesa de la comunión con los gentiles no por convicción o porque cediera a la presión, sino simplemente como una táctica para llevar al partido judío de Galacia a la verdad del evangelio. Pedro, que había visto la visión de animales limpios e inmundos y se reunió con el gentil Cornelio en Hechos 10, ciertamente sabía lo que el evangelio enseña sobre las relaciones judío-gentiles dentro de la iglesia. Si algún gentil cristiano fue llevado por mal camino por las acciones de Pedro, fue sólo porque malinterpretó sus intenciones. En cuanto a Pablo, ciertamente estaba de acuerdo con la idea de convertirse en judío para ganar a los judíos (1 Co. 9:20). Pablo hizo este tipo de cosas por sí mismo, y nunca reprendería genuinamente a Pedro por hacerlo. Eso sería hipocresía. Más bien, Pablo actuó externamente como si estuviera reprendiendo a Pedro, con el fin de dejar claro a los cristianos gentiles que no deberían empezar a observar las costumbres judías.

Jerónimo (quizás siguiendo a Orígenes) cita como ejemplos de engaño piadoso la historia de David fingiendo estar loco al huir de Saúl (1 Samuel 21:13-15) y la historia de Jehú fingiendo ser un adorador de Baal para acabar con los adoradores de Baal (2 Reyes 10:18-19). Tanto en su *Comentario sobre Gálatas* como en su larga respuesta a las críticas de Agustín (*Epístola* 112), Jerónimo se centra en varios puntos en defensa de su interpretación: primero, los comentarios griegos que Jerónimo consultó, incluyendo los de Orígenes y Juan Crisóstomo, apoyan su interpretación; segundo, Porfirio utilizó Gálatas 2 para criticar el cristianismo, y la interpretación de Jerónimo proporciona la mejor defensa; tercero, no

---

[26] Jerónimo, *Epístola* 112.

podemos acusar a Pedro de ser inconsistente con sus puntos de vista tal como se presentan en los Hechos, ni podemos acusar a Pablo de ser inconsistente con sus puntos de vista que se encuentran en 1 Corintios y Hechos, y por lo tanto el incidente descrito en Gálatas 2 sólo puede haber sido una actuación; y cuarto, no sólo las prácticas judías son inapropiadas para los creyentes gentiles, sino que también son inapropiadas para los judíos que han aceptado el cristianismo, un hecho que Pedro debe haber entendido.[27] Por estas y otras razones, Jerónimo defiende a viva voz su posición.

Agustín responde a Jerónimo con varios puntos. En cuanto a las fuentes, Agustín señala que algunos de los comentaristas griegos utilizados por Jerónimo, incluyendo a Apolinar de Laodicea y Teodoro de Heraclea, eran de ortodoxia dudosa. Además, comentaristas latinos como Ambrosio y Cipriano coincidieron con Agustín en que el conflicto entre Pedro y Pablo era real.[28] Por encima de todo, la Escritura es la máxima autoridad, y lo que la Escritura enseña debe ser seguido por encima de todas las demás autoridades: «Sin embargo, como dije hace un rato, es sólo a las Escrituras canónicas a las que debo tan buena sumisión que las sigo sólo a ellas, y creo de ellas que sus autores no se equivocaron en ninguna parte de ellas, ni pusieron nada que pudiera engañar».[29]

Agustín también argumenta que es más importante defender la veracidad de la Escritura que defender la veracidad de los personajes dentro de la Escritura. Por lo tanto, es mejor permitir que David pecó cuando cometió adulterio con la esposa de Urías (2 Sam. 11) que decir que la Escritura mintió al reportar el evento. «Leeré la Sagrada Escritura», dice Agustín,

> con total certeza y confianza en su verdad, fundada como está en la cumbre más alta de la autoridad divina; y prefiero aprender de ella que los hombres fueron verdaderamente aprobados o corregidos o condenados que permitir que mi confianza en la Palabra Divina sea socavada en todas partes porque temo creer que la conducta humana de ciertas personas excelentes y dignas de alabanza es a veces digna de culpa.[30]

Lo más importante es que Agustín cree que es totalmente inaceptable sugerir que la Escritura podría engañar. Si uno permitiera

[27] Jerónimo, *Comentario sobre Gálatas* 2.11-13; *Epístola* 112.

[28] Agustín, *Epístola* 82.3.23; véase *Saint Augustine: Letters*, vol. 1 (1-82), trad. W. Parsons, Fathers of the Church (Nueva York: Fathers of the Church, 1951), págs. 410-11

[29] Agustín, *Epístola* 82.3.24; véase *Saint Augustine: Letters*, vol. 1 (1-82), Parsons, pág. 411.

[30] Agustín, *Epístola* 82.2.5; véase *Saint Augustine: Letters*, vol. 1 (1-82), Parsons, pág. 393-94.

esto como una posibilidad, ¿cómo podría uno confiar en cualquier cosa que la Escritura diga? Agustín afirma:

> Si las llamadas mentiras blancas están permitidas en las Sagradas Escrituras, ¿qué autoridad pueden tener estos escritos? ¿Qué declaración, le pregunto, podría ser citada de estas Escrituras que tendría la autoridad para aplastar un error malvado o controvertido? Porque tan pronto como lo haya citado, si su oponente es de una opinión diferente, dirá que el texto que usted cita es un ejemplo del escritor que miente por un motivo honorable.[31]

Agustín afirma además: «Así que él [Pedro] fue reprendido correctamente, y Pablo dijo la verdad; de otro modo, una vez justificada la mentira, la Sagrada Escritura, que ha sido dada para promover la fe entre las generaciones futuras, perdería su fundamento firme y se volvería completamente poco fiable».[32] Y más tarde, Agustín reprende a Jerónimo por negarse a ver «los efectos adversos que resultarían una vez que se creyera que un escritor de los libros sagrados podría con propiedad y con la debida reverencia mentir en cualquier parte de su obra».[33]

Desde el punto de vista de Agustín, ningún supuesto beneficio de la interpretación de Jerónimo supera el devastador efecto negativo que la teoría de Jerónimo tiene sobre la autoridad de las Escrituras. Si la Escritura puede estar en un pasaje, tal vez esté en otro. Si esto se permite, entonces cada vez que alguien lee algo que no le gusta en la Escritura, simplemente afirmará que el punto en cuestión era realmente sólo una pretensión y por lo tanto no necesita ser atendido. La principal preocupación de Agustín es que la interpretación de Jerónimo socava la autoridad de la Escritura.

El principio básico de que las Escrituras divinamente inspiradas no engañarán a la gente era lo suficientemente obvio para la mayoría de los primeros cristianos como para no tener que dedicarle una

---

[31] Agustín, *Epístola* 40.3; véase Carolinne White, *The Correspondence (394-419) between Jerome and Augustine of Hippo* (Lewiston: Mellen, 1990), pág. 76.

[32] Agustín, *Epístola* 40.5; véase White, *Correspondence*, pág. 78

[33] Agustín, *Epístola* 40.7; véase White, *Correspondence*, pág. 78. Véase también de Agustín la *Epístola* 82.1.3: «Porque, admito a vuestra caridad [es decir, a Jerónimo] que es sólo de esos libros de las Escrituras, que ahora se llaman canónicos, que he aprendido a rendirles tal honor y respeto que creo firmemente que ninguno de sus autores ha errado en escribir nada en absoluto. Si encuentro algo en esos libros que parezca contrario a la verdad, decido que o bien el texto está corrupto, o el traductor no siguió lo que realmente se dijo, o que yo no lo entendí»; véase *Saint Augustine: Letters*, vol. 1 (1-82), Parsons, pág. 392. Véase también de Agustín *Sobre el morir* 8 (Nicene and Post-Nicene Fathers 3, pág. 461; Fathers of the Church 16, págs. 62-63); y *To Consentius: Against Lying* 26 (Nicene and Post-Nicene Fathers 3, p. 493; Fathers of the Church 16, págs. 157-59).

atención especial. Para Orígenes era una especie de innovación sugerir que las Escrituras podrían engañarnos para nuestro bien,[34] y en general esta innovación no se impuso a muchos cristianos después de Orígenes. Su importancia para nuestra discusión radica en la conversación que generó entre Jerónimo y Agustín. Ambos estaban preocupados por la naturaleza divina de la Escritura. Jerónimo, probablemente siguiendo a Orígenes, quería proteger las Escrituras de una potencial contradicción. Además, se ajustaba a las opiniones tradicionales de la inspiración para defender la reputación de los «héroes» bíblicos como Pedro y Pablo (véase la sección 4). Agustín, por otra parte, creía que la presencia de engaño en las Escrituras restaría no sólo su veracidad sino también su capacidad de funcionar como autoridad. Expresó más claramente que nadie la preocupación de que si hay un elemento de engaño en la Escritura, toda la autoridad escritural se derrumba.

Los cristianos de hoy en día no suelen imaginar que los escritores bíblicos trataban de engañar a sus lectores. En ese punto, los cristianos modernos comparten la preocupación básica de Agustín. El concepto de «engaño» a menudo implica una intención maliciosa, por lo que es natural no asociarlo con las Escrituras. Además, los comentaristas modernos están de acuerdo con Agustín en que la lectura de Gálatas 2 de Jerónimo es inverosímil. Algunos eruditos modernos ven elementos engañosos en ciertos textos bíblicos; por ejemplo, se ha argumentado que el autor de las epístolas pastorales (1 y 2 Timoteo y Tito) no era Pablo sino alguien que se hacía pasar por Pablo y que la intención del escritor era engañar a los destinatarios. Pero la mayoría de los cristianos que han considerado el asunto, incluso aquellos que no creen que Pablo sea el autor de estas cartas, niegan que el propósito del escritor fuera engañar.[35] En realidad, es imposible que conozcamos las intenciones precisas de los autores de libros bíblicos. Pero tiene sentido que los cristianos esperen que los

[34] Pero véase Clemente de Alejandría, *Miscelánea* 7.9.53, con respecto a quien verdaderamente posee el conocimiento cristiano (el «gnóstico» en la terminología de Clemente): «Todo lo que entonces tenga en mente, que también tiene en su lengua, al dirigirse a aquellos dignos de escucharlo de su acuerdo con él, ya que tanto su palabra como su vida están en armonía con su pensamiento. Porque no sólo piensa lo que es verdad, sino que también dice la verdad, salvo que sea medicinalmente, en ocasiones; así como un médico, con miras a la seguridad de sus pacientes, practicará el engaño o usará un lenguaje engañoso con los enfermos, según los sofistas»; véase *Alexandrian Christianity*, trad. J. E. L. Oulton y H. Chadwick, Library of Christian Classics (Philadelphia: Westminster, 1954), págs. 126-27 (véasetambién Ante-Nicene Fathers 2, pág. 538).

[35] Para una discusión sólidamente cristiana que no ve a Pablo como el autor de estas cartas, vea I. H. Marshall, *The Pastoral Epistles*, International Critical Commentary (Edinburgo: Clark, 1999), págs. 57-92.

escritores humanos de la Escritura no tengan la intención de engañar a aquellos para los que escribieron. En términos de inspiración divina, podemos afirmar teológicamente que la intención divina en la Escritura es dar a conocer a Dios y enseñarnos cómo debemos relacionarnos con Dios y con los demás, y no engañarnos o confundirnos.

19. La enseñanza de la Escritura está en acuerdo con una autoridad externa reconocida

La idea de que la interpretación de la Escritura debe estar de acuerdo con una autoridad externa se introdujo en la sección 5 anterior en la discusión de la autoridad de la Escritura. Allí señalé las opiniones de Tertuliano, que afirmaba que sólo aquellos que poseen la regla de fe de la iglesia pueden interpretar correctamente la Escritura.[36] Ahora volveré al tema de la regla de fe y trataré de describir cómo funcionaba en la interpretación bíblica temprana.

Varios de los primeros escritores cristianos hacen referencia a una «regla de fe», que era un resumen de las creencias cristianas fundamentales. Según nuestros testigos, esta regla fue transmitida por los apóstoles y podía usarse para distinguir entre la verdadera y la falsa enseñanza. Cualquier cosa que no esté de acuerdo con la regla de fe, aunque esté apoyada por textos de prueba de las escrituras, no es el verdadero cristianismo. Se pueden encontrar referencias a la regla de fe en la Iglesia primitiva en Ireneo, Tertuliano, Hipólito, Orígenes, la *Didascalia apostolorum*, Cipriano y Novacio.[37] Uno de los relatos más completos de la regla es el de Ireneo, que informa de lo siguiente:

> [La iglesia cree] en un solo Dios, el Padre Todopoderoso, que hizo el cielo, la tierra, los mares y todo lo que hay en ellos, y en un solo Cristo Jesús, el Hijo de Dios, que se hizo carne para nuestra salvación, y en el Espíritu Santo, que a través de los profetas proclamó las dispensaciones de Dios: las venidas, el nacimiento de una virgen, el sufrimiento, la resurrección de los muertos y la recepción corporal en los cielos del amado, Cristo Jesús nuestro Señor, y su venida de los cielos en la gloria del Padre «para resumir

---

[36] Véase Tertuliano, *Prescripción contra los herejes* 19.

[37] Ireneo, *Contra las herejías* 1.10.1; 3.4.2; Tertuliano, *Contra Praxeas* 2; *Prescripción contra los herejes* 13.1-6; y *En cuanto al velo de las vírgenes* 1.3; Hipólito, *Homilía sobre la herejía de Noeto* 17-18; Orígenes, *Sobre los principios* prefacio, 4-10; *Didascalia apostolorum* 15.26; Cipriano, *Epístola* 73.5.2; y Novaciano, *Sobre la Trinidad* 9. Sobre esta sección, véase Michael Graves, «Evangelicals, the Bible, and the Early Church», en *Evangelicals and the Early Church*, ed. G. Kalantzis y A. Tooley (Eugene: Cascade, 2012), págs. 202-7.

> todas las cosas» [cf. Ef. 1:10], y levantar toda carne, es decir, todo el género humano, para que se doble toda rodilla de los que están en los cielos y en la tierra y debajo de la tierra, a Cristo Jesús, nuestro Señor y Dios y Salvador y Rey, según el beneplácito del Padre invisible, y toda lengua lo confiese [cf. Fil. 2:10-11], y para que haga justicia a todos. Los poderes espirituales de la maldad [cf. Ef. 6:12], y los ángeles que transgredieron y cayeron en la apostasía, y a los impíos y malvados y sin ley y blasfemos entre los hombres los enviará al fuego eterno. Pero a los justos y santos, y a los que han guardado sus mandamientos y permanecido en su amor, algunos desde el principio [de la vida] y otros desde su arrepentimiento, les dará por su gracia la vida incorrupta, y los revestirá de la gloria eterna.[38]

La versión de Ireneo de la regla de fe es similar a la que otros dan, aunque él es el único que dice que Cristo «resume todas las cosas», lo que encaja muy bien con su comprensión teológica de la «recapitulación».[39] De hecho, otros primeros Padres también incorporan frases cortas en sus declaraciones de la regla, interpretándola en cada caso de acuerdo con sus propias creencias teológicas distintivas. Así, sólo Tertuliano afirma que Cristo «predicó una nueva ley». Hipólito describe a Cristo como participante de una «parte celestial» y una «parte terrenal». Orígenes es el único que dice que la regla incluye la creencia en el libre albedrío y que la Escritura tiene dos significados, el segundo de los cuales sólo puede ser entendido con la ayuda del Espíritu Santo. Dado que estas primeras figuras cristianas representan una considerable diversidad geográfica, es muy probable que los elementos básicos de la regla de fe que todos ellos tienen en común se remonten al primer resumen apostólico de la enseñanza cristiana, tal vez utilizado en relación con el bautismo.

Ireneo señala que incluso los «bárbaros» que no han escrito la Escritura creían en el Evangelio sobre la base de la tradición apostólica resumida en la regla de fe. Además, Ireneo afirma que estos «bárbaros» son capaces de reconocer el verdadero cristianismo frente a las herejías de Marción y Valentín (un «gnóstico») sobre la base de esta tradición apostólica solamente, incluso aparte de la Escritura.[40] Para Ireneo, la tradición juega un papel junto a la

---

[38] Ireneo, *Contra las herejías* 1.10.1; véase *Early Christian Fathers*, trad. Cyril C. Richardson, Library of Christian Classics (Philadelphia: Westminster, 1953), pág. 360 (traducción actualizada).

[39] Sobre la adición distintiva de Ireneo a la regla de fe, vea *St. Irenaeus of Lyons: Against Heresies*, trad. y anotado por Dominic J. Unger, con nuevas revisiones por parte de John J. Dillon, Ancient Christian Writers (Nueva York: Paulist, 1992), págs. 183 n. 1, 185 n. 11.

[40] Ireneo, *Contra las herejías* 3.4.2.

Escritura en el discernimiento de la verdad cristiana. Para comprender este papel, hay que hacer dos observaciones importantes sobre la Escritura y la regla de fe de Ireneo.

En primer lugar, Ireneo cree firmemente que las Escrituras en su sentido natural apoyan su posición. Aunque admite que el Antiguo Testamento contiene algunas parábolas y alegorías que pueden ser tergiversadas en significados heréticos,[41] insiste sin embargo en que las Escrituras leídas en su orden natural confirman la verdad cristiana. Ireneo no sostiene que las Escrituras puedan ser teóricamente leídas de diferentes maneras y que sólo la tradición puede establecer cuál es la correcta. Más bien, los herejes tergiversan las Escrituras sacando pasajes fuera de contexto y tejiendo nuevos discursos a partir de las palabras del texto.[42]

Ireneo compara el uso de las Escrituras por parte de los herejes con la forma poética conocida como el *cento*. Cuando escribía un *cento*, el poeta tomaba varios versos de un famoso poema y los unía en un nuevo orden, de modo que se creaba una nueva historia a partir de los trozos del poema original. Ireneo da un ejemplo de un *cento* con una nueva historia construida a partir de fragmentos de la *Ilíada* y la *Odisea*.[43] Como subraya, nadie que conozca el texto real de Homero se engañaría al pensar que el *cento* está diciendo realmente lo mismo que el poema original. Podría inducir a error a quien no conozca los poemas en su forma original, pero si uno simplemente pusiera los versos en su contexto en Homero y leyera los poemas de Homero por su cuenta, la verdad saldría fácilmente a la luz.

Este es el punto de vista de Ireneo sobre cómo los herejes leen las Escrituras. Ellos han tomado frases de los Evangelios y las han usado para construir una mitología detallada con múltiples niveles de seres divinos, con nombres como «Sabiduría» y «Logos».[44] Esto puede sonar escritural para alguien que no conoce la historia, pero si simplemente leemos a través de los textos del Evangelio en el orden correcto, o incluso sólo recitamos la regla de fe, el Evangelio real se vuelve claro. En resumen, la regla es una piedra de toque importante para la enseñanza de la iglesia, pero Ireneo no cree que los textos del Evangelio sean poco claros o que la regla sea necesaria como guía de

---

[41] Ireneo, *Contra las herejías* 1.3.6.
[42] Ireneo, *Contra las herejías* 1.8.1.
[43] Ireneo, *Contra las herejías* 1.9.4.
[44] Véase también la descripción de Clemente de Alejandría, *Miscelánea* 7.16.96, que dice que los herejes citan la Escritura sólo poco a poco y sin tener en cuenta el contexto, y que tienden a centrarse sólo en los nombres (*Alexandrian Christianity*, Oulton and Chadwick, págs. 155- 56; Ante-Nicene Fathers 2, págs. 551-52).

interpretación. Según Ireneo, los textos del Evangelio son suficientemente claros siempre que se lean en su orden natural.

En segundo lugar, el contenido de la regla de fe es bastante simple, especialmente en comparación con las formulaciones de credos posteriores. La declaración inicial tiene un marco «trinitario» («Dios, el Padre... Cristo Jesús... Espíritu Santo»), pero no aborda en detalle las particularidades de cómo se relacionan los tres. El enfoque de la regla es el nacimiento, muerte, resurrección y retorno de Jesús y el juicio final. Nada en la regla de fe, tal como la transmitieron los apóstoles, aborda las principales controversias doctrinales de los siglos IV y V. Si bien es ciertamente creíble que la regla de fe ayudó a los cristianos a evitar las falsas enseñanzas de los marcionistas y valentinos, el contenido de la regla no proporcionaría mucha orientación para ordenar la interpretación de la mayoría de los pasajes de la Escritura, excepto que probablemente ayudó a confirmar algún tipo de lectura cristológica del Antiguo Testamento. La regla era principalmente una declaración ecuménica del cristianismo básico.

Para Ireneo, la verdadera tradición cristiana se hizo pública en todo el mundo en todas las iglesias que podían rastrear sus líneas episcopales hasta los apóstoles. Los apóstoles no dieron enseñanzas secretas a unos pocos elegidos. Más bien, legaron a las iglesias sus escritos y también la tradición de sus enseñanzas, es decir, la regla de fe.[45] Para Ireneo fue un punto de énfasis particular que tanto los testimonios escritos de los Evangelios como la regla de fe coincidieran entre sí en apoyo de la verdadera doctrina cristiana. No creía que la Escritura, cuando se leía en su orden y contexto naturales, pudiera ser tan poco clara como para requerir que la tradición sirviera de árbitro entre interpretaciones conflictivas.

En Agustín, por otra parte, encontramos declaraciones explícitas en el sentido de que la tradición debe servir como árbitro entre interpretaciones en conflicto. Según Agustín, la interpretación de la Escritura debe guiarse por reglas tanto positivas como negativas. La guía positiva nos dice lo que debemos buscar en la Escritura, y la negativa nos dice lo que no debemos encontrar allí. Las ideas teológicas amplias y la regla de fe juegan un papel en la exégesis «gobernada» de Agustín. Agustín cree claramente que aparte de estas directrices sería fácil sacar conclusiones erróneas de la Escritura.

En términos de ideas teológicas amplias, Agustín establece la regla general de que cualquier cosa en la Escritura que no se relacione con la buena moral o la verdadera fe debe ser interpretada

---

[45] Ireneo, *Contra las herejías* 3.2.1-2; 3.3.1–4.3

figurativamente de manera que sí enseñe estas cosas.[46] En una obra temprana sobre Génesis escrita contra los maniqueos, Agustín dice lo siguiente para justificar su lectura figurativa de Génesis 2-3: «Si alguien quisiera tomar todo lo que se dijo de acuerdo con la letra, es decir, entenderlo exactamente como suena la letra, y pudiera evitar las blasfemias y explicarlo todo en armonía con la fe católica, no sólo no deberíamos mostrarle hostilidad, sino considerarlo como un intérprete líder y muy loable».[47] En obras posteriores, Agustín cambia de opinión sobre los primeros capítulos del Génesis, decidiendo que de hecho pueden ser interpretados con seguridad a nivel literal. Pero su principio general de interpretación no cambió.[48] Toda la Escritura debe enseñar la moral y la fe correctas.

Agustín también afirma que cualquier interpretación correcta de la Escritura necesariamente construirá el amor a Dios y al prójimo. Si los lectores de la Escritura no entienden el punto de vista del escritor humano pero su interpretación promueve el amor a Dios y al prójimo, son engañados, pero no mienten.[49] Agustín parece no estar seguro de cuán serio es el error de no entender la intención del escritor humano. En un pasaje, Agustín compara esto con alguien que deja un camino por error pero que aun así logra llegar al destino correcto. Esto no hace un daño inmediato, pero Agustín aconseja que es mejor permanecer en el camino. Si los intérpretes tienen el hábito de no entender el punto de vista del escritor humano, corren el riesgo de perderse en última instancia.[50] En otro lugar, sin embargo, San Agustín sugiere que incluso si un intérprete esculpe un significado diferente de lo que el escritor quiso decir, siempre y cuando este significado se derive de otros pasajes de la Escritura y no vaya en contra de la fe, es aceptable. Tal vez el escritor humano también quiso decir esto; pero, en cualquier caso, el Espíritu de Dios ciertamente planeó que este nuevo significado tallado se presentara al lector.[51] En

[46] Agustín, *Sobre la enseñanza cristiana* 3.10.14.

[47] Agustín, *Dos libros sobre Génesis contra los maniqueos* 2.2.3; véase *Saint Augustine, On Genesis: Two Books on Genesis against the Manichees and On the Literal Interpretation of Genesis: An Unfinished Book*, trad. Roland J. Teske, S.J., Fathers of the Church (Washington: Catholic University of America Press, 1991), pág. 95.

[48] Sobre el cambio en la visión de Agustín del valor del sentido literal de Génesis, vea Agustín, *Comentario literal sobre Génesis* 8.2.5. Véase también 1.14.28: «Ahora, es obvio que todo lo que está sujeto a cambio está hecho de algo sin forma; y, además, nuestra fe católica declara, y la correcta razón enseña, que no podría haber existido ninguna materia de cualquier cosa a menos que viniera de Dios»; vea *St. Augustine: The Literal Meaning of Genesis*, vol. 1, trad. John Hammond Taylor, S.J., Ancient Christian Writers (Nueva York: Paulist, 1982), pág. 35.

[49] Agustín, *Sobre la enseñanza cristiana* 1.36.40.

[50] Agustín, *Sobre la enseñanza cristiana* 1.36.41.

[51] Agustín, *Sobre la enseñanza cristiana* 3.27.38.

la declaración anterior, Agustín ofrece una advertencia a los intérpretes que tienen el hábito de pasar por alto la intención del escritor humano. Pero en la última declaración el punto del escritor es potencialmente significativo, pero en última instancia no es necesario.

Un claro ejemplo de cómo funciona la regla de fe en la interpretación de las escrituras de Agustín es su tratamiento en *Sobre la enseñanza cristiana* de expresiones que son ambiguas en su sentido literal. En el mundo antiguo, la lectura en voz alta de un texto constituía un acto de interpretación. El lector debía identificar qué palabra se pretendía en el caso de palabras que se parecían pero que se pronunciaban de manera diferente (un ejemplo en inglés: «*lead*» [dirigir/conducir] el verbo frente a «*lead*» [plomo] el elemento). Además, los lectores indicaban la puntuación adecuada del texto mediante pausas y énfasis, e indicaban mediante el tono si una frase era una declaración, una pregunta o una exclamación de sorpresa o temor.[52] Al tratar los pasajes que son ambiguos de esta manera, Agustín aconseja: «En primer lugar debemos asegurarnos de no haber puntuado o articulado el pasaje incorrectamente. Una vez que una consideración cercana ha revelado que es incierto cómo un pasaje debe ser puntuado y articulado, debemos consultar la regla de fe, como se percibe a través de los pasajes más claros de las escrituras y la autoridad de la iglesia».[53] Si se determina que más de un sentido posible está de acuerdo con la regla de fe, «entonces queda por consultar el contexto —los pasajes anteriores y posteriores, que rodean la ambigüedad— para determinar cuál de los varios significados que se sugieren se apoya en ella, y cuál se presta a combinaciones aceptables con ella».[54] Sin duda, Agustín alienta los procedimientos académicos en la interpretación bíblica literal; por ejemplo, muestra cómo volver al griego original puede aclarar las ambigüedades lingüísticas en el Nuevo Testamento.[55] Pero para Agustín, la regla de fe es el árbitro final de lo que la Escritura puede ser tomada como significado.[56] Como afirma en su exposición del

[52] En este aspecto de la interpretación antigua, vea Michael Graves, *Jerome's Hebrew Philology* (Leiden: Brill, 2007), págs. 26-35.

[53] Agustín, *Sobre la enseñanza cristiana* 3.2.2; véase *On Christian Teaching*, Green, pág. 68.

[54] *On Christian Teaching*, Green, pág. 68.

[55] Agustín, *Sobre la enseñanza cristiana* 3.4.8.

[56] Véase también Agustín, *Sobre la enseñanza cristiana* 3.3.6: «Los puntos que acabo de señalar sobre los problemas de puntuación también se aplican a los problemas de lectura en voz alta. Estos también, a menos que sean simplemente errores debido a un descuido grave del lector, se resuelven considerando las reglas de fe o el contexto circundante» (*On Christian Teaching*, Green, pág. 70). La perspectiva de Agustín es diferente a la de Ireneo. En *Contra las herejías* 3.7.2, Ireneo también dice que uno debe observar la lectura apropiada en voz alta en las cartas de

Salmo 75:7-8: «Alguna otra persona puede producir una mejor interpretación, ya que la oscuridad de las Escrituras es tal que un pasaje casi nunca produce un solo significado. Pero cualquiera que sea la interpretación que surja, debe ajustarse a la regla de la fe».[57]

Agustín creía que las enseñanzas de las Escrituras debían concordar con una autoridad reconocida. Como se ha señalado anteriormente, esta autoridad se encuentra en «los pasajes más claros de las Escrituras» y en «la autoridad de la Iglesia». Agustín se refirió a las enseñanzas de la Iglesia como la «regla de fe» o la «fe católica». El término «fe católica» tenía especial relevancia para Agustín después de su disputa con los donatistas, un grupo cristiano cismático del norte de África de Agustín que rompió la comunión con la iglesia en todo el mundo (el latín *catholicus* significa «universal, relativo a todos»). A la luz de la importancia de este concepto para la interpretación de las Escrituras por parte de Agustín, debemos preguntarnos: ¿Qué quiso decir Agustín con «regla de fe» o «fe católica»?

El concepto de la regla de fe tiene una aplicación más amplia en Agustín que en Ireneo. Mientras que Ireneo podía relatar el contenido esencialmente fijo de la regla tal como fue transmitida por los apóstoles, Agustín parece aplicar la frase «regla de fe» a su propio sentido de lo que la Escritura enseña y su iglesia afirma. Por lo tanto, aplica el término a su propia explicación de la Trinidad como se expone en Mateo 28:19; Deuteronomio 6:4; Gálatas 4:4; y Juan 15:26.[58] Agustín también argumenta a favor de su propia visión particular del pecado original diciendo que negar su punto de vista es negar la regla de fe.[59] En la controversia entre los donatistas y Agustín, los donatistas citaron a Cipriano en apoyo de su posición. Agustín se opone afirmando que la autoridad de Pedro y Pablo en Gálatas es mayor que la de Cipriano, y que el punto de vista de Cipriano no está de acuerdo con la regla de fe que la iglesia adoptó más tarde.[60] Esto muestra que Agustín era consciente de que la regla

---

Pablo para evitar blasfemias. Pero Ireneo no sugiere que uno necesite la regla de la fe para determinar el sentido correcto del texto.

[57] Agustín, *Exposiciones de Salmos* 74.12; véase *Saint Augustine: Expositions of the Psalms*, vol. 4, trad. Maria Boulding, Works of Saint Augustine (Hyde Park: New City, 2002), pág. 50

[58] Agustín, *Sobre la Trinidad* 15.28.51. Véase también la apelación de Agustín a la regla de fe en su explicación predestinaria de Juan 17:5 (*Tratados sobre el Evangelio de Juan* 105.8).

[59] Agustín, *Sobre el pecado original* 2.34.29.

[60] Agustín, *Sobre el bautismo contra los donatistas* 2.1.2.

de fe, como él usaba el término, podía desarrollarse con el tiempo.[61] Al comienzo de un temprano e inacabado comentario literal sobre el Génesis, Agustín establece el contenido de la fe católica como una guía de lo que puede y no puede decirse del Génesis. El contenido que Agustín da para la fe católica es su propia exposición de una versión del Credo de los Apóstoles conocido desde Milán, donde fue bautizado.[62] Agustín afirma que esta es la enseñanza universal de la Iglesia. Para Agustín, la autoridad de la iglesia no se encontraba en una declaración primitiva de creencia transmitida por los apóstoles, sino en las enseñanzas centrales de la iglesia en los días de Agustín, como él conocía e interpretaba estas enseñanzas.

La idea de que el mensaje de las Escrituras debe concordar con una autoridad externa reconocida ha sido extremadamente importante pero también problemática en la historia de la iglesia. En los primeros siglos, la regla de fe ayudó a los cristianos a identificar el mensaje básico de las iglesias fundadas por los apóstoles. Como principio de interpretación, probablemente alentó la creencia de que los cristianos debían ver a Cristo proclamado en todas las Escrituras, incluido el Antiguo Testamento. Pero a medida que pasaba el tiempo y se desarrollaban las enseñanzas de las iglesias, apelar a una «regla de fe» particular para resolver las dificultades de interpretación se hizo más complicado. Así, la enseñanza de las iglesias de habla latina en tiempos de Agustín fue más allá de lo que se enseñaba en el siglo II. Es más, la «fe católica» conocida por Agustín no era precisamente la misma que la que se enseñaba en ese momento en las iglesias griegas, coptas, sirias o etíopes. Para el siglo V, no había una sola regla que representara lo que todos los cristianos de todas partes creían. Por lo tanto, hacer de la regla de fe la norma para la interpretación bíblica podía tener el efecto de simplemente reforzar las creencias particulares del contexto eclesiástico del propio intérprete.

El papel potencial de las declaraciones de credo en la interpretación bíblica sigue siendo un tema importante en la teología cristiana. En el lado positivo, la lectura «gobernada» anima a los cristianos a interpretar teológicamente las Escrituras de una manera distintivamente cristiana. Pero en el lado negativo, dicha lectura también puede promover la estrechez provincial y el dogmatismo. Los

---

[61] Para una idea relacionada con el desarrollo, véase Agustín, *Exposiciones de los Salmos* 67.39, donde explica que ciertos significados de la Escritura permanecen ocultos y no se dan a conocer de forma útil para todos hasta que se necesitan para dar respuesta a los herejes.

[62] Véase *Dos libros sobre Génesis contra los maniqueos* 2.2.3; véase *Saint Augustine, On Genesis: Two Books on Genesis against the Manichees and On the Literal Interpretation of Genesis: An Unfinished Book*, Teske, págsp. 145-47.

cristianos del mundo moderno tienen una amplia variedad de perspectivas sobre estos temas. En mi opinión, las tradiciones eclesiásticas interpretadas en sentido amplio son interlocutores y guías esenciales para la comprensión de las Escrituras, pero la naturaleza evolutiva y diversa de las tradiciones eclesiásticas hace que no sea deseable utilizar la enseñanza de una iglesia determinada como árbitro final en la interpretación de las Escrituras.

20. La enseñanza de la Escritura debe ser digna de Dios

Ya en el siglo VI a.C., los filósofos griegos criticaron la imagen de los dioses presentada en los mitos tradicionales. Jenófanes explicó el problema claramente: «Homero y Hesíodo han atribuido a los dioses todo tipo de cosas que son motivo de reproche y censura entre los hombres: robo, adulterio y engaño mutuo».[63] Una posible respuesta habría sido rechazar los mitos tradicionales por completo sobre la base de que describen a los seres divinos de una manera indigna de los dioses. Pero otro enfoque era leer estos mitos alegóricamente, para descubrir qué verdades filosóficas podrían contener.[64] Teágenes de Regio en el siglo VI a.C. usó la alegoría para explicar la batalla entre los dioses en la *Ilíada* 20, que por lo demás presentaba una visión «inadecuada» de los dioses.[65] A principios del siglo II a.C., un filósofo llamado Heráclito escribió un tratado llamado *Problemas homéricos*, en el que daba explicaciones filosóficas de varios pasajes de Homero. Heráclito justificó su procedimiento en las primeras líneas del tratado: «Es una carga pesada y perjudicial que el cielo trae contra Homero por su falta de respeto a lo divino. Si no significaba nada alegórico, era impío de pies a cabeza, y las fábulas sacrílegas, cargadas de locura blasfema, se desbordan en ambas épicas».[66] En defensa de estos antiguos alegoristas, no se puede dudar que los mitos griegos transmiten significados simbólicos. Los antiguos que leían estos mitos simbólicamente estaban ciertamente justificados en sus

---

[63] J. H. Lesher, *Xenophanes of Colophon, Fragments: A Text and Translation with a Commentary* (Toronto: University of Toronto Press, 1992), fragmento 11.

[64] Para un rechazo rotundo de la poesía homérica, véase Platón, *República* 10.

[65] Sobre Teágenes, véase Hermann Diels y Walther Kranz, *Die Fragmente der Vorsokratiker*, vol. 1, 6ta ed. (Berlín: Weidmann, 1952), págs. 51-52. Ferécides de Siros fue otro filósofo del siglo VI que aplicó la alegoría a los mitos antiguos (vea Orígenes, *Contra Celso* 6.42).

[66] *Problemas homéricos* 1.1-2; véase *Heraclitus: Homeric Problems*, trad. D. A. Russell y D. Konstan, Writings from the Greco-Roman World (Atlanta: Society of Biblical Literature, 2005), pág. 3. Heráclito probablemente vivió a finales del siglo primero o principios del segundo d.C.

expectativas. Al mismo tiempo, el enfoque alegórico tenía dos posibles escollos: en primer lugar, podía permitir a los filósofos leer en los primeros mitos doctrinas que no encajaban bien con el simbolismo original; y, en segundo lugar, podía ocultar el hecho de que se había producido un desarrollo en la forma en que la gente conceptualizaba a los dioses.

La representación de Dios en la Biblia es menos «humana» que las representaciones de figuras como Zeus y Poseidón en la *Ilíada*. La extensión y el tipo de material que podría ser considerado indigno de la deidad no es el mismo. Sin embargo, el Dios del Antiguo Testamento expresa una amplia gama de emociones humanas, como la ira, el arrepentimiento y la compasión. También se le describe como si tuviera partes del cuerpo humano, como los ojos, las manos e incluso la espalda (vea Éx. 33:23). Cuando los antiguos judíos y cristianos leían sus Escrituras, a veces sentían la necesidad de explicar cómo las características humanas de Dios, tal como se describen en el texto, encajan con la verdadera naturaleza de la divinidad. Un principio clave que guiaba su pensamiento sobre este tema era que cualquier cosa que se enseñara genuinamente sobre Dios en las Escrituras debía ser digno de Dios.

Filón de Alejandría muestra cómo un lector de la Biblia con mentalidad filosófica puede tratar con representaciones de Dios que parecen menos que divinas. Cuando Filón lee en Génesis 2:8 que Dios plantó un jardín en el Edén, interpreta que esto significa que Dios «planta» la excelencia terrenal por el bien de los mortales, ya que Dios llena todas las cosas y no necesita un lugar para vivir; de hecho, «Lejos de la razón del hombre ser víctima de una impiedad tan grande como para suponer que Dios labra la tierra y planta los placeres».[67] Interpretar la actividad de Dios en este texto literalmente sería «impiedad».[68] En Génesis 8:21 dice que Dios «olió el aroma agradable», lo cual, según Filón, significa simplemente que Dios «aceptó» la ofrenda, ya que Dios no posee forma humana (griego *anthrōpomorphos*) y por lo tanto no tiene fosas nasales y no «huele»

---

[67] Filón, *Interpretación alegórica* 1.43-45 (Loeb Classical Library). Orígenes está de acuerdo con la interpretación de Filón de Génesis 2:8, diciendo, «Y quien es tan tonto como para creer que Dios, a la manera de un agricultor, "plantó un paraíso hacia el este en el Edén", y puso en él un visible y palpable "árbol de la vida", de tal manera que cualquiera que probara su fruto con sus dientes corporales ganaría la vida» (*Sobre los principios* 4.3.1; vea *Origen: On First Principles*, trad. G. W. Butterworth [Nueva York: Harper & Row, 1966], pág. 288).

[68] Véase también *Problemas homéricos* 21-22 en el intento de atar a Zeus: «Sólo hay un remedio para esta impiedad: mostrar que el mito es una alegoría»; vera *Heraclitus: Homeric Problems*, Russell y Konstan, pág. 41.

literalmente nada.[69] La afirmación en Génesis 6:7 de que Dios está «arrepentido» (o «se arrepiente») lleva a Filón a recordar a sus lectores que no hay mayor impiedad que sugerir que el inmutable Dios cambia siempre de opinión.[70] Para explicar tales fenómenos en las Escrituras, Filón yuxtapone la frase «Dios no es hombre» de Números 23:19 con la frase «como un hombre discierne a su hijo» de Deuteronomio 8:5. Filón concluye que, aunque en realidad la naturaleza de Dios no es como la de un ser humano, puede sin embargo describirse en términos humanos para instruir a los humanos.[71] Estos comentarios de Filón encarnan tres importantes principios que también se encuentran en los Padres de la Iglesia: (1) las descripciones de Dios que son demasiado humanas son impías si se toman al pie de la letra, (2) la Escritura describe a menudo a Dios en sentido figurado como si fuera en forma humana («antropomórficamente»), y (3) Dios posee atributos que no pueden reconciliarse con el sentido literal de ciertos textos.[72]

Los cristianos comenzaron a tratar estos temas en respuesta a las críticas de los «herejes» contra el Dios del Antiguo Testamento. Tales críticas parecen subyacer al argumento presentado en el *Pseudo-Clementine Romance* de que las únicas declaraciones verdaderas sobre Dios en las Escrituras son las que presentan a Dios como bueno.[73] En respuesta a los «herejes» que tergiversan la Escritura, Clemente de Alejandría instó a que comparáramos la Escritura con las Escrituras y consideráramos «lo que es perfectamente adecuado y apropiado para el Señor y el Dios Todopoderoso».[74] Además, describió a los que rechazan al Señor como personas «que no citan ni entregan las Escrituras de manera digna de Dios y del Señor».[75] Estas

---

[69] Filón, *Sobre la unión para los estudios preliminares* 114-15.

[70] Filón, *La inmutabilidad de Dios* 21-22, 51-52. Filón insiste en que Dios no está sujeto a pasiones irracionales. Sobre el «arrepentimiento» de Dios, véase, por ejemplo, Génesis 6:6-7; Éxodo 32:14; 1 Samuel 15:11, 35; Jeremías 18:10; y Jonás 3:10. El verbo hebreo *nhm* en la raíz nifal puede significar «arrepentirse», «lamentar» o «consolarse» (L. Koehler y W. Baumgartner, *The Hebrew and Aramaic Lexicon of the Old Testament*, vol. 2 [Leiden: Brill, 1995], pág. 688).

[71] Filón, *La inmutabilidad de Dios* 53-55

[72] Véase también Filón, *Interpretación alegórica* 1.36-39; y *La confusión de las lenguas* 134-36, sobre la frase «Y el Señor bajó a ver la ciudad y la torre» (Gén. 11:5).

[73] *Clement Romance* 25-57; véase Johannes Irmscher y Georg Strecker, «The PseudoClementines», en *New Testament Apocrypha*, vol. 2, ed. W. Schneemelcher y trad. R. McL. Wilson, rev. ed. (Louisville: Westminster John Knox, 1992), págs. 513-16. Pedro es representado como respondiendo a las objeciones hechas por un cierto Simón, que molestaba a la gente con sus enseñanzas. Los textos problemáticos mencionados en esta discusión incluyen Génesis 6:6-7; 8:21; 18:21; y 22:1.

[74] Clemente de Alejandría, *Miscelánias* 7.16.96 (*Alexandrian Christianity*, Oulton y Chadwick, pág. 156; Ante-Nicene Fathers 2, pág. 551).

[75] Clemente de Alejandría, *Miscelánias* 6.15.124.3 (Ante-Nicene Fathers 2, pág. 509).

ideas generales sobre la interpretación de las Escrituras de manera digna de Dios fueron retomadas por Orígenes y se convirtieron en un principio hermenéutico completo.

Orígenes fue el primer cristiano que trató sistemáticamente con todo el Antiguo Testamento, y encontró numerosas ocasiones para invocar el principio de que la Escritura debe ser digna de Dios. Según Orígenes, Dios inspiró la Escritura para que las verdades secretas pudieran ser reveladas a través de historias sobre guerras y diversas leyes. En algunos casos, incluso el simple significado corporal de la Escritura es beneficioso para los lectores comunes. Pero en otros casos, la utilidad de la Escritura no es inmediatamente evidente. En tales situaciones, debemos reconocer que «la Palabra de Dios ha dispuesto ciertos escollos, por así decirlo, y obstáculos e imposibilidades para insertarse en medio de la ley y la historia». Estos escollos se registraron para que los lectores curiosos pudieran examinar las Escrituras más cuidadosamente y encontrar «un significado digno de Dios».[76] Como el primer cristiano en predicar a través de los libros del Antiguo Testamento como Levítico, Números, Josué y Jueces, Orígenes no tenía predecesores cristianos con los que pudiera interactuar. Como resultado, se vio obligado a basarse en otros textos de las Escrituras, su propia experiencia de vida cristiana y su juicio razonado para decidir lo que el Espíritu pretendía enseñar a los cristianos a través de estos textos.

Las guerras reportadas en Josué obligaron a Orígenes en varias ocasiones a buscar un significado digno de Dios. Por ejemplo, según Josué 8, Israel mató a todos los habitantes de la ciudad de Hai, «hasta que no quedó ninguno que sobreviviera o escapara» (v. 22). El texto deja claro que todos los humanos fueron asesinados, incluidas las mujeres (vv. 23-29). Orígenes afirma al principio de su homilía: «Debes saber que las cosas que se leen son dignas del Espíritu Santo, pero para explicarlas necesitamos la gracia del Espíritu Santo».[77] Orígenes interpreta «Hai» como «caos»,[78] que fue derrotado por Jesús

---

[76] Orígenes, *Sobre los principios* 4.2.8-9. Según Orígenes, el Espíritu colocó estos escollos en el texto para hacernos reconocer que un significado más elevado se encuentra oculto bajo la superficie. Cuando los eventos reales armonizaban con el significado místico que pretendía la Escritura, estos eventos eran registrados. Pero cuando no se encontraron eventos reales adecuados para expresar la verdad superior, «la Escritura tejió en la historia algo que no sucedió, ocasionalmente algo que no pudo suceder, y ocasionalmente algo que pudo haber sucedido pero que de hecho no sucedió»; vea *Origen: On First Principles*, Butterworth, págs. 284-87.

[77] Orígenes, *Homilías sobre Josué* 8.1; véase *Origen: Homilies on Joshua*, trad. Barbara J. Bruce, ed. Cynthia White, Fathers of the Church (Washington: Catholic University of America Press, 2010), pág. 85.

[78] Véase Orígenes, *Homilías sobre Números* 27.12.

(= Josué), que triunfó sobre el diablo en la cruz, como simboliza el hecho de que el rey de Hai fuera colgado de un árbol (v. 29). Sólo una lectura así de esta acción es digna de la pluma del Espíritu Santo.[79] En cuanto a los israelitas que matan a todos y no dejan supervivientes, Orígenes critica a los que creen que las personas santas harían tal cosa. El sentido literal, según Orígenes, haría a la gente cruel y sedienta de sangre humana. El significado místico de este texto es que todos debemos destruir los demonios que hay dentro de nosotros, sin permitir que ninguno permanezca.[80] Todas las personas santas deben matar a los habitantes de Hai. De la misma manera, todos los cristianos deben esforzarse por derrotar a «Hebrón» (Josué 10:23), que significa «unión»,[81] destruyendo la unión entre nuestra alma y el demonio.[82] Orígenes da el siguiente consejo general:

> Leerás en las Sagradas Escrituras sobre las batallas de los justos, sobre la matanza y carnicería de los asesinos, y los santos no perdonan a ninguno de sus enemigos más arraigados. Si los perdonan, se les acusa de pecado, como se acusó a Saúl por haber preservado la vida de Agag, rey de Amalec.[83] Debéis entender que las guerras de los justos, según el método que he expuesto anteriormente, son libradas por ellos contra el pecado.[84]

En lo que respecta a Orígenes, la intención de Dios al inspirar estos relatos es animar a sus seguidores a luchar contra el pecado dentro de nosotros.[85]

Orígenes también hizo importantes observaciones sobre la naturaleza del lenguaje de las escrituras sobre Dios. En sus *Homilías sobre Jeremías*, Orígenes aborda una serie de expresiones difíciles de la Escritura, como la «renuncia» de Dios a hacer algo (Jer. 18:10), la esperanza de Dios de que «tal vez» ocurra algo (36:3), y el engaño de

---

[79] Orígenes, *Homilías sobre Josué* 8.6.

[80] Orígenes, *Homilías sobre Josué* 8.7.

[81] «Hebrón» se interpreta como si estuviera relacionado con la palabra hebrea *heber*, «unión» o «asociación». Vea también Filón, *Sobre la posteridad de Caín* 60; *Cuanto peores ataques, mejor* 15.

[82] Orígenes, *Homilías sobre Josué* 13.2.

[83] Véase 1 Samuel 15:9-33.

[84] Orígenes, *Homilías sobre Josué* 8.7; véase *Origen: Homilies on Joshua*, Bruce, pág. 94. Véase también Orígenes, *Homilías sobre Josué* 12.1-3.

[85] La teología de la guerra de Orígenes es similar en algunos aspectos al concepto de la «gran *yihad*» en el islam. El término *yihad* en árabe significa «esfuerzo». En esta línea de pensamiento, la «*yihad* menor» se refiere al esfuerzo en batallas físicas que pueden ser necesarias, por ejemplo, porque uno es atacado. La «gran *yihad*» se refiere al esfuerzo dentro de uno mismo para combatir el pecado; véase John Kaltner, *Introducing the Qur'an for Today's Reader* (Minneapolis: Fortress, 2011), págs. 168-70, 174-75.

Dios a Jeremías (20:7). En cada caso, el objetivo de Orígenes es encontrar una interpretación «digna de Dios».[86] Orígenes apela a la idea del «antropomorfismo», y habla de Dios «condescendiente» con nosotros. Al igual que Filón, Orígenes juega con la tensión entre Números 23:19 («Dios no es hombre») y Deuteronomio 8:5 («como un hombre discierne a su hijo»).[87] Pero su comentario más interesante viene cuando compara el lenguaje de las escrituras sobre Dios con los homónimos en el habla humana. Los homónimos son palabras que comparten la misma ortografía y sonido pero que tienen diferentes significados (el «banco» de un río frente a un «banco» financiero). Aunque estas palabras se parecen y suenan igual, tienen diferentes significados. Como explica Orígenes, lo mismo ocurre con palabras como «arrepentimiento» o «ira» en referencia a Dios. Incluso si usamos las mismas palabras para describir la «ira» o el «arrepentimiento» humanos, estas palabras significan algo diferente cuando se aplican a Dios.[88] Orígenes cree que las palabras de las Escrituras que describen a Dios adquieren significados únicos y divinamente apropiados.

La superioridad moral de Dios sobre los humanos fue un principio fundamental para Orígenes. En su opinión, la gente que interpreta todos los textos bíblicos literalmente termina haciendo afirmaciones impías sobre Dios. Orígenes ofrece la siguiente crítica a los literatos de las escrituras: «Además, incluso los más simples de los que dicen pertenecer a la Iglesia, aunque creen que no hay nadie más grande que el Creador, en el que tienen razón, creen cosas sobre él que no creerían los hombres más salvajes e injustos».[89] Si matar a cada persona en una ciudad es moralmente reprensible cuando un humano lo hace, entonces tal acción no puede ser atribuida a Dios.[90] Para

[86] Orígenes, *Homilías sobre Jeremías* 20.1.

[87] Orígenes, *Homilías sobre Jeremías* 18.6 y 19.15.

[88] Orígenes, *Homilías sobre Jeremías* 20.1.

[89] Sobre todo este párrafo, véase Orígenes, *Sobre los principios* 4.2.1-2. Orígenes continúa: «Ahora bien, la razón por la que todos los que hemos mencionado sostienen opiniones falsas y hacen afirmaciones impías o ignorantes sobre Dios no parece ser otra que ésta, que la escritura no se entiende en su sentido espiritual, sino que se interpreta según la letra desnuda. Por eso debemos explicar a los que creen que los libros sagrados no son obras de hombres, sino que fueron compuestos y bajados a nosotros como resultado de la inspiración del Espíritu Santo por la voluntad del Padre del universo a través de Jesucristo, cuáles son los métodos de interpretación que nos parecen correctos a nosotros, que nos atenemos a la regla de la Iglesia celestial de Jesucristo a través de la sucesión de los apóstoles»; vea *Origen: On First Principles*, Butterworth, págs. 271-72.

[90] Para otros textos de guerra en Josué, vea por ejemplo 10:28, 30, 33, 35, 37, 39, 40; 11:16-23; y 6:21: «Y consagraron a la destrucción a todos los de la ciudad, hombres y mujeres, jóvenes y viejos, bueyes, ovejas y asnos, a filo de espada». Vea también Números 21:34-35; 31:17-18; Deuteronomio 7:2; 13:6-15; 20:16-18; y 1 Samuel 15:3.

Orígenes, Dios no sólo es diferente de la humanidad, sino que también es moralmente perfecto de una manera reconocible para las sensibilidades humanas.

Los comentarios de Orígenes fueron ampliamente leídos y apreciados por los posteriores comentaristas cristianos. Incluso aquellos que criticaban su teología especulativa adoptaron muchos de sus principios para interpretar el Antiguo Testamento. El impacto de Filón y otros escritores judíos helenísticos fue también significativo al tratar con las representaciones «humanas» de Dios en las Escrituras.

En cuanto a la cuestión de si Dios tiene «mano» (véase Éx. 13:9: «con mano fuerte el Señor te ha sacado de Egipto»), Eusebio de Cesarea cita al primer filósofo judío Aristóbulo, que dice que los lectores deben «mantener firme la concepción adecuada de Dios» y tener cuidado de no «caer en la idea de una fabulosa concepción antropomórfica». No deben tomar la «mano del Señor» literalmente, sino reconocer que representa el poder de Dios.[91] En Génesis 1:4, Dídimo el Ciego dice a sus lectores que deben entender que «Dios vio la luz» de una manera digna de Dios.[92] Gregorio de Nisa interpreta la muerte del primogénito de Egipto en Éxodo 12:29 alegóricamente, declarando, «¿Cómo podría preservarse un concepto digno de Dios en la descripción de lo que sucedió si uno sólo mira la historia? El egipcio actúa injustamente, y en su lugar se castiga a su hijo recién nacido, que en su infancia no puede discernir lo que es bueno y lo que no».[93] Basilio el Grande y Gregorio Nacianceno citan varios pasajes de Orígenes en su *Filocalia* donde Orígenes reconcilia el concepto de libre albedrío con el endurecimiento del corazón del Faraón en el Éxodo.[94] La preocupación subyacente de estos pasajes es que «es

---

[91] Eusebio, *Preparación para el evangelio* 8.10; véase *Eusebius: Preparation for the Gospel*, vol. 1, trad. E. H. Gifford (Oxford: Clarendon, 1903), pág. 407.

[92] Véase *Didyme L'aveugle. Sur la Genèse*, vol. 1, tras. Pierre Nautin, Sources chrétiennes (París: Cerf, 1976), pág. 46.

[93] Gregorio de Nisa, *Vide de Moisés* 2.91; véase *Gregory of Nyssa: The Life of Moses*, trad. A. J. Malherbe y E. Ferguson, Classics of Western Spirituality (Nueva York: Paulist, 1978), pág. 75. Según Gregorio, este pasaje enseña que nosotros como cristianos debemos «destruir completamente el primer nacimiento del mal» dentro de nosotros. Cita Ezequiel 18:20, «El alma que peca morirá. El hijo no sufrirá por la iniquidad del padre», para demostrar que Dios no mataría literalmente al hijo del Faraón por el pecado del Faraón. Gregorio argumenta, «Si tal [un niño] paga ahora la pena de la maldad de su padre, ¿dónde está la justicia? ¿Dónde está la piedad? ¿Dónde está la santidad? ... ¿Cómo puede la historia contradecir tanto la razón?» (*Gregory of Nyssa: The Life of Moses*, Malherbe y Ferguson, pág. 75). Véase también *Gregory of Nyssa: Homilies on the Song of Songs*, trad. Richard A. Norris, Jr., *Writings from the Greco-Roman World* (Atlanta: Society of Biblical Literature, 2009), pág. 169 (*Homilía* 5).

[94] Sobre el endurecimiento del corazón del Faraón, vea Éxodo 3:19 y 4:21 (anuncio de endurecimiento); 7:13, 14, 22; 8:15, 19, 32; 9:7, 34, 35 (el corazón se endurece); 9:12; 10:1, 20, 27; 11:10; 14:8 (Dios se endurece). Vea también Romanos 9:6-29.

indigno de Dios lograr el endurecimiento del corazón de cualquier hombre».[95] Numerosos ejemplos de este tipo pueden ser dados, especialmente de escritores conocidos por haber leído Orígenes o Filón.

La preocupación por interpretar la Escritura de una manera digna de Dios es también evidente en los comentaristas de Antioquía. Juan Crisóstomo a menudo describe la estrategia de Dios de representar lo divino de una manera humana como «condescendencia» (*synkatabasis*).[96] Crisóstomo dice lo siguiente acerca de Génesis 2:21, «Dios... tomó una de sus costillas»:

> Noten la condescendencia de la Sagrada Escritura en las palabras empleadas con nuestras limitaciones en mente: «Dios tomó una de sus costillas», dice el texto. No tomes las palabras a la manera humana; más bien, interpreta la concreción de las expresiones desde el punto de vista de las limitaciones humanas.[97] Ves, si no hubiera usado estas palabras, ¿cómo hubiéramos podido conocer estos misterios que desafían la descripción? No nos quedemos, pues, sólo en el nivel de las palabras, sino comprendamos todo de una manera propia de Dios, porque aplicado a Dios. Esa frase, «Él tomó», después de todo, y otras similares se dicen con nuestras limitaciones en mente.[98]

Si el relato de Dios haciendo la mujer de la costilla del hombre parece demasiado común para la deidad, debemos tener en cuenta que Dios se comunica con nosotros de esta manera para nuestro beneficio. Nuestra parte es reconocer la condescendencia de Dios con nuestras limitaciones humanas, e interpretar el texto de una manera propia de Dios, buscando saber qué misterio enseña.

Teodoreto de Ciro es otro antioqueno que muestra especial cuidado en no tomar el lenguaje humano sobre Dios en las Escrituras demasiado literalmente. Con respecto a la frase de Jeremías 4:28, «No cederé», Teodoreto advierte que no debemos tomar esto como una sugerencia de que Dios podría «ceder», ya que «La frase "no cederé"

---

[95] Véase *Filocalia* 21.1-23; 27.1-13. Efrén el sirio también hace hincapié en el libre albedrío del faraón y sostiene que sólo el faraón era responsable de los juicios de Dios contra él (véase el *Comentario sobre Éxodo* 5.1; 7.1; 10.1, 3-5).

[96] Robert C. Hill, que tradujo muchas obras de Crisóstomo al inglés, prefirió la traducción «consideración» para *synkatabasis*. Estoy de acuerdo en que a veces es una buena traducción, pero creo que «condescendencia» captura en muchos pasajes el sentido correcto de Dios bajando la presentación de su ser divino a nuestro entendimiento.

[97] Para «limitaciones», el griego tiene *astheneia*, «debilidad».

[98] Juan Crisóstomo, *Homilías sobre Génesis* 15.8. Vea también *Homilías sobre Génesis* de Crisóstomo sobre Génesis 58.7-13, sobre la condescendencia divina en la historia de Jacob luchando con Dios en el Génesis 32:24-32.

es antropomórfica, la divinidad es inmune a la pasión, y tiene el significado, que pensé adecuado para exigir una retribución».[99] Una vez más, Jeremías 9:9 dice: «¿Y no se vengará mi alma de una nación como esta?» Teodoreto comenta, «Usó la frase "mi alma" a la manera humana: lo divino no está compuesto de cuerpo y alma, siendo simple, carente de composición y forma. Sus palabras se ajustan a nuestra capacidad de recibir».[100] Además del uso que Teodoreto hace del término «antropomorfismo» y su explicación de que Dios ajusta su comunicación con nosotros para que se ajuste a nuestra capacidad de recibir, es notable que Teodoreto advierte al lector que no interprete el texto de tal manera que amenace la inmutabilidad o la naturaleza simple de Dios. Para Teodoreto, estos son atributos que necesariamente pertenecen a Dios.

Ejemplos similares a estos podrían ofrecerse de los escritos de los Padres de la Iglesia latina. Terminaré esta discusión con un comentario de Agustín. Como muchos otros, Agustín insiste en que debemos entender las partes del cuerpo de Dios como sus diversas capacidades, y a menudo señala lo inapropiado de tomar el lenguaje de las Escrituras sobre Dios demasiado literalmente.[101] En cuanto al comportamiento moral, Agustín dice: «Cualquier palabra o acción dura o incluso cruel atribuida a Dios o a sus santos que se encuentre en las Sagradas Escrituras se aplica a la destrucción del reino de la lujuria».[102] De manera similar a Orígenes, Agustín afirma que nada moralmente indigno de Dios debe ser tomado literalmente en las Escrituras.

La preocupación básica de los intérpretes cristianos discutida en esta sección era que las cualidades humanas atribuidas a Dios en la Escritura no debían interpretarse como una enseñanza contraria a las concepciones más elevadas de Dios. Podemos preguntarnos: ¿De dónde vinieron estas elevadas concepciones? Hasta cierto punto, estas concepciones llegaron a los lectores cristianos a través de las

---

[99] Teodoreto de Ciro, *Comentario sobre Jeremías* 4:28; véase *Theodoret of Cyrus: Commentaries on the Prophets*, vol. 1, trad. Robert C. Hill (Brookline: Holy Cross Orthodox, 2006), pág. 42.

[100] Teodoreto de Ciro, *Comentario sobre Jeremías* 9:9; véase *Theodoret of Cyrus: Commentaries on the Prophets*, vol. 1, Hill, pág 58. Véase también *Comentario sobre Jeremías* 14:19.

[101] Sobre las partes del cuerpo de Dios como sus diversas capacidades, vea Agustín, *Exposiciones de los Salmos* 9.33. Sobre la necesidad de no leer las representaciones concretas de Dios demasiado literalmente, vea *Exposiciones de los Salmos* 76.20.

[102] Véase *Epístola a Africano* (Ante-Nicene Fathers 4, págs. 386-92). Para ejemplos de Orígenes interpretando más de un texto, vea sus *Homilías sobre Jeremías* 14.3-4; 15.5. Otros Padres de la Iglesia citan traducciones alternativas y las exponen; por ejemplo, Juan Crisóstomo, *Homilías sobre los Salmos* 8.5; 10.11; Jerónimo, *Comentario sobre Jeremías* 2:23c-24; 15:12; 22:13-17.

enseñanzas del Nuevo Testamento y a través de la tradición filosófica griega. Esto es parte de la verdad, y reconocerlo es reconocer la naturaleza progresiva de la revelación escritural y también la eficacia del razonamiento moral y teológico. Pero hay más que decir. Otra parte de la verdad es que las concepciones teológicas cristianas se desarrollaron sustancialmente a partir de los textos del Antiguo Testamento, y los valores que se encuentran en el Antiguo Testamento moldearon fuertemente las ideas cristianas posteriores. Así que no es exacto decir que los cristianos simplemente impusieron estas categorías posteriores en el Antiguo Testamento. Además, es simplista y poco caritativo asumir que los escritores bíblicos pretendían que todos sus relatos se tomaran literalmente en primer lugar. ¿Creían realmente los escritores del Antiguo Testamento que Dios tenía un brazo y una espalda físicos, cuando ni siquiera los cielos más altos pueden contener a Dios (1 Reyes 8:27)? Es mejor asumir que los escritores del Antiguo Testamento ya conectaban las ideas abstractas con las imágenes concretas que usaban. Los lectores cristianos que heredaron la tradición bíblica se basaron en ciertas partes de la Escritura para guiarse en la interpretación de otras partes. Estos intérpretes buscaban evaluar y organizar las ideas que se les presentaban en la Escritura, con el objetivo de definir con más precisión la naturaleza de la deidad. Naturalmente, entraba en juego cierto anacronismo, pero el proceso teológico se ocupaba sustancialmente de las imágenes de la Escritura y se guiaba por principios reconocibles.

Los cristianos modernos con fuertes sensibilidades históricas son rápidos en advertir que no deben atribuir las ideas teológicas cristianas posteriores a los escritores humanos del Antiguo Testamento. Entender el discurso del autor humano es valioso, y para apreciar el Antiguo Testamento a este nivel debemos evitar el anacronismo. Sin embargo, cuando llegamos a decidir lo que estos textos nos enseñan sobre Dios, es correcto mirar toda la Escritura y evaluar el testimonio bíblico a través de la oración y la razón y con la instrucción de nuestras tradiciones y comunidades. Esto puede llevarnos a conclusiones teológicas que se mantienen cercanas al sentido histórico, pero no son idénticas a él. Por ejemplo, muchos cristianos de hoy en día están preocupados por los mandamientos divinos del Antiguo Testamento de destruir poblaciones enteras de personas a través de la guerra. La cuestión no es simplemente una cuestión de ética práctica, ya que los cristianos siempre pueden decir que el Sermón del Monte prevalece sobre el Antiguo Testamento como guía ética contemporánea. La cuestión tiene que ver con la doctrina de Dios: ¿El mismo Dios que condenó el derramamiento de sangre inocente (e.g., Jer. 7:1-11), exigió compasión por los vulnerables (e.g., Éx. 22:21-27) y se reveló supremamente en Jesús también ordenó a los israelitas que mataran a grupos enteros de personas, incluyendo mujeres y niños? Teológicamente es apropiado que los cristianos no crean que Dios dio tales órdenes. Algunos cristianos sostienen que Dios no ordenó tales acciones y que los israelitas no las realizaron, pero que el lenguaje de las Escrituras que sugiere lo contrario es simplemente una exageración y una retórica común al antiguo Oriente Próximo.[103] Otro enfoque consiste en sugerir que, aunque Israel realizara tales acciones, Dios no las ordenó, y los textos bíblicos en cuestión revelan que los escritores bíblicos plegaron sus propias prácticas militares a la enseñanza divina que instruía a Israel a permanecer absolutamente separado de las perversas costumbres morales y religiosas cananeas. Si esta explicación fuera correcta, estos textos en el contexto de todas las Escrituras señalan con verdad la feroz oposición de Dios a la maldad humana. En cualquier caso, la cuestión tiene que ver con la doctrina de Dios y, por lo tanto, debe resolverse en última instancia en el plano teológico. Las complejidades de este tipo de razonamiento teológico son tales que la percepción de ningún individuo de lo que la Escritura enseña sobre un tema determinado puede servir como la autoridad final de lo que todo cristiano debe creer sobre ese tema. Aun así, los cristianos deben trabajar a través de los textos bíblicos de esta manera para captar la enseñanza de Dios en la Escritura.

Los Padres de la Iglesia creían que Dios inspiraba las Escrituras con el propósito de instruir, y naturalmente esperaban que todo lo enseñado por el Espíritu de Dios en las Escrituras fuera verdad. La coherencia interna del mensaje de la Escritura era una consecuencia lógica de esta forma de pensar. Además, tenía sentido asumir que lo que la Escritura enseña estará de acuerdo con otras fuentes fiables de verdad. Estas otras fuentes incluían tradiciones no bíblicas transmitidas por los apóstoles, el consenso percibido de la iglesia en su propio tiempo, y los más altos ideales de nuestras sensibilidades

---

[103] Véase especialmente Orígenes, *Comentario sobre Mateo* 15.14 (Griechischen Christlichen Schriftsteller 40, pág. 387-89). Orígenes dice que pretende «curar» los desacuerdos en las copias del Antiguo Testamento. Parece creer que, al acercarse al hebreo, está restaurando la Septuaginta original. Sería posible leer este pasaje como si Orígenes tuviera la intención de corregir la Septuaginta basándose en el hebreo, pero esto no coincidiría con los puntos de vista de Orígenes, tal y como se afirma en su *Epístola a Africano* o su práctica general de basar sus interpretaciones en la Septuaginta. Vea también las *Homilías sobre Jeremías* de Orígenes 15.5; 16.5,10.

religiosas. Ninguno de los Padres de la Iglesia cuestionó seriamente la veracidad de las Escrituras. Pero como hemos visto a lo largo de este estudio, la cuestión de cómo interpretar la Escritura para llegar a la verdad era un asunto complejo.

CAPÍTULO SIETE

Conclusiones

Variedad y diferencia

Sobre la base del estudio anterior de las primeras creencias cristianas acerca de la inspiración bíblica, se pueden hacer dos observaciones importantes: en primer lugar, en la antigüedad existían diversas ideas sobre lo que implicaba la inspiración divina de las Escrituras y cómo comprender esas implicaciones; y, en segundo lugar, algunas nociones asociadas con la inspiración en la antigüedad ya no son totalmente plausibles desde un punto de vista moderno. El significado de estas dos observaciones debe ser explicado antes de pasar a discutir la relevancia del pensamiento cristiano antiguo sobre la inspiración para hoy.

En primer lugar, el hecho de que tantas ideas diferentes lleguen a asociarse con el concepto de inspiración muestra que la creencia en la inspiración de las Escrituras no es simplemente un asunto de «arriba» o «abajo». Todos los primeros cristianos analizados en este libro podrían describirse justamente como poseedores de una visión «elevada» de la inspiración bíblica, pero sus creencias variaban en cuanto al impacto preciso de la inspiración en las Escrituras. En algunos casos, creencias aparentemente significativas entraban en conflicto entre sí; por ejemplo, a Agustín le preocupaba que la interpretación de Jerónimo de la confrontación entre Pablo y Pedro en Gálatas violara el principio de que la Escritura no engaña, mientras que Jerónimo pensaba que la interpretación de Agustín dejaba a la Escritura abierta a la acusación de contradicción interna. Esto ilustra lo difícil que puede ser determinar qué concepciones de la inspiración captan mejor las creencias cristianas sobre la Escritura. La Iglesia de hoy puede aprender una importante lección de esto. El mayor beneficio para la iglesia en su comprensión de las Escrituras será obtenido por la discusión abierta de la inspiración basada en la fe y el aprendizaje, que trata de describir con cada vez mayor claridad la naturaleza de la Escritura inspirada. Tal discusión hace más bien a la iglesia que simplemente afirmar la veracidad de la Escritura en abstracto. Así como muchos en la iglesia de hoy se sienten cómodos, dentro de ciertos límites, discrepando con sus compañeros cristianos en un tema tan importante como la Cena del Señor, también los cristianos de hoy pueden estar de acuerdo en discrepar sobre las implicaciones precisas de la inspiración bíblica. El desacuerdo y la discusión caritativa pueden aumentar significativamente la comprensión que la mayoría de los cristianos en las bancas tienen de esta importante doctrina.

En segundo lugar, la diversidad del pensamiento de los primeros cristianos sobre la inspiración y la brecha entre las perspectivas antiguas y modernas hacen imposible para cualquiera hoy en día reclamar una continuidad absoluta con la iglesia primitiva. Como se ha señalado en la Introducción, las primeras concepciones cristianas de la inspiración tomaron forma en el contexto de las primeras ideas judías y grecorromanas sobre los textos sagrados. En vista de la naturaleza contextual de las primeras ideas cristianas sobre las Escrituras, es perfectamente comprensible que los cristianos del mundo contemporáneo se hayan sentido libres e incluso obligados a refundir los elementos esenciales de la inspiración en vestimentas modernas (o posmodernas). Pero una vez que hemos hecho esta refundición, es importante por el bien de la caridad que reconozcamos cómo nos diferenciamos de las grandes autoridades del pasado. Por ejemplo, algunos cristianos contemporáneos pueden compartir la creencia de Orígenes en la unidad teológica de la Escritura, pero si no aprueban el enfoque de Orígenes sobre la interpretación alegórica, entonces están en continuidad con su creencia en la unidad, pero en discontinuidad con su creencia en la alegoría. Como otro ejemplo, algunos pueden compartir hoy en día la creencia de Agustín de que todas las Escrituras apuntan a Cristo, pero si no comparten su creencia en el significado oculto de los detalles de las Escrituras (como los números), entonces su relación con el pensamiento de Agustín es tanto de continuidad como de discontinuidad. Es muy problemático pretender adherirse al punto de vista «tradicional» sobre la inspiración, cuando en realidad sólo se adhiere a una porción selecta de algún punto de vista antiguo. En particular, no es válido reivindicar una creencia antigua (como la unidad teológica de la Escritura), mientras que al mismo tiempo se rechaza la base hermenéutica de esa creencia (a saber, que la Escritura tiene un sentido espiritual). Ningún punto de la doctrina relacionado con la inspiración puede considerarse resuelto por la tradición cuando sólo se tiene en cuenta una parte de la perspectiva tradicional. Por supuesto, no veo ninguna otra forma de proceder, salvo decir que algunas ideas tradicionales siguen perdurando y que otras deben dejarse en el pasado; pero si esto es así, entonces la reflexión teológica sobre la inspiración no puede ser simplemente una afirmación de la perspectiva «tradicional», sino que debe consistir en argumentos convincentes sobre la forma en que la iglesia puede explicar mejor la inspiración bíblica hoy en día.[1]

Existe una larga tradición en la iglesia de apelar a las fuentes tradicionales para sus propios propósitos, mientras que se ocultan los puntos en los que no están en armonía con esas fuentes. En este sentido, espero que este libro no sea tradicional. Creo que reconocer tanto nuestras similitudes *como* nuestras diferencias con el pasado nos da la mayor oportunidad de aprender las lecciones correctas de nuestras tradiciones. Esta clase de honestidad promueve la caridad, ya que estamos reconociendo que nadie tiene el monopolio de la tradición cristiana. También promueve la reflexión crítica sobre el pasado y el presente, lo que nos ayuda a ver la verdad más claramente.

Continuidad y significado

Para ser fieles a las Escrituras y conscientes de la tradición cristiana, es importante identificar algunas de las creencias esenciales sobre la inspiración de la iglesia primitiva que continúan impresionando a los creyentes modernos. Por supuesto, ciertos aspectos del pensamiento antiguo sobre la inspiración de las Escrituras es mejor dejarlos en el pasado. Por ejemplo, la búsqueda de significados místicos en prácticamente todos los nombres propios de las Escrituras, la exposición de detalles triviales y la práctica de algunos intérpretes de ignorar el contexto del escritor humano son todas dimensiones de la interpretación antigua que no funcionan.[2] Sin embargo, los Padres de

[1] Discusiones recientes de inspiración bíblica que contribuyen positivamente a nuestra comprensión contemporánea de esta doctrina incluyen I. Howard Marshall, *Biblical Inspiration* (Grand Rapids: Eerdmans, 1982); Paul J. Achtemeier, *Inspiration and Authority: Nature and Function of Christian Scripture*, rev. ed. (Peabody: Hendrickson, 1999); y N. T. Wright, *Scripture and the Authority of God: How to Read the Bible Today* (Nueva York: HarperCollins, 2011).

[2] Por supuesto, incluso con los ejemplos que se dan aquí, los puntos de vista antiguos reflejan núcleos de verdad; muchos nombres propios de la Escritura son significativos, muchos detalles textuales sí importan, y a veces el contexto histórico específico de un pasaje no es muy importante para el mensaje, por ejemplo, en muchos salmos. Pero como principios

la Iglesia tienen mucho que enseñarnos sobre cómo la Escritura puede y debe ser significativa para los cristianos. Sobre todo, el antiguo pensamiento cristiano sobre la inspiración nos muestra que debemos interpretar la Escritura a la luz de su propósito divino: guiar a la gente a conocer y seguir a Dios.

La continua relevancia de la interpretación bíblica antigua es más obvia cuando los Padres de la Iglesia hicieron un uso significativo del sentido *ad litteram/iuxta historiam*, como se encuentra comúnmente entre los antioquenos como Teodoreto y Juan Crisóstomo, pero también entre muchos otros. Las cualidades que se encuentran en estos lectores que se conectan con el énfasis moderno incluyen la preocupación por lo que las palabras de la Escritura habrían significado en sus contextos originales, la atención al flujo lógico y a los principales temas de las composiciones literarias, y el interés en lo que llamamos género literario. En el mejor de los casos, los estudios bíblicos modernos intentan comprender la literatura bíblica según estas líneas.[3] El enfoque en el sentido *ad litteram* es lo que caracteriza más distintivamente a los estudios bíblicos modernos, tanto en la academia como en la iglesia. Creo que la atención que se ha prestado al significado contextual y literario de la Escritura ha sido beneficiosa para los cristianos modernos. Lo que se tiene en cuenta no es tomar todo «literalmente» en la Biblia, sino más bien prestar atención al propio discurso del texto a nivel humano. Cada texto bíblico tiene algo que aportar al mensaje teológico de la Escritura, y la atención al sentido *ad litteram* permite que se escuche la voz de cada texto bíblico. Respecto al «sentido superficial» de los textos bíblicos nos impide simplemente leer cualquier contenido que nos guste en los textos. Para ser desafiados por la Escritura, debemos estar en contacto genuino con lo que los textos bíblicos realmente dicen. Esto se logra mejor cuando la interpretación *ad litteram* está viva y funcionando. Por lo tanto, es una situación positiva que la iglesia moderna haya recogido y desarrollado el antiguo interés cristiano en el sentido *ad litteram/iuxta historiam* de la Escritura.

Sin embargo, el enfoque casi exclusivo en el sentido ad litteram de la Escritura en gran parte del cristianismo moderno es

---

interpretativos basados en la naturaleza de la propia inspiración divina, las antiguas perspectivas sobre estos temas no son muy útiles.

[3] John Barton, *The Nature of Biblical Criticism* (Louisville: Westminster John Knox, 2007), págs. 101-16, favorece el término «sentido común» para describir el objeto de estudio crítico de la Biblia. Idealmente, cuando los críticos bíblicos identifican la desarmonía dentro de un libro bíblico y postulan múltiples fuentes detrás de un documento, esto es el resultado de haber intentado primero leer el texto de manera holística y haber encontrado problemas significativos con una lectura holística.

problemático. La investigación sobre el sentido *ad litteram* por sí sola no puede descubrir el significado contemporáneo de la Escritura. Los resultados de la exégesis bíblica «literal» sólo pueden ser afirmaciones en tiempo pasado, como, «Esto es lo que Jeremías dijo a los judíos», o «Esto es lo que Pedro dijo a la iglesia del primer siglo». Pero, ¿cómo se aplica hoy en día la intención histórica de la orden de Jeremías de guardar el Shabat (Jer. 17:19-27)? ¿Cómo vamos a aplicar las instrucciones de Pedro (e.g., 1 Pe. 2:13- 3:7) hoy en día si vivimos en una cultura sin un emperador y con diferentes concepciones y leyes sobre la esclavitud? Además, para muchos textos de las Escrituras —por ejemplo, narraciones como Jueces o Hechos—no está claro si la exégesis *ad litteram* puede recuperar incluso el «mensaje» previsto por el escritor para el público original. El Nuevo Testamento hace problemática la idea de que las leyes del Antiguo Testamento pueden aplicarse a los cristianos de hoy en día en su sentido histórico, y es dudoso que las perspectivas del Nuevo Testamento sobre temas como los dones espirituales (e.g., 1 Co. 12:31; 14:1), la joyería (e.g., 1 Pe. 3:3; 1 Ti. 2:9) y los peinados (e.g., 1 Co. 11:14-15) puedan ser apropiados hoy en día sin alguna traducción teológica. Por último, es imposible, basándose en una exégesis estrictamente «literal» del Antiguo Testamento, explicar desde el Antiguo Testamento que Jesús era el Cristo y que resucitó de entre los muertos al tercer día (vea Hch. 18:28; 1 Co. 15:4). Obviamente, se necesita una reflexión más profunda sobre cómo podemos pasar del sentido *ad litteram* a una legítima lectura cristiana moderna de toda la Escritura.

En mi opinión, la Iglesia hoy en día sufre dos problemas principales que se derivan del énfasis primordial en los tiempos modernos en la exégesis «literal»: en primer lugar, algunos intérpretes se centran tanto en la exégesis que descuidan el significado contemporáneo de la Escritura, dejando a los lectores y oyentes cristianos sin saber por qué deberían preocuparse por la Escritura en absoluto; y en segundo lugar, muchos maestros modernos de la Escritura conciben arbitrariamente sus propias aplicaciones (a veces idiosincrásicas) de los textos bíblicos y las imponen a otros como si tuvieran autoridad divina, apoyados por la exégesis histórica pero sin una explicación clara de cómo se determinó el significado contemporáneo.[4] Para que la Escritura hable de manera creíble a los

[4] Una parte importante de hacer un argumento teológico a favor de una interpretación particular de un texto bíblico es situar ese texto dentro de una lectura más amplia de la Escritura en su conjunto. Los mejores comentaristas del período patrístico practicaban regularmente este tipo de interpretación bíblica teológica. Sin embargo, hay que tener en cuenta que incluso una «teología

cristianos contemporáneos, la exposición de la Escritura debe ir más allá de un simple recuento del sentido *ad litteram*, hacia una interpretación teológica razonada y expuesta con caridad. La buena interpretación bíblica para la Iglesia está estrechamente ligada al discurso humano de los textos bíblicos, pero el mensaje de la Escritura no siempre equivale a la intención de su escritor humano. Las ideas de la iglesia primitiva pueden ser particularmente útiles en nuestra búsqueda para descubrir el mensaje teológico de la Escritura.

Por lo tanto, aunque a menudo no es obvio para los cristianos modernos, tenemos mucho que aprender de los Padres de la Iglesia acerca de cómo interpretar las Escrituras más allá del nivel «literal». Como ya se ha dicho, el compromiso con la inspiración bíblica no es un asunto de «arriba» o «abajo», y nadie hoy en día cree todo lo que los primeros cristianos creían sobre la Escritura. El desafío es identificar las dimensiones más perspicaces del pensamiento cristiano primitivo y explicar cómo estas dimensiones siguen siendo significativas. Los cristianos naturalmente diferirán hasta cierto punto en la identificación de estas percepciones clave. Sin tratar de ser exhaustivo, ofreceré algunas sugerencias sobre cómo las nociones de los primeros cristianos sobre la inspiración divina pueden ayudar a los cristianos de hoy a percibir el significado de las Escrituras.

Para empezar, la antigua creencia de que Dios quiso que las Escrituras sirvieran para la instrucción religiosa, la formación en la rectitud y la preparación para las buenas obras es fundamental para nuestra comprensión de lo que debemos buscar en las Escrituras (véase, e.g., 2 Ti. 3:16-17; 1 Co. 10:11; Rom. 15:4). La creencia de que lo que aprendemos como verdadero de la Escritura no contradice ninguna verdad genuina derivada del aprendizaje secular puede fomentar un diálogo teológico saludable entre la teología bíblica y las ciencias naturales y sociales. La idea de que la Escritura resuelve todos los problemas que le planteamos, lo que puede conducir a interpretaciones absurdas si se lleva a un extremo, también puede interpretarse más moderadamente como un estímulo para que los cristianos lean la Escritura y busquen valores, historias e imágenes que puedan utilizar para ayudarles en cualquier situación de la vida. Incluso concediendo la diversidad de perspectivas que se encuentran en la Biblia, una concepción matizada de la unidad y la armonía interna de la Escritura puede evitar que los cristianos descarten ciertos

---

bíblica», es decir, una teología desarrollada a partir de categorías bíblicas, es construida por un intérprete individual y debe ser justificada y explicada tanto a nivel macro como en su aplicación a textos bíblicos específicos. No existe una «teología bíblica» evidente que sirva a todos como guía universal para interpretar la Escritura.

textos bíblicos en favor de otros, desafiándolos a luchar con cada texto para ver qué lección tiene que enseñar. Además, la creencia de que la Escritura tiene múltiples sentidos, aunque no es necesariamente viable de la manera completamente sobrenatural imaginada por algunos de los primeros cristianos, es un recordatorio útil de que, aunque un texto de la Escritura esté hablando literalmente de una cosa, también puede estar hablando de otra (*allēgoreō*, «hablar de otra cosa»). Así, Génesis 22 es una historia sobre Dios, Abraham e Isaac, pero también puede describirse como una historia sobre la confianza. La capacidad de las historias y los poemas para tratar de algo más allá del sentido «literal» es básica para su significado perdurable. Cuando se interpretan con el matiz adecuado, muchas perspectivas antiguas sobre la inspiración resultan ser bastante perspicaces.

Cuatro ideas en particular derivadas del pensamiento antiguo sobre la inspiración merecen una mención especial por su importancia para la interpretación bíblica cristiana. La primera idea se basa en una serie de categorías generales para centrarse en la figura de Jesús. Tanto si se consideraba que la Escritura predecía a Jesús en el futuro, como si se hablaba de Jesús a través de un sentido «superior», o incluso se hablaba con la voz de Jesús, los primeros cristianos utilizaron muchas nociones antiguas sobre los textos sagrados para imaginar a Jesús como el centro de la interpretación de las Escrituras. Por supuesto, particularmente a nivel del discurso humano de los textos del Antiguo Testamento, mucho de lo que la iglesia primitiva pensaba de Jesús como sujeto de las Escrituras no puede ser argumentado precisamente de la misma manera hoy en día. Pero sigue siendo una creencia cristiana clave que las historias, imágenes y aspiraciones del Antiguo Testamento se resumen en Jesús, y que el ejemplo y las enseñanzas de Jesús sirven como una lente a través de la cual deben pasar todas las interpretaciones de la Escritura; en este sentido, los mandatos de amar a Dios y al prójimo vienen prominentemente a la mente. Así, la Iglesia primitiva puede desafiar a la Iglesia moderna a ver las conexiones entre el tema de todos los textos de la Escritura y Jesús, y también a interpretar el significado de todos los textos de la Escritura a través de la lente de la misión y las enseñanzas de Jesús.

En segundo lugar, la idea de que la interpretación adecuada de las Escrituras tiene lugar dentro de la iglesia apunta a la necesidad de la comunidad y las tradiciones para descubrir el significado de las Escrituras. Los textos autorizados sobreviven y mantienen su vitalidad a través de comunidades que reconocen su autoridad y continúan reinterpretando su significado. Al igual que con la Biblia y la

Constitución de los Estados Unidos, las comunidades interpretativas desarrollan tradiciones y precedentes que guían a los intérpretes posteriores que tendrán que volver a aplicar los textos autorizados en nuevas situaciones. Sin embargo, a diferencia de la Constitución de los Estados Unidos, las Escrituras cristianas se conservan en más de una comunidad, y la naturaleza del liderazgo y la autoridad en estas comunidades varía. Sin embargo, es seguramente sabio decir que los intérpretes cristianos deben prestar una atención respetuosa a las tradiciones de interpretación de las Escrituras y también a las voces de aquellos que, dentro de sus comunidades cristianas, ofrecen consejos basados en las Escrituras.

La tercera idea que tiene especial importancia para la interpretación bíblica es que la enseñanza de la Escritura debe ser digna de Dios. El texto bíblico que primero me viene a la mente es la declaración de Abraham, seguida de las respuestas de Dios, en Génesis 18:25: «El Juez de toda la tierra, ¿no hará justicia?» Abraham sabe algo verdadero sobre el carácter de Dios y postula que Dios actuará de acuerdo a esta verdad, y Dios está de acuerdo. De manera similar, Jesús argumenta sobre la base de las Escrituras y el razonamiento moral que es obviamente aceptable hacer el bien a una persona en sábado (Mt. 12:9-14). La razón humana, aparte de Dios, no genera sus propias verdades independientes, pero el razonamiento moral que se basa en la tradición, la comunidad y la perspicacia espiritual es una parte esencial de la organización y la prioridad de las ideas de las Escrituras en un cuadro teológico coherente que sea digno de Dios.

La cuarta idea de la antigüedad que deseo destacar por su importancia para la comprensión de las Escrituras es la creencia de que la iluminación divina es necesaria para la interpretación bíblica. No es plausible argumentar que la iluminación divina otorgará al lector un conocimiento especial del sentido histórico de las Escrituras más allá de lo que se puede conocer a través de investigaciones académicas. Se podría argumentar que virtudes como la paciencia, la caridad y la humildad pueden ser beneficiosas para cualquier ejercicio intelectual y que, si la ayuda divina promueve estas virtudes, entonces la iluminación podría ser beneficiosa incluso para el estudio académico de las Escrituras. Sin embargo, el papel más importante que desempeña la iluminación divina en la interpretación bíblica tiene que ver con la percepción por parte de sus lectores y oyentes de lo que Dios les enseña a través del texto. Una interpretación cristiana responsable de la Escritura implica un contacto genuino con el sentido *ad litteram* del texto, centrarse en Jesús como guía y tema final, un espíritu enseñable con respecto a las tradiciones y comunidades cristianas y un cuidadoso razonamiento teológico y moral. Pero al final, este proceso no llevará a los cristianos a escuchar el mensaje aplicado de Dios en las Escrituras sin lo que John Goldingay llama «intuición inspirada».[5] Aunque se puede hacer mucho trabajo para guiar al lector cristiano en la dirección correcta, la aplicación de las Escrituras requiere algo más que investigación y razonamiento. Según el modelo de Orígenes, la misteriosa intuición que nos permite percibir el significado del evangelio para nosotros en las Escrituras viene a través de la oración y la receptividad a la iluminación divina.

Obviamente, estas antiguas ideas aplicadas a la interpretación bíblica plantean importantes cuestiones sobre la naturaleza y la función de la autoridad de las Escrituras. Ahora ofreceré unos breves comentarios sobre cómo esto podría ser visto a lo largo de las líneas esbozadas anteriormente.

Hermenéutica y autoridad

Las ideas más significativas asociadas con la doctrina de la inspiración en la iglesia primitiva tenían que ver con la interpretación de las escrituras. Esto necesariamente plantea preguntas sobre la autoridad de las Escrituras. Es ciertamente posible que la gente esté de acuerdo en que la Escritura es autoritaria, mientras que no está de acuerdo en cómo interpretarla. Pero desde un punto de vista práctico no se puede separar la autoridad de la Escritura de las preguntas «¿Qué significa la Escritura?» y «¿Cómo sabemos lo que significa la Escritura?» Hablar de la «autoridad» de la Escritura es afirmar algo sobre el significado actual de la Escritura. Como sugiere el testimonio de la iglesia primitiva, un número de complejos valores hermenéuticos deben estar en funcionamiento para que el siempre presente mensaje cristiano de la Escritura sea escuchado. Esta complejidad tiene importantes implicaciones para nuestra comprensión de la autoridad de las Escrituras.

Para decirlo directamente: las prácticas interpretativas que fomentan la continuidad del significado de las Escrituras implican elementos de subjetividad. Hay una variedad de formas en que uno puede ver a Jesús como central en la interpretación bíblica cristiana.

---

[5] «Como la tarea de la exégesis —y como la construcción de un puente real, sospecho— la aplicación de las escrituras a nuestra propia época y mundo y vidas significa combinar el pensamiento duro con la intuición inspirada»; vea John Goldingay, *Models for Interpretation of Scripture* (Grand Rapids: Eerdmans, 1995), pág. 259.

Existe una variedad de tradiciones y comunidades que reivindican un cristianismo auténtico. Conceptos como el razonamiento moral o la aplicación de «principios» bíblicos implican suficientes percepciones del intérprete para dejar espacio a la subjetividad.[6] Las experiencias privadas de iluminación divina cuando se lee la Escritura son obviamente subjetivas. Pero el hecho de que una percepción sea subjetiva no significa que no sea real: lo que experimentamos subjetivamente puede ser verdad. Pero cuando se trata de hacer llamamientos autorizados dentro de una comunidad, el tema de la subjetividad debe ser considerado cuidadosamente.

Una forma de abordar la cuestión de la subjetividad es apelar a un intérprete autorizado. Por ejemplo: incluso con la Constitución de los EE.UU., que refleja un género literario directamente vinculado a su propósito y fue compuesto en un plazo relativamente corto y con objetivos específicos en vista, los jueces siguen siendo necesarios para servir como los árbitros finales de su significado actual.[7] Podría parecer, pues, tanto más necesario que un intérprete autorizado presida la Escritura, que representa una amplia gama de géneros literarios, abarca las épocas tanto del antiguo Israel como de la Iglesia primitiva y habla de realidades espirituales.

La presunta necesidad de una interpretación autorizada de las Escrituras se utiliza a veces como argumento a favor de que un grupo cristiano concreto sirva como intérprete autorizado. Sin embargo, el deseo de algunos de tener un intérprete autorizado no puede servir como evidencia de que exista tal intérprete. Esto es simplemente el cumplimiento de un deseo. Para que un grupo pueda hacer un reclamo justo para ser el intérprete divinamente autorizado de las Escrituras, ese grupo necesitaría ofrecer una explicación histórica de la existencia de tal oficio, mostrarse en suficiente continuidad con la iglesia primitiva para hacer creíbles sus reclamos a ese oficio, y demostrar que es el único entre todos los grupos cristianos del mundo que tiene el oficio. No creo que ningún grupo cristiano de hoy sea capaz de

---

[6] Al discutir la aplicación de los principios de la Biblia a las situaciones modernas, I. H. Marshall observa con razón: «Si se objeta que este método es algo subjetivo, hay que responder que es inevitable, ya que puede haber diferencias de opinión sobre cómo aplicar la enseñanza bíblica a situaciones diversas (al igual que hay diferencias de opinión sobre el modo de bautismo)». Véase Marshall, *Biblical Inspiration*, pág. 105.

[7] Para la Constitución de los Estados Unidos, por supuesto, el texto mismo, su tradición de interpretación legal y sus intérpretes contemporáneos (es decir, los jueces) son vistos como poseedores de una autoridad derivada de una especie de contrato social, no por derecho divino. Por lo tanto, la autoridad interpretativa del sistema judicial de los Estados Unidos no es un paralelismo directo con la reivindicación de autoridad por derecho divino que plantean ciertas iglesias.

hacer estas afirmaciones de forma creíble. Además, si bien es cierto que los cánones cristianos de las Escrituras (por ejemplo, los cánones sirio, copto, armenio, católico romano y protestante) son el producto de procesos históricos dentro de las iglesias de los primeros siglos del cristianismo,[8] no se deduce de ello que toda organización de tiempos posteriores que afirme ser «la iglesia» tenga la autoridad divina de dictar al resto de la humanidad lo que significan los textos bíblicos. Por lo tanto, aunque las comunidades cristianas son esenciales para escuchar el mensaje de las Escrituras, no creo que apelar a intérpretes autorizados dentro de comunidades específicas pueda abordar la cuestión de la subjetividad en la interpretación bíblica.

Otro enfoque para tratar el elemento subjetivo en la interpretación de las Escrituras es fundamentar la autoridad de las Escrituras en el sentido *ad litteram*, junto con principios para guiar a los cristianos en su paso del texto bíblico al mundo moderno. El elemento de subjetividad se reduce por la exégesis *ad litteram* por un lado y por los principios rectores por el otro. Creo que hay mucho de bueno en este enfoque. La atención prestada al sentido «literal» (el discurso del escritor humano) pone al lector en contacto con el contenido distintivo de cada pasaje, y los principios rectores pueden ayudar a los lectores a aplicar el mensaje del texto a sus vidas. Sin embargo, tengo dos preocupaciones con respecto a este enfoque: en primer lugar, aunque es posible identificar directrices generales que pueden ayudar a los lectores cristianos a conectar el Antiguo Testamento con Cristo,[9] ningún conjunto de reglas puede captar toda la gama de posibles conexiones entre los temas e imágenes del Antiguo Testamento y nuestra experiencia de Dios en Cristo, y debemos tener cuidado de limitar esas conexiones a lo que se puede discernir estrictamente mediante reglas; y en segundo lugar, incluso cuando los lectores de las Escrituras se comprometen genuinamente con el contenido del texto y buscan reflexivamente el mensaje actual de las Escrituras, al final esto todavía no elimina la dimensión subjetiva de la

---

[8] Los cánones de estas iglesias no son radicalmente diferentes unos de otros. Las diferencias implican un pequeño número de libros en disputa. Por ejemplo, sólo la iglesia siria reconoce la Oración de Manasés. Tanto la iglesia siria como la copta reconocen el Salmo 151, mientras que la iglesia armenia no lo hace. La iglesia etíope tiene el canon más completo, reconociendo libros como *Jubileos*, *Enoc* y *4 Baruc*. El pensamiento protestante sobre el canon del Antiguo Testamento sigue la idea de que los cristianos sólo deben aceptar como canónicos los libros que se consideraban canónicos entre los judíos en la época de Jesús (es decir, las «Escrituras» de Jesús), aplicando el concepto *hebraica veritas* («verdad hebrea») de Jerónimo como criterio para determinarlo.

[9] Un libro bien escrito sobre este tema es Christopher J. H. Wright, *Knowing Jesus through the Old Testament* (Downers Grove: InterVarsity, 1992).

interpretación bíblica. Basta con considerar la diversidad de creencias y prácticas de la iglesia asociadas al bautismo o a la participación cristiana en la guerra para ver que la exégesis «literal» combinada con los principios interpretativos no es totalmente suficiente para resolver la cuestión de la subjetividad.

Sin embargo, a fin de cuentas, la medida de la subjetividad en la interpretación es sólo un problema importante si el objetivo de la hermenéutica bíblica es eliminar toda la subjetividad. Pero si se adopta cierta subjetividad, entonces las lecturas en contacto con el sentido *ad litteram* que aprovechan al máximo los recursos teológicos que se observan en la iglesia primitiva pueden ser plenamente apropiadas para los cristianos de hoy, a pesar de su subjetividad. No obstante, deben reconocerse las implicaciones de ese pensamiento para la autoridad bíblica.

Muchos cristianos han creído que son capaces de «probar» todos sus puntos de vista a partir de las Escrituras, al igual que se dice que Pablo en Hechos 9:22 confundió a los judíos que vivían en Damasco «probando que Jesús era el Cristo». El libro de Hechos reporta que Pablo pasó un día entero demostrando la verdad acerca de Jesús de la Ley de Moisés y los Profetas (Hch. 28:23; vea también 13:23; 17:11; 26:23). Aunque la misión única de Pablo se basaba en un llamado directo de Dios, se describe en la disputa como la prueba de su caso a partir de las Escrituras. El texto de las Escrituras era la autoridad máxima, y en su entorno cultural Pablo era visto principalmente como un expansor de las Escrituras.

Pero la naturaleza de los argumentos de Pablo funcionaría de manera diferente para nosotros hoy en día. Como ejemplo, Oseas 1:10 y 2:23 originalmente hablaba de la restauración de Israel a su antiguo estatus como «pueblo de Dios». Pero Pablo cita estos versículos para explicar cómo Dios hizo «pueblo de Dios» de algunos gentiles (Rom. 9:25-26). En defensa de la veracidad esencial del argumento de Pablo, hay una conexión teológica entre el deseo de Dios de rehacer a Israel como pueblo después de haber sido alienados de Dios y el deseo de Dios de hacer un pueblo de los gentiles que fueron alienados de Dios. El argumento de Pablo puede ser leído hoy en día como mostrando a los cristianos cómo relacionar su historia con la historia de Israel en el Antiguo Testamento. Pero el argumento de Pablo supone más que una simple recitación del sentido *ad litteram* de Oseas. En un contexto antiguo habría servido como prueba para al menos algunos oyentes. Pero en vista del significado original de Oseas, la cita de Pablo no funcionaría de la misma manera hoy en día para los lectores informados fuera de la iglesia. Desde nuestra perspectiva hoy en día, el uso de Pablo de Oseas se basa en la experiencia directa de Pablo (el intérprete) con Dios. En otras palabras, la autoridad del intérprete (Pablo) está ligada a la autoridad del texto que está interpretando. Podemos aceptar lo que tiene que decir acerca de la obra de Dios en Cristo como la captura de la esencia de lo que Oseas dice acerca de Dios, pero nuestra perspectiva diferente en el lugar de la autoridad interpretativa es teológicamente significativa para nosotros. Específicamente, nosotros que no compartimos en el contexto de Pablo y la misión divinamente asignada, debemos interpretar la autoridad de nuestras propias interpretaciones de la Escritura de manera diferente a como las interpretaciones de Pablo se presentan en el libro de Hechos.

Sugiero que los cristianos pueden y deben continuar leyendo las Escrituras con Cristo como centro, en una conversación reflexiva con su comunidad cristiana, informados por la tradición y la erudición cristianas, y guiados por la razón moral y la oración, buscando encontrar a Dios y desarrollarse espiritualmente leyendo y escuchando el texto sagrado. Como muchos cristianos del pasado y del presente testifican, un acercamiento a la Escritura como este es la mejor manera de recibir lo que Dios tiene que enseñarnos a través de la Escritura. Pero como vemos hoy más claramente que nunca, los resultados de esa lectura distintivamente cristiana serán a menudo demasiado subjetivos y personales para funcionar como una «autoridad» absoluta en un sentido interpersonal. Los cristianos modernos no necesitan renunciar a la dimensión espiritual de su lectura de las Escrituras. Simplemente necesitan ser más humildes en cuanto a lo que descubren sobre Dios en la Escritura, en reconocimiento de la naturaleza subjetiva de la interpretación bíblica cristiana.

No es que la categoría de «autoridad» no pertenezca propiamente a la Escritura. Dios habla a los cristianos a través de las Escrituras, y los cristianos creen que están bajo la autoridad de Dios. Cuando los cristianos leen las Escrituras, lo hacen con la creencia de que escucharán el mensaje de Dios y deberán seguir la autoridad de Dios.[10] Pero la compleja naturaleza de la hermenéutica bíblica significa que la autoridad de las Escrituras funciona para mediar la autoridad de Dios en mí como cristiano individual, y no me da la autoridad divina para ejercerla sobre otros. Puedo dar testimonio de lo

[10] N. T. Wright explica «la autoridad de la escritura» como «la autoridad de Dios ejercida a través de la escritura» (Wright, *Scripture and the Authority of God*, e.g., págs. 118, 126, 128, 138).

que considero que la Escritura dice, e incluso puedo tratar de persuadir a mis compañeros cristianos a adoptar mi posición, pero para que Dios ejerza autoridad a través de la Escritura sobre estas otras personas por medio de mi actuación, tendrían que llegar a la misma percepción que yo tengo en su propia lectura de la Escritura. Esta forma de pensar sobre la Escritura y la autoridad divina me parece la forma más ética de abordar la cuestión de la subjetividad en la hermenéutica bíblica. La autoridad divina reside en la Escritura, no en mi interpretación de la misma.

Libertad en fe y responsabilidad

Sigue siendo fundamental para el cristianismo que las Escrituras sean útiles para la instrucción en la fe cristiana. El concepto de la Escritura como la autoridad suprema en la creencia y la práctica cristianas ya se calificaba o matizaba en la antigüedad (sección 5 arriba). Al considerar la lectura de la Escritura en un sentido plenamente cristiano hoy en día, creo que debemos matizar nuestra concepción de la autoridad de la Escritura afirmando que el lugar final de la autoridad interpretativa descansa en la relación entre Dios y el cristiano individual. No es que los cristianos deban tratar de interpretar y vivir la Escritura de manera individualista. El significado de la Escritura se discierne en comunidad y se vive en comunidad. Sin embargo, en términos de la autoridad de la Escritura, el punto final de discernimiento en cuanto al significado de la Escritura para hoy debe recaer en el cristiano individual. Buscando ser receptivo a Dios, el cristiano individual debe tener la libertad de tomar las decisiones finales en cuanto a la forma en que la Escritura se relaciona con él.

En mi opinión, el respeto por la libertad individual del cristiano en la interpretación bíblica encaja bien con los valores centrales de la iglesia. En primer lugar, si se adopta tal punto de vista de la autoridad bíblica, entonces los cristianos que deseen enseñarse, animarse o corregirse unos a otros a partir de las Escrituras tendrán que adoptar la postura de tratar de persuadir a sus compañeros cristianos en lugar de mandarlos. «Los reyes de los gentiles se enseñorean de ellos; y los que tienen autoridad sobre ellos son llamados bienhechores. Pero no es así con vosotros; antes, el mayor entre vosotros hágase como el menor, y el que dirige como el que sirve» (Lucas 22:25-26). Cuando intentamos persuadir a los demás, no estamos presumiendo de estar a cargo de ellos, sino que concedemos que pueden o no estar de acuerdo con nosotros, y todo lo que podemos hacer es ofrecer consejo y tratar de dirigirlos hacia Dios. Al imaginar la instrucción bíblica como una persuasión, estamos mejor capacitados para servir a los demás y mostrar genuinamente el amor a través de nuestras apelaciones a las Escrituras. En segundo lugar, la creencia de que nuestra tarea principal con la Escritura es testificar y convencer tiene perfecto sentido junto con la idea de que Dios desea una fe genuina y sincera en lugar de una obediencia fingida. El cristianismo es un asunto del corazón y de la persuasión interna de la mente. Como tal, la verdadera fe cristiana no puede ser coaccionada. Nuestro objetivo con las Escrituras no debe ser ganar argumentos sino convencer al corazón. Esto encaja muy bien con la idea de la libertad individual en la interpretación de las Escrituras. Tercero, reconocer el papel necesario de la conciencia individual del intérprete permite una mayor oportunidad para que el ministerio cristiano involucre a todo el cuerpo de Cristo. Cada cristiano puede y debe asumir la responsabilidad de entender su propia fe cristiana en la medida de lo posible, y esto debe promover la participación activa de más miembros de la iglesia.

La libertad cristiana en la interpretación de las escrituras obviamente implica una medida de responsabilidad. Si lo que más importa no es lo que está escrito en los libros de registro de la iglesia, sino lo que los cristianos realmente creen y hacen, entonces es esencial que cada cristiano entienda el mensaje de las Escrituras tan claramente como sea posible. Nuestro papel dentro de la iglesia incluye edificarse mutuamente en este sentido y ayudarse mutuamente a tomar esta responsabilidad en serio. Mientras que otra persona puede declarar nuestros impuestos sobre la renta por nosotros y liberarnos de un grado de responsabilidad por cualquier pago que hagamos, no hay nadie que pueda liberarnos de nuestra responsabilidad ante Dios. Incluso si algunas personas no quieren esta responsabilidad, creo que es nuestra como seres morales hechos únicamente a imagen de Dios. Dios es misericordioso y ciertamente reconoce que todos estamos lejos de alcanzar la comprensión perfecta. Pero está dentro de nuestro poder y responsabilidad entender y practicar las enseñanzas de las Escrituras, así como la oportunidad lo permite y recordar que seremos juzgados de acuerdo a la medida en que juzguemos a los demás (Mt. 7:1-5).

El reconocimiento del papel de los cristianos individuales en la percepción de la autoridad de Dios en las Escrituras no resta valor a la comunión entre los cristianos; simplemente supone que las iglesias son organizaciones voluntarias dentro de la sociedad y que las diversas comunidades eclesiásticas deben convivir una al lado de la otra. Los cristianos pueden unirse en iglesias cuya comprensión de la vida cristiana es lo suficientemente similar a la suya como para permitirles experimentar la vida cristiana en común como una comunidad inmediata, y estas comunidades cristianas individuales pueden relacionarse entre sí como partes del cuerpo más amplio de Cristo. Esta es una forma común de organizar las iglesias en el mundo moderno, y en general lo considero positivo, aunque creo que se debe hacer más para animar a todos los cristianos a cooperar entre sí. Un resultado obvio de abrazar una hermenéutica espiritual que pone tanto énfasis en los creyentes individuales es que diversas interpretaciones de las Escrituras coexistirán dentro de la iglesia. En mi opinión, cuando se maneja con caridad esta diversidad es buena para la iglesia.

Los beneficios de las diversas interpretaciones de la Escritura para la iglesia

Para ciertos tipos de interpretación escriturales, pueden existir cómodamente múltiples lecturas del mismo texto bíblico una al lado de la otra. Un cristiano podría leer la historia de David y Goliat y ver a David como un símbolo de la misión divina, la confianza en Dios y la liberación del pueblo que en el marco de la Biblia cristiana apunta a Cristo. Otro cristiano podría leer la historia de David y Goliat en el contexto de las narraciones de David de 1 Samuel a 1 Reyes y ver temas que iluminan la naturaleza del progreso (o retroceso) espiritual que puede tener lugar en la vida de fe. Especialmente cuando las lecturas espirituales o devocionales se basan en verdades teológicas más amplias y se relacionan directamente con la vida religiosa del individuo, estas lecturas pueden ser legítimamente convincentes y significativas para el lector u oyente sin tener que descartar diferentes lecturas espirituales del mismo pasaje. No es que se pueda encontrar nada legítimamente en un pasaje, pero puede existir más de una visión relevante para la vida espiritual de una persona en un pasaje determinado de las Escrituras. En este sentido, múltiples lecturas válidas pueden coexistir sin estar en competencia unas con otras. Dado que diferentes personas pueden beneficiarse más en un momento dado de las diferentes percepciones que se encuentran en las Escrituras, en estos casos la diversidad en la interpretación bíblica es obviamente útil para la iglesia.

Sin embargo, para otros tipos de interpretación de las Escrituras, no es posible que coexistan múltiples puntos de vista sin que compitan entre sí. Este es el caso en particular cuando se trata de establecer pautas prácticas de comportamiento. Por ejemplo, en el siglo XIX muchos cristianos de los Estados Unidos argumentaban que la maldición de Noé en Génesis 9:24-27, vista a la luz de las Escrituras en su conjunto (e.g., Ef. 6:5; Col. 3:22; 1 Ti. 6:1; Ti. 2:9; 1 Pe. 2:18), ofrecía un mandato divino para la esclavitud.[11] Muchos otros cristianos no estaban de acuerdo, y en este siglo prácticamente todos los cristianos han llegado a creer que la mejor lectura general de los valores de las Escrituras nos lleva a rechazar la institución de la esclavitud como algo no ético. Esto sirve como ejemplo de diferencias interpretativas que no pueden simplemente coexistir en armonía. En cuanto a la aplicación del mensaje de las Escrituras al mundo real, una interpretación debe ser mejor que la otra. En estos casos, todos los cristianos desearían que se adoptara la mejor interpretación en lugar de la peor, aunque no estén de acuerdo sobre lo que constituye la mejor interpretación.

Muchos asuntos de la interpretación bíblica se encuentran en algún lugar entre la lectura cristológica de David por un lado y el tema de la esclavitud por el otro. Los cristianos leen la Escritura de manera diferente en una serie de temas teológicos, incluyendo la soberanía divina y el libre albedrío humano, el significado teológico de la Eucaristía y la naturaleza de la consumación final del mundo. Temas como estos han sido a veces el centro de grandes conflictos dentro de la iglesia, y los cristianos continúan en desacuerdo sobre ellos. Muchos cristianos de hoy en día están dispuestos a reconocer la fe genuina de aquellos que difieren con ellos en estos temas, pero esto no sugiere que las mejores respuestas a estas preguntas no sean importantes. Diversas interpretaciones de textos como Romanos 9, 1 Corintios 11 y el libro de Apocalipsis crean diferencias significativas dentro y entre las iglesias, pero hoy en día no suelen ser divisorias en el más alto grado.

Valorar la diversidad en la interpretación de las escrituras no implica que uno no crea en las verdades absolutas. Más bien, las discusiones vibrantes y caritativas basadas en las Escrituras entre las diversas voces de la iglesia contribuyen a ayudar a la gente a encontrar lo que es verdadero. Dentro de las iglesias individuales, en los grupos de estudio de la Biblia, en las asambleas

[11] Véase Willard M. Swartley, S*lavery, Sabbath, War and Women: Case Issues in Biblical Interpretation* (Scottdale: Herald, 1983), págs. 31-37. Para los textos sobre la esclavitud del Antiguo Testamento, vea Éx. 21:1-11, 20-21, 26-27; Lev. 25:39-55; Núm. 31:7-12; Dt. 15:12-18; 20:10-14. La carta de Filemón del Nuevo Testamento ofrece quizás la perspectiva bíblica más importante que se encuentra en la crítica directa de la esclavitud. Además, las principales nociones cristianas como la unidad del cuerpo de Cristo, el amor al prójimo y hacer el bien a todos socavan la esclavitud como institución.

denominacionales, en la educación cristiana y en cualquier organización en la que los cristianos se reúnan y vivan su fe, es provechoso que se establezcan diferentes formas de leer las Escrituras. Es especialmente importante que las diferentes comuniones eclesiásticas se escuchen entre sí, y también las iglesias en diferentes culturas. Algunos de los beneficios prácticos de la diversidad en la interpretación de las Escrituras son los siguientes:

1. Dado que ninguna persona es infalible, siempre es posible que un determinado cristiano se equivoque en su interpretación de las Escrituras. Escuchando las lecturas de la Escritura propuestas por otros, podríamos ser corregidos hacia una mejor interpretación. Tener diversas lecturas de la Escritura dentro de la iglesia aumenta las posibilidades de que la mejor lectura se encuentre en algún lugar del cuerpo de Cristo. La diversidad no es motivo de preocupación, pero creo que es muy preocupante cuando alguna autoridad dentro de la iglesia tiene el poder de suprimir los puntos de vista de otros cristianos. A menos que esta autoridad sea infalible, no podemos asumir que siempre tendrá la mejor interpretación. Al menos en algunos casos, por lo tanto, tal autoridad usará su poder para suprimir la mejor interpretación y hacer cumplir una peor. Por lo tanto, ya que ningún individuo o institución cristiana es infalible, la iglesia se beneficia más escuchando diversas interpretaciones de las Escrituras.

2. Los puntos de vista de uno pueden ser sólo parcialmente correctos, reflejando sólo la mitad de la verdad; la otra mitad de la verdad puede encontrarse en una lectura diferente de la Escritura sugerida por alguien más. La idea de que las diferentes lecturas contienen verdades parciales es una forma atractiva de comprender muchas cuestiones de larga data de desacuerdo entre los cristianos, como el debate en torno a la soberanía divina y el libre albedrío humano. Especialmente cuando nuestros intentos de interpretar las Escrituras nos llevan a reflexionar sobre las verdades más profundas acerca de Dios, a menudo necesitamos la perspicacia de otros cristianos para comprender la medida completa de lo que las Escrituras tienen que decir. Si de alguna manera elimináramos la diversidad en la interpretación bíblica, sin duda perderíamos importantes conocimientos de la Escritura que llenan lo que falta en nuestra propia comprensión de la verdad.

3. Aunque la lectura sugerida por alguien no sea la mejor idea en el presente, en un tiempo posterior o en una circunstancia diferente puede llegar a ser instructiva, en cuyo caso otros cristianos se

alegrarán de haberla escuchado.[12] Por ejemplo, algunos cristianos han apelado al Antiguo Testamento para sugerir que los cristianos pueden participar adecuadamente en la guerra, en la que los objetivos son la defensa y la justicia, y la motivación es el autosacrificio.[13] Aunque la circunstancia original que dio lugar a tal sugerencia no constituyó un caso creíble de «guerra justa», el razonamiento bíblico que se introdujo en la sugerencia tiene valor para los cristianos que más tarde deseen seguir la misma cuestión en un contexto diferente. También se puede imaginar que los textos bíblicos podrían emplearse dentro de una cultura particular contra los matrimonios polígamos de una manera que no es útil, pero que los mismos o similares argumentos contra la poligamia tienen sentido en otras culturas. En estos casos, el hecho de que se puedan consultar diversas lecturas de la Escritura no obstaculiza la verdad, sino que ayuda a los cristianos que disciernen a encontrar la verdad.

4. La tolerancia e incluso el aprecio de las diversas lecturas de las Escrituras proporcionan una amplia oportunidad para que los cristianos se muestren mutuamente amor y humildad. Tolerar otras interpretaciones no significa estar de acuerdo con ellas, y la tolerancia no implica que no haya una respuesta correcta. Tratar de entender cómo otros leen las Escrituras demuestra humildad porque reconocemos que no somos infalibles. Ya que nuestro propio conocimiento es imperfecto, debemos ser enseñables para alcanzar la verdad. Además, escuchar genuinamente las opiniones de los demás demuestra que los amamos. Si queremos que los demás nos escuchen, entonces debemos escuchar a los demás.

5. Los cristianos pueden captar mejor la verdad si se les coloca en posiciones en las que deben explicar y defender sus creencias a otros con puntos de vista diferentes. Participar en el tipo de diálogo que implica exponer las garantías bíblicas y las razones detrás de las propias interpretaciones promueve la interiorización de la verdad. Todos llegamos a las Escrituras con un conjunto de creencias sobre cómo debemos entenderlas y aplicarlas. A través del contacto con diversos enfoques de la Escritura nos vemos obligados a volver al texto de nuevas maneras y agudizar nuestro pensamiento interpretativo, con el resultado de que, o bien modificaremos nuestros puntos de vista si se encuentran faltantes, o bien comprenderemos

---

[12] Véase Mishná, *Eduyoth* 1:4-5; y Tosefta, *Eduyoth* 1:4, que sugieren que una razón para preservar los fallos jurídicos de las minorías (a pesar de que en la práctica se sigue el fallo de la mayoría) es que un tribunal posterior podría tener que volver atrás y recuperar un fallo más antiguo de una minoría.

[13] Por ejemplo, véase Ambrosio, *Sobre los deberes del clero* 1.28.135; 2.15.74; 1.27.129.

nuestros puntos de vista a un nivel más profundo y los haremos verdaderamente nuestros. El proceso de elaboración de una defensa de nuestra posición nos ayuda a tomarla verdaderamente a pecho.

6. La manera más efectiva para que los cristianos ganen confianza en que han llegado a la mejor interpretación es saber que se han considerado todas las interpretaciones posibles y se ha seleccionado la más convincente. Ninguna persona que sea verdaderamente consciente del mundo que le rodea quiere tener una cierta visión simplemente porque es la única que ha escuchado. Si los cristianos saben que han sido expuestos a los mejores argumentos posibles a favor de posiciones competitivas, pueden estar justificadamente confiados en la posición que escojan.

7. La diversidad de puntos de vista y el libre flujo de ideas promueven un cristianismo vibrante, como se vio en las épocas de los Padres de la Iglesia y la Reforma. El período de la antigüedad tardía (200-600 d.C.) fue testigo de intensas interacciones entre diversos grupos de cristianos, judíos y «paganos» en el mundo grecorromano, lo que dio lugar a los logros intelectuales y espirituales de la «edad de oro» de los Padres de la Iglesia. Asimismo, el surgimiento de diversas ideas en el período del Renacimiento alimentó el despertar religioso creativo en el oeste a través de las reformas protestantes y católicas romanas.[14]

La diversidad en la interpretación de las Escrituras ofrece muchos beneficios para la Iglesia. Por lo tanto, es útil para los cristianos conocer a otros que tienen puntos de vista diferentes, de modo que cada cristiano pueda escuchar los puntos de vista opuestos precisamente como sus adherentes los explicarían. Esto proporciona la mejor oportunidad para encontrar las lecturas más sólidas de las Escrituras. Obviamente, la existencia de diversas interpretaciones significa que algún error coexiste con la verdad. Aunque obviamente no es lo ideal, esto es inevitable en nuestro estado actual. Los beneficios que vienen cuando la diversidad es abrazada superan con

---

[14] Un resultado del pluralismo en el mundo moderno es que los estados políticos de Occidente, que necesariamente mantienen la ley a través de la fuerza, se han retirado de utilizar la revelación de las escrituras como base del derecho civil. Esto no debe ser visto como un empujón a la religión fuera del ámbito público, como si los cristianos ya no pudieran participar para bien en la sociedad en general. En cambio, los cristianos deben acoger esta situación moderna como la creación de un entorno no coercitivo en el que el evangelio pueda prosperar. El siglo XX fue testigo de terribles crímenes contra la humanidad que fueron el resultado de gobiernos totalitarios que suprimieron los puntos de vista alternativos, incluidos los puntos de vista cristianos. Las atrocidades del siglo pasado no fueron causadas por el pluralismo moderno sino por la ignorancia, la violencia y el fanatismo. Un antídoto clave contra tales males es la libertad de expresar puntos de vista diferentes. Para los cristianos, una cultura que permite múltiples voces es un ambiente saludable para comunicar el evangelio.

creces cualquier beneficio que pueda venir de ignorarla o suprimirla. No debe considerarse un problema que haya pluralismo interpretativo en la lectura de las Escrituras por parte de la iglesia. De hecho, es un producto fructífero de la democratización de la vida cristiana encarnada en el principio de la *sola scriptura*.

La iglesia primitiva creía que Dios inspiraba las Escrituras para instruir a la humanidad. A pesar de la variedad de puntos de vista sobre las implicaciones precisas de la inspiración, todos los cristianos consideraban que las Escrituras eran autoritarias y verdaderas en su mensaje. La mayoría creía que las Escrituras se comunicaban de manera especial como resultado de ser inspiradas y que era necesario algún tipo de percepción espiritual para entenderlas correctamente. Por encima de todo, los antiguos cristianos creían que la Escritura tenía un sentido espiritual que se centraba de alguna manera en Cristo. Como reconoció la iglesia primitiva, la Escritura sigue instruyendo por su tema divino, por los acontecimientos que describe y porque sus símbolos y metáforas siguen apuntando a la gente hacia Dios. Aunque muchas de las creencias de los primeros cristianos sobre la inspiración no pueden ser introducidas en el mundo moderno sin al menos algunas calificaciones, ciertas ideas clave relacionadas con la percepción espiritual, el razonamiento moral, el beneficio para el alma y la unidad de propósito son esenciales para una apreciación plenamente cristiana de las Escrituras hoy en día. Esta rica y compleja manera de leer las Escrituras subraya el elemento de subjetividad que implica la interpretación. En mi opinión, esta subjetividad significa que la autoridad escritural debe ser interpretada como funcionando en última instancia entre Dios y el cristiano individual. Esto encaja bien con la realidad del pluralismo en la interpretación de la Escritura, que no es un problema sino una bendición para la iglesia.

Sobre el autor

Michael Graves es Profesor Asociado de Armerding de Estudios Bíblicos en el Wheaton College, Illinois. Es autor de *Jerome's Hebrew Philology* (2007), también ha producido la primera traducción al inglés del *Comentario de San Jerónimo sobre Jeremías* (2012).

Más títulos de

Publicaciones Kerigma

¡Mátenlos a todos!

El sendero del cristianismo, vol. 1

Una teología bíblica del Nuevo Testamento, vol. 1

Una teología bíblica del Nuevo Testamento, vol. 2

Made in the USA
Monee, IL
03 December 2020